A Rainha da Fofoca

Obras da autora publicadas pela Editora Record:

Avalon High
Avalon High — A coroação: a profecia
de Merlin
Cabeça de vento
Sendo Nikki
Como ser popular
Ela foi até o fim
A garota americana
Quase pronta
O garoto da casa ao lado
Garoto encontra garota
Todo garoto tem
Ídolo teen
Pegando fogo!
A rainha da fofoca
A rainha da fofoca em Nova York
A rainha da fofoca: fisgada
Sorte ou azar?
Tamanho 42 não é gorda
Tamanho 44 também não é gorda
Tamanho não importa
Liberte meu coração
Insaciável
Mordida

Série O Diário da Princesa
O diário da princesa
Princesa sob os refletores
Princesa apaixonada
Princesa à espera

Princesa de rosa-shocking
Princesa em treinamento
Princesa na balada
Princesa no limite
Princesa Mia
Princesa para sempre

Lições de princesa
O presente da princesa

Série A Mediadora
A terra das sombras
O arcano nove
Reunião
A hora mais sombria
Assombrado
Crepúsculo

**Série As leis de Allie
Finkle para meninas**
Dia da mudança
A garota nova
Melhores amigas para sempre?

Série Desaparecidos
Quando cai o raio
Codinome Cassandra

Série Abandono
Abandono

MEG CABOT

A Rainha da Fofoca

Tradução de
ANA BAN

6ª EDIÇÃO

galera
RECORD
Rio de Janeiro | 2013

CIP-Brasil. Catalogação-na-fonte
Sindicato Nacional dos Editores de Livros, RJ.

Cabot, Meg, 1967-
C116r   A rainha da fofoca: romance / Meg Cabot; tradução de Ana Ban. –
6ª ed.   6ª ed. – Rio de Janeiro: Galera Record, 2013.

       Tradução de: Queen of babble
       ISBN 978-85-01-07895-7

       1. Mulheres jovens – Ficção. 2. Americanos – Europa – Ficção. 3.
Romance americano. I. Ban, Ana. II. Título.

                CDD – 813
08-0405   CDU – 821.111(73)-3

Título original em inglês:
QUEEN OF BABBLE

Direitos exclusivos de publicação em língua portuguesa somente para o
Brasil adquiridos pela
EDITORA RECORD LTDA.
Rua Argentina 171 – Rio de Janeiro, RJ – 20921-380 – Tel.: 2585-2000
que se reserva a propriedade literária desta tradução

Impresso no Brasil

ISBN 978-85-01-07895-7

Seja um leitor preferencial Record.
Cadastre-se e receba informações sobre
nossos lançamentos e nossas promoções.

EDITORA AFILIADA

Atendimento e venda direta ao leitor:
mdireto@record.com.br ou (21) 2585-2002

Para Benjamin

Muito obrigada às pessoas extremamente generosas que me ajudaram na confecção deste livro, incluindo Beth Ader, Jennifer Brown, Megan Farr, Carrie Feron, Michele Jaffe, Laura Langlie, Laura McKay, Sophia Travis e, especialmente, Benjamin Egnatz.

PARTE UM

Roupas. Por que as usamos? Muita gente acredita que usamos roupas por causa do pudor. Nas civilizações antigas, no entanto, as roupas foram desenvolvidas não para esconder nossas partes íntimas, mas simplesmente para manter o corpo aquecido. Em outras culturas, acreditava-se que as roupas protegessem quem as usava da magia; em outras ainda, tinha sentido apenas ornamental ou de exibição.

Nesta monografia, minha intenção é explorar a história do vestuário, ou da moda, começando com os homens da antigüidade, que usavam peles de animais para se aquecer, até o homem (ou mulher) de hoje, sendo que algumas dessas pessoas usam pequenas tiras de algum material entre as nádegas (consulte: fio-dental) por razões que alguém ainda terá que conseguir explicar a esta autora.

História da Moda
MONOGRAFIA DE ELIZABETH NICHOLS

1

Nossa indiscrição às vezes se volta contra nós
Quando nossas artimanhas mais profundas falham

— *William Shakespeare (1564-1616), poeta e dramaturgo britânico*

Não dá para acreditar. Não acredito que esqueci como é a cara dele! Como é que posso ter esquecido a *cara* dele? Quer dizer, *a língua dele já entrou na minha boca*. Como é que eu pude esquecer a *cara* de alguém cuja língua já entrou na minha boca? Até parece que existem muitos sujeitos que já enfiaram a língua na minha boca. Só foram, tipo, três.

E um deles foi no Ensino Médio. E o outro descobriu que era gay.

Meu Deus, que coisa mais deprimente. Tudo bem, não vou pensar sobre o assunto agora.

E também não faz assim TANTO tempo que a gente se viu pela última vez. Só faz três meses! Qualquer um esperaria que eu me lembrasse da cara de alguém com quem estou saindo há TRÊS MESES.

Mesmo que, sabe como é, nós tenhamos passado a maior parte desses três meses em países diferentes.

Ainda assim. Eu tenho a foto dele. Bom, tudo bem, não dá para ver a cara dele, já que é uma foto da... ai meu Deus... bunda dele, pelada.

Por que alguém manda uma coisa dessas para outra pessoa? Eu não pedi uma foto da bunda pelada. Era para ser erótico? Porque não foi, de jeito nenhum.

Mas vai ver que o problema sou eu. Shari tem razão, preciso parar de ser tão inibida.

Mas é que foi mesmo muito chocante encontrar na caixa de entrada do meu e-mail uma foto enorme da bunda do meu namorado.

E, tudo bem, eu sei que era só brincadeira, dele e dos amigos. E eu sei que Shari diz que é uma coisa cultural, e que os britânicos se sensibilizam muito menos com a nudez do que a maior parte dos americanos, e que, enquanto cultura, nós deveríamos nos esforçar para ser mais abertos e mais desencanados, como eles.

Além do mais, ele também deve ter pensado, como a maioria dos homens pensa, que a bunda é seu melhor atributo.

Mas, mesmo assim...

Certo, não vou pensar sobre o assunto agora. Vou parar de pensar sobre a bunda do meu namorado. Em vez disso, vou procurá-lo. Ele tem que estar aqui, em algum lugar, ele jurou que viria me buscar...

Ai, meu Deus, aquele ali não pode ser ele, pode? Não, é claro que não. Não, claro que não é. Por que ele estaria usando uma jaqueta daquelas? A menos que esteja sendo irônico. Ou que seja o Michael Jackson, é claro. Ele é o único homem que me vem à mente que usaria couro vermelho com ombreiras. A menos que fosse um dançarino de break profissional.

NÃO PODE ser ele. Ai, meu Deus, por favor, não permita que seja ele...

Ai, não, ele está olhando para cá... está olhando para cá! Olhe para baixo, olhe para baixo, não faça contato visual com o sujeito de jaqueta de couro vermelho com ombreiras. Tenho certeza de que ele deve ser um homem muito simpático, é uma pena que precise comprar casacos de segunda mão dos anos 1980 no Exército de Salvação.

Mas eu não quero que esse cara descubra que eu estava olhando para ele, vai achar que eu estou a fim ou algo do tipo.

Não que eu tenha preconceito contra quem mora na rua, não tenho: sei como alguns de nós estamos a apenas certos salários de distância de nos tornarmos sem-teto. Alguns de nós, aliás, estão a menos de um salário de nos tornarmos sem-teto. Alguns de nós, aliás, andam tão duros que continuam morando com os pais.

Mas não vou pensar sobre o assunto agora.

O negócio é que eu não quero que Andrew chegue aqui e me encontre conversando com um sem-teto qualquer usando jaqueta vermelha de dançar break. Quer dizer, esta não é, de jeito nenhum, a primeira impressão que quero passar. Não que, sabe como é, esta fosse a PRIMEIRA impressão que ele teria de mim, já que estamos juntos há três meses e tudo o mais. Mas vai ser a primeira impressão que ele vai ter da Nova Eu, a que ele ainda não conhece...

Muito bem, muito bem, agora está tudo certo. Ele parou de olhar.

Ai, meu Deus, que horror. Não acredito que seja assim que as pessoas são recebidas neste país. Quem chega é conduzido por uma passarela e fica todo mundo OLHANDO para nós... Parece que decepciono cada um que está aqui por não ser quem esperam. Isto é algo muito deselegante de se fazer com pessoas que passaram seis horas em um avião, oito no meu caso, se contar o vôo de Ann Arbor para Nova York. Dez, se contar as duas horas de espera pela conexão no aeroporto JFK...

Espere. Será que o jaquetinha-vermelha de break estava me olhando de novo?

Ai, meu Deus, estava SIM! O jaqueta de couro vermelha com ombreiras ficou me medindo, total!

Ai, meu Deus, que vergonha. É por causa da minha lingerie, eu SEI. Como é que ele sabe? Quer dizer, como ele sabe que não estou usando lingerie nenhuma? É verdade que não dá para ver a marca da calcinha na minha roupa, mas, até onde ele sabe, eu podia estar de fio-dental. Eu DEVIA ter colocado um fio-dental. Shari tinha razão.

Mas é tão desconfortável quando entra na...

Eu SABIA que não devia ter escolhido um vestido tão apertado para viajar, apesar de eu mesma ter subido a barra da saia para cima do joelho, para não tropeçar nela.

Mas, para começo de conversa, estou congelando: como pode estar assim tão frio em agosto, o auge do VERÃO?

E, em segundo, esta seda é toda justinha, por isso a questão da marca da calcinha.

Mesmo assim, todo mundo na loja disse que ficou ótimo em mim... apesar de eu não ter achado que um vestido mandarim (ainda que fosse vintage) pudesse mesmo cair bem em mim, já que sou branca e tudo o mais.

Mas quero estar bonita, porque faz tanto tempo que ele não me vê, e de fato perdi quinze quilos, e não ia dar para ver que emagreci tanto se tivesse descido do avião de moletom. Não é assim que as celebridades sempre aparecem na *Us Weekly*, naquela seção "Onde ela estava com a cabeça?". Sabe, quando descem do avião de moletom e aquelas botas de camurça do ano passado, com o cabelo todo maluco? Se você quer ser uma celebridade, tem que ter CARA de celebridade, mesmo quando está desembarcando de um avião.

Não que eu seja alguma celebridade, mas quero estar bonita. Eu me esforcei tanto, não comi nem um único farelo de pão durante três meses e...

Espere. E se ele não me reconhecer? Falando sério. Quer dizer, realmente perdi quinze quilos e cortei o cabelo e tal...

Ai, meu Deus, será que ele está aqui e não me reconheceu? Será que eu já passei reto por ele? Será que eu devia voltar para aquela coisa parecida com uma passarela e olhar? Mas daí vou parecer uma idiota completa. O que eu faço? Ai, meu Deus, isto é tão injusto, eu queria ficar bonita para ele, não ficar empacada em um país estrangeiro só porque estou tão diferente que nem o meu namorado me reconhece! E se ele achar que não vim e simplesmente voltar para casa? Eu não tenho dinheiro nenhum (bom, tenho mil e duzentos dólares, mas eles têm que durar até meu vôo de volta, no fim do mês)...

O JAQUETINHA VERMELHA DE COURO CONTINUA OLHANDO PARA CÁ!!! Ai, meu Deus, o que será que ele quer comigo?

E se ele fizer parte de algum tipo de esquema de escravidão branca que atua em aeroportos? E se ele fica aqui o tempo todo procurando turistas jovens e inocentes de Ann Arbor, no estado do Michigan, para serem seqüestradas e mandadas para a Arábia Saudita para se tornarem a décima sétima noiva de algum xeique? Li um livro em que isso tinha acontecido uma vez... mas devo dizer que a garota parece ter gostado bastante. Mas só porque no fim o xeique se divorciou de todas as outras esposas e ficou só com ela porque, além de ser pura, a garota também era boa de cama.

E se ele simplesmente pegar as garotas para pedir um resgate em vez de vendê-las? Só que não sou rica, de jeito nenhum! Sei que este vestido parece caro, mas comprei na Vintage to Vavoom por doze dólares (com meu desconto de funcionária)!

E o meu pai não tem dinheiro nenhum. Ele trabalha na universidade, com um acelerador de partículas Cyclotron, pelo amor de Deus!

Não me seqüestre, não me seqüestre, não me seqüestre...

Espere, que negócio é este aqui? Um ponto de encontro. Ah, maravilha! Serviço ao cliente! É o que eu vou fazer: vou mandar um recado para Andrew. Assim ele pode vir aqui me encontrar. E vou estar a salvo do Jaqueta Vermelha de Dançar Break; ele não vai ter coragem de me seqüestrar e de me mandar para a Arábia Saudita na frente do cara que dá os recados...

— Olá, você parece perdida. O que posso fazer por você?

Ah, o cara da cabine é tão legal! E que sotaque bacana ele tem! Mas aquela gravata foi mesmo uma má escolha.

— Oi, meu nome é Lizzie Nichols — eu respondo. — Meu namorado, Andrew Marshall, deveria ter vindo me buscar. Só que parece que ele não está aqui, e...

— Quer que eu mande um recado para ele, então?

— Ah, quero sim, por favor. Você faria isto? É que tem um cara me seguindo, está vendo ali? Acho que ele pode ser seqüestrador ou operador de um esquema de escravidão...

— Qual deles?

Não quero apontar, mas sinto que tenho uma obrigação, sabe como é, de delatar o Jaqueta Vermelha de Dançar Break às autoridades, ou pelo menos ao atendente da cabine do ponto de encontro, porque ele parece MESMO muito esquisito com aquela jaqueta e CONTINUA olhando para mim, de um jeito muito grosseiro mesmo, ou pelo menos muito sugestivo, como se ainda quisesse me seqüestrar.

— Ali — eu digo, apontando com a cabeça na direção do Jaqueta Vermelha de Dançar Break. — Aquele ali com aquela jaqueta horrorosa de ombreiras. Está vendo? Ele está olhando para cá.

— Ah, certo. — O atendente da cabine do ponto de encontro assente com a cabeça. — Já vi. Muito ameaçador. Espere um instante, vou chamar seu namorado aqui, e ele vai poder detonar com este esquisitão como ele merece, espere só um segundo. ANDREW MARSHALL. ANDREW MARSHALL, A SENHORITA NICHOLS O ESPERA NO PONTO DE ENCONTRO. ANDREW MARSHALL, POR FAVOR, A SENHORITA NI-

CHOLS O ESPERA NO PONTO DE ENCONTRO. Que tal? O que achou disso?

— Ah, foi ótimo — eu digo, em tom de incentivo, porque sinto um pouco de pena dele. Quer dizer, deve ser difícil ficar sentado em uma cabine o dia inteiro, berrando em um alto-falante. — Foi mesmo muito...

— Liz?

Andrew! Finalmente!

Só que, quando eu me viro para olhar, é o Jaqueta Vermelha de Dançar Break.

Só que...

Só que ERA Andrew, o tempo todo.

E eu simplesmente não o reconheci porque fiquei distraída com a jaqueta... a jaqueta mais horrorosa que eu já vi. Além do mais, parece que ele cortou o cabelo. E não ficou muito bom.

Na verdade, ficou meio ameaçador.

— Ah — digo. É extremamente difícil esconder minha confusão. E o meu desalento. — Andrew. Oi.

Atrás do vidro da cabine do ponto de encontro, o atendente cai na maior gargalhada.

E percebo, com uma pontada, que fiz a mesma coisa de sempre.

De novo.

O primeiro tecido de que se tem notícia era feito de fibras naturais como casca de árvore, algodão e cânhamo. Fibras animais só começaram a ser empregadas no final do período neolítico, por culturas que (diferentemente de seus ancestrais nômades) foram capazes de estabelecer comunidades estáveis, perto das quais ovelhas podiam pastar, e onde era possível montar teares.

Ainda assim, os antigos egípcios se recusaram a usar lã até depois da conquista de Alexandre, obviamente devido ao fato de que este tecido pinica em climas mais quentes.

História da Moda
MONOGRAFIA DE ELIZABETH NICHOLS

Fofoca não é escândalo e não é algo simplesmente malicioso.
Não passa de conversa sobre a raça humana, praticada
por aqueles que a amam.

— *Phyllis McGinley (1905-1978), poeta e escritora norte-americana*

Dois dias antes, em Ann Arbor
(ou talvez sejam três dias... espere, que horas são nos Estados Unidos?)

Você vai comprometer seus princípios feministas — é
o que Shari não pára de dizer.

— Pare com isso — eu digo.

— Falando sério. Não tem nada a ver com você. Desde que
você conheceu esse cara...

— Shari, eu o amo. Qual é o problema de eu querer estar
com a pessoa que eu amo?

— Não tem nada de errado em querer estar com essa pessoa
— Shari responde. — O que é errado é você colocar toda a sua
carreira em modo de espera enquanto ele termina os estudos.

— E que carreira é essa, Shar? — Não dá para acreditar que estou tendo esta conversa. De novo.

Isso sem contar que ela resolveu estacionar bem ao lado dos salgadinhos e dos molhinhos, quando sabe muito bem que eu ainda estou tentando perder mais dois quilos.

Ah, tanto faz. Pelo menos Shari está usando a saia rodada mexicana branca e preta que escolhi para ela na loja, apesar de ela ter dito que o modelo deixava a bunda dela grande demais. Não deixa. A não ser, talvez, de um jeito bom.

— Você sabe — Shari diz. — A carreira que você poderia ter se simplesmente se mudasse para Nova York comigo quando voltasse da Inglaterra, em vez de...

— Eu já disse que não vou discutir este assunto com você hoje — respondo. — Esta é a minha festa de formatura, Shar. Será que não pode me deixar aproveitar?

— Não — Shari responde. — Porque você está sendo uma idiota, e sabe muito bem disso.

O namorado de Shari, Chaz, aproxima-se de nós e enfia uma batatinha sabor *barbecue* em um molhinho de cebola.

Humm... Batatinha com sabor *barbecue*. Talvez, se eu comer só uma...

— Qual é a idiotice que Lizzie está aprontando agora? — ele pergunta, mastigando.

Mas nunca dá para comer só uma batatinha sabor *barbecue*. Nunca.

Chaz é alto e magrelo. Aposto que nunca precisou perder mais dois quilos na vida toda. Ele até precisa usar cinto para a

23

calça Levi's não cair. É um modelo de couro trançado. Mas, par ele, couro trançado funciona.

O que não funciona, é claro, é o boné de beisebol da Universidade de Michigan. Mas eu nunca consegui convencê-lo de que bonés de beisebol, usados como acessórios, ficam errados em todo mundo. Tirando crianças e jogadores de beisebol de verdade.

— Ela continua querendo ficar aqui depois que voltar da Inglaterra — Shari explica, pegando também uma batatinha e enfiando no molhinho —, em vez de se mudar para Nova York conosco e dar início à vida de verdade.

Shari também não precisa prestar atenção ao que come. Sempre teve um metabolismo naturalmente rápido. Quando éramos crianças, ela levava para o almoço sacos com três sanduíches de pasta de amendoim e geléia e um pacote de biscoitos Oreo, e nunca engordou nem um grama. O meu almoço? Um ovo cozido, uma única laranja e uma coxa de frango. E eu era a gorducha. Ah, era sim.

— Shari — eu digo. — Tenho uma vida de verdade aqui. Tenho um lugar para morar...

— Na casa dos seus pais!

— ...e um emprego que adoro...

— Como subgerente de um brechó. Isso não é carreira!

— Eu já disse — afirmo, pelo que deve ser a milésima vez — que vou ficar morando aqui para economizar dinheiro. Depois Andrew e eu vamos nos mudar para Nova York, quando ele terminar o mestrado. Só falta mais um semestre.

— Quem é Andrew mesmo? — Chaz quer saber. E Shari dá um soco no ombro dele.

— Ai — Chaz diz.

— Você se lembra — Shari diz. — Aquele aluno de pós-graduação que era assistente dos residentes do alojamento estudantil McCracken. Aquele sobre o qual Lizzie não parou de falar o verão todo.

— Ah, certo, Andy. O britânico. Aquele que organizava partidas ilegais de pôquer no sétimo andar.

Caio na gargalhada.

— Aquele não é Andrew! Ele não joga. Está estudando para ser educador de jovens, para que possa preservar nosso recurso mais precioso... a próxima geração.

— O cara que mandou para você a foto da bunda dele pelada?

Engulo em seco.

— Shari *falou* sobre isso para você?

— Eu queria ouvir uma opinião masculina — Shari diz e dá de ombros. — Sabe como é, para ver se ele tinha alguma idéia de que tipo de indivíduo faria algo assim.

Vindo de Shari, que de fato tinha estudado psicologia na faculdade, realmente parecia uma explicação bastante razoável. Olho para Chaz com ar questionador. Ele realmente sabe muita coisa: quantas vezes é preciso dar a volta no campo Palmer para percorrer um quilômetro (duas e meia, algo que eu precisava saber quando caminhava lá todos os dias para perder peso); o que significa o número 33 dentro da garrafa de cerveja Rolling Rock;

por que tantos homens acham que usar calças na altura das canelas é legal...

Mas Chaz também dá de ombros.

— Não pude ajudar nem um pouco. Afinal, nunca tirei uma foto da minha própria bunda.

— Andrew não tirou uma foto da própria bunda — corrijo. — Foram os amigos dele que tiraram.

— Que coisa mais homoerótica — Chaz comenta. — Por que você o chama de Andrew se todo mundo o chama de Andy?

— Porque Andy é nome de esportista — respondo. — E Andrew não é esportista. Ele está fazendo mestrado em educação. Algum dia, vai ensinar crianças a ler. Por acaso pode haver algum trabalho mais importante no mundo do que esse? E ele não é gay. Desta vez eu conferi.

As sobrancelhas de Chaz se erguem.

— Você *checou*? Como? Espere... não quero saber.

— Ela só gosta de fingir que ele é o *príncipe* Andrew — Shari diz. — Bem, então, onde mesmo eu estava?

— Lizzie estava fazendo alguma idiotice — Chaz se lembra, ajudando Shari. — Então, espere. Quanto tempo faz que você não vê o sujeito? Três meses?

— Mais ou menos isso — respondo.

— Caramba — Chaz sacode a cabeça. — O cara vai pular total em cima de você quando descer daquele avião.

— Andrew não é assim — digo, cheia de ternura. — Ele é romântico. Provavelmente vai querer que eu me acostume e me

26

recupere da diferença de fuso horário na cama *king size* dele com lençóis de algodão com fios incontáveis. Ele vai me levar café-da-manhã na cama... um café-da-manhã inglês fofo com... coisas inglesas.

— Tipo tomate fervido? — Chaz pergunta com inocência fingida.

— Bela tentativa — digo. — Mas Andrew sabe que não gosto de tomate. Ele perguntou no último e-mail se tem alguma comida de que eu não goste, e já o informei a respeito da coisa do tomate.

— É melhor você torcer para que o café-da-manhã não seja a única coisa que ele vai levar para você na cama — Shari tem um ar sombrio. — Se não, de que adianta viajar meio mundo para se encontrar com ele?

Esse é o problema de Shari. Ela não é nada romântica. Fico mesmo surpresa de ver que ela e Chaz estão juntos há tanto tempo. Quer dizer, dois anos é realmente um recorde para ela.

Mas, bem, como ela mesma gosta sempre de dizer, a atração entre os dois é quase puramente física, já que Chaz acabou de terminar um mestrado em filosofia e, portanto, na opinião de Shari, praticamente não tem a menor chance de arrumar um emprego.

"Então, de que adianta ter esperança em relação a um futuro com ele?", ela me pergunta com freqüência. "Quer dizer, no fim, ele vai começar a se sentir inadequado... apesar da herança, quer dizer... e por conseqüência vai sofrer de ansiedade relativa à sua performance na cama. Então, vou ficar brincando com ele por enquanto, já que ainda consegue ficar duro."

Shari é mesmo muito prática.

— Ainda não consegui entender por que você vai viajar até a Inglaterra para se encontrar com ele — Chaz diz. — Quer dizer, um cara com quem você ainda nem foi para a cama, que obviamente não conhece você muito bem, já que ele nem sabe sobre a sua aversão por tomates, e acha que você ia gostar de ver a foto da bunda pelada de alguém.

— Você sabe muito bem por quê — Shari responde. — É o sotaque dele.

— Shari! — exclamo.

— Ah, certo — Shari diz, revirando os olhos. — E ele salvou a vida dela.

— Quem salvou a vida de quem? — Angelo, meu cunhado, aparece e se intromete, porque descobriu o molhinho que estava ali.

— O namorado novo de Lizzie — diz Shari.

— Lizzie tem um namorado novo? — Angelo, dá para ver, está tentando cortar os carboidratos. Só está colocando talos de salsão no molhinho. Talvez esteja fazendo a dieta de South Beach para controlar a gordura na barriga, que se destaca sob a camisa branca de poliéster que ele usa. Por que ele não me escuta e não usa apenas fibras naturais? — Como é que eu não fiquei sabendo? O SLC deve estar com problemas.

— SLC? — Chaz repete, com as sobrancelhas escuras arqueadas.

— O Sistema Lizzie de Comunicação — Shari explica a ele.

— Por onde você tem andado?

— Ah, tudo bem — Chaz vira a cerveja.

— Eu contei tudo para a Rose — digo e olho com ódio para os três. Algum dia eu pego a minha irmã Rose por causa desse negócio de Sistema Lizzie de Comunicação. Era engraçado quando éramos pequenas, mas agora estou com 22 anos!

— Ela não contou para você, Ange?

Angelo parece confuso.

— Contou o quê?

Suspiro.

— Uma caloura do segundo andar deixou o *pot-pourri* ferver em cima da chapa do grill que ela tinha no quarto, o que é proibido, e o corredor ficou cheio de fumaça e tiveram que evacuar o prédio — explico.

Eu sempre adoro contar a história de como Andrew e eu nos conhecemos. Porque é a coisa mais romântica do mundo. Algum dia, quando Andrew e eu estivermos casados e morarmos em uma casa vitoriana caindo aos pedaços e livre de tomates, em Westport, no estado do Connecticut, com o nosso *golden retriever*, Rolly, e nossos quatro filhos, Andrew Jr., Henry, Stella e Beatrice, e eu for famosa (fazendo sei-lá-o-quê que vou fazer), e Andrew for o diretor de uma escola para meninos próxima, ensinando crianças a ler, e eu for entrevistada pela *Vogue*, vou poder contar esta história (e estarei moderníssima e fabulosa, vestida de Chanel vintage da cabeça aos pés), enquanto dou risada e sirvo uma xícara perfeita de chá francês para a repórter no terraço dos fundos, que será decorado inteiramente de palha branca e chintz, tudo de muito bom gosto.

— Bom, eu estava no banho — prossigo —, por isso não senti o cheiro da fumaça, nem ouvi o alarme disparar, nem nada. Até que Andrew entrou no banheiro feminino e gritou "Fogo!" e...

— É verdade que os banheiros femininos do alojamento McCracken têm chuveiros coletivos? — Angelo quer saber.

— É verdade — Chaz informa, em tom ameno. — Elas todas tomam banho juntas. Às vezes, ensaboam as costas umas das outras enquanto ficam fofocando sobre as coisas de mulherzinha que aprontaram na noite anterior.

Angelo fica olhando para Chaz com os olhos arregalados.

— Você está zoando comigo?

— Não dê atenção a ele, Angelo — Shari diz, e pega mais uma batatinha. — Ele está inventando.

— Isso acontece o tempo todo naquele seriado, *Beverly Hills Bordello* — Angelo diz.

— Nós não tomávamos banho todas juntas — digo. — Quer dizer, eu e Shari às vezes tomávamos...

— Fale mais sobre o assunto, por favor — Chaz abre uma nova cerveja com o abridor que minha mãe tinha deixado ao lado da geladeira.

— Não fale — diz Shari. — Você só vai incentivá-lo.

— Que parte você estava lavando quando ele entrou? —

Chaz quer saber. — E tinha outra menina com você na hora? Que parte ela estava lavando? Ou estava ajudando *você* a se lavar?

— Não — respondo. — Era só eu. E, naturalmente, quando vi um cara no banheiro das meninas, eu berrei.

— Ah, é claro — Chaz disse.

— Então, peguei uma toalha e o cara... não dava para ver direito com aquele monte de vapor, fumaça e tudo o mais... aí, ele disse, com o sotaque britânico mais fofo que já se ouviu: "Senhorita, o prédio está pegando fogo. Acho que você precisa sair."

— Então, espere — Angelo diz. — O cara viu você peladinha?

— Sem nadinha — Chaz confirma.

— Então, àquela altura, os corredores estavam todos cheios de fumaça e eu não enxergava nada, por isso, ele pegou na minha mão e me guiou para fora com toda segurança, e daí a gente começou a conversar... eu de toalha e tudo o mais. E foi quando percebi que ele era o amor da minha vida.

— Com base em uma única conversa — Chaz parece bem cético. Mas, bem, como ele tem mestrado em filosofia, demonstra ceticismo em relação a quase tudo. Essas pessoas são educadas para ficar assim.

— Bem — eu digo —, nós ficamos nos agarrando o resto da noite também. É por isso que eu sei que ele não é gay. Quer dizer, ele ficou com o pau bem duro.

Chaz engasgou um pouco com a cerveja.

— Então, bem — tento pôr a conversa nos eixos novamente —, ficamos nos agarrando a noite toda. Mas daí ele teve que voltar para a Inglaterra no dia seguinte, porque era o fim do semestre...

— ...E agora que Lizzie finalmente se formou, ela vai para Londres para passar o resto do verão com ele — Shari termina para mim. — Depois, vai voltar para cá para apodrecer, igualzinho à...

— Vamos lá, Shar — interrompo rapidinho. — Você prometeu.

Ela só faz uma careta para mim.

— Escute, Liz — Chaz pega outra cerveja. — Eu sei que esse cara é o amor da sua vida e tudo o mais. Mas você tem o próximo semestre inteiro para ficar com ele. Tem certeza de que não quer passar o resto do verão conosco na França?

— Nem se dê ao trabalho, Chaz — Shari diz. Eu já perguntei a ela oito milhões de vezes.

— Você mencionou que nós vamos ficar em um *château* francês do século XVII com vinhedo próprio, empoleirado no topo de uma colina, com vista para um vale verdejante, cortado por um rio comprido e preguiçoso? — Chaz quer saber.

— Shari me contou — eu digo. — E é muito gentil da sua parte me convidar. Apesar de você não estar exatamente em condição de convidar os outros, porque, por acaso, o *château* pertence a um dos seus amigos, daquela escola particular onde você estudou, e não a você.

— Este é um detalhe ínfimo — retruca Chaz. — Luke adoraria se você fosse.

— Ah, mas é claro que adoraria! — diz Shari. — Mais mão-de-obra escrava para a empresa de casamentos amadora dele.

— Do que eles estão falando? — Angelo me pergunta, parecendo confuso.

— É um amigo de infância de Chaz, Luke — explico. — Tem um castelo antigo na França que o pai dele aluga algumas vezes durante o verão para a realização de casamentos. Shari e Chaz partem amanhã para passar um mês no *château*, de graça, em troca de ajudar nos casamentos.

— Um lugar para a realização de casamentos? — Angelo repete. — Quer dizer, tipo Las Vegas?

— É isso mesmo — responde Shari. — Só que é de bom gosto. E a passagem é bem mais cara. E não tem bufê de café-da-manhã.

Angelo parece chocado.

— Então, qual é a graça?

Alguém puxa a barra do meu vestido e eu olho para baixo. A filha mais velha de minha irmã Rose, Maggie, está me estendendo um colar feito de macarrão.

— Tia Lizzie — ela diz. — Para você. Eu que fiz. Para sua formatura.

— Ah, muito obrigada, Maggie. — Eu me ajoelho, para que Maggie possa passar o colar por cima da minha cabeça.

— A tinta ainda não secou. — Maggie aponta para as manchas de tinta azul e vermelha que agora foram transferidas do macarrão para a parte da frente do meu vestido de festa cor-de-rosa Suzy Perette de 1954 (que não foi nada barato, apesar do meu desconto de funcionária).

— Tudo bem, Mags — digo. Porque, afinal de contas, ela só tem quatro anos. — É lindo.

— Ah, você está aqui! — Vovó Nichols vem cambaleando na nossa direção. — Procurei você em todo lugar, Anne-Marie. Está na hora da *Doutora Quinn*.

— Vovó. — Aprumo o corpo para pegar o braço fininho como um graveto dela, antes que perca o equilíbrio. Vejo que ela já conseguiu derrubar alguma coisa por cima da túnica verde de *crepe de chine* de 1960 que eu peguei para ela na loja. Por sorte, as manchas de tinta do colar de macarrão que Maggie fez para ela escondem um pouco a sujeira. — Eu sou Lizzie. Não Anne-Marie. Mamãe está ali, perto da mesa de sobremesas. E o que a senhora andou bebendo?

Pego a garrafa de Heineken na mão de vovó e cheiro o conteúdo. De acordo com a combinação que fizemos em família, seria preenchida de cerveja sem álcool, depois fechada novamente, devido à incapacidade de vovó Nichols de controlar a bebida, o que já resultou no que mamãe gosta de chamar de "incidentes". Mamãe tinha esperança de evitar qualquer "incidente" na minha festa de formatura, dando só cerveja sem álcool para vovó (mas sem informar a ela a respeito desse pequeno detalhe, é claro). Porque senão ela teria feito a maior confusão, iria dizer que nós estávamos tentando acabar com a diversão de uma senhora de idade e tudo o mais.

Mas não sei dizer se a cerveja dentro da garrafa é mesmo sem álcool. Colocamos as Heinekens falsificadas em um cantinho especial da geladeira. Mas ela pode ter conseguido arrumar a coisa de verdade em algum lugar. Ela é espertinha assim.

Ou vai ver que ela só ACHA que tomou a coisa certa e, por conseqüência, pensa que está bêbada.

— Lizzie? — Vovó parece desconfiada. — O que está fazendo aqui? Não devia estar na faculdade?

— Eu me formei na faculdade em maio, vovó — respondo. Bem, mais ou menos. Isso sem contar os dois meses que passei de recuperação, para conseguir a nota que eu precisava em língua estrangeira para poder me formar. — Esta é a minha festa de formatura. Bem, minha festa de formatura-barra-despedida

— Despedida? — A desconfiança de vovó se transforma em indignação. — Para onde você acha que vai?

— Para a Inglaterra, vovó, depois de amanhã — respondo. —· Para visitar meu namorado. Está lembrada? Nós falamos sobre isto

— Namorado? — Vovó fica olhando para Chaz, estupefata — Não é aquele ali?

— Não, vovó — respondo. — Aquele é Chaz, namorado de Shari. A senhora se lembra de Shari Dennis, certo, vovó? Ela morava aqui, na nossa rua.

— Ah, a filha dos Dennis — vovó aperta os olhos na direção de Shari. — Agora me lembrei de você. Achei mesmo que tinha visto seus pais ali perto da churrasqueira. Você e Lizzie vão cantar aquela musiquinha que sempre cantam quando estão juntas?

Shari e eu trocamos olhares cheios de pavor. Angelo comemora.

— Ei, é isso aí! — ele exclama. — Rosie me falou a respeito disso. Qual era mesmo a música que vocês costumavam cantar? Tipo no show de talentos da escola ou qualquer merda dessas?

Lanço um olhar de alerta a Angelo, já que Maggie continua por perto, e respondo:

— *Little pitchers*.

Pela cara dele, é óbvio que não faz a menor idéia do que eu estou falando. Suspiro e começo a conduzir vovó na direção da casa.

— É melhor entrar, vovó — eu digo. — Ou vai perder seu programa.

— Mas e a música? — vovó quer saber.

— Vamos cantar a música mais tarde, senhora Nichols — Shari garante a ela.

— Eu vou cobrar — Chaz nos lança uma piscadela.

Shari diz "nos seus sonhos" para ele, só movendo os lábios. Chaz manda um beijo para ela por cima do gargalo da garrafa.

Os dois são tão fofos juntos... Não posso esperar para chegar a Londres para que Andrew e eu possamos ser fofos juntos também.

— Vamos, vovó — eu digo. — A *Doutora Quinn* está começando agora.

— Ah, que bom — diz vovó. Para Shari, confidencia: — Eu não ligo nem um pouco para aquela boba da Doutora Quinn. É aquele gostosão que está sempre com ela... dele, eu nunca canso!

— Certo, vovó — eu me apresso em dizer, quando Shari cospe toda a Amstel Light que tinha acabado de colocar na boca.

— Vamos entrar logo, antes que perca o seu programa...

Mal avançamos alguns metros no pátio, no entanto, e logo somos paradas pelo doutor Rajghatta, o chefe do meu pai no Cyclotron, com a mulher bonita dele, Nishi, radiante em um sári cor-de-rosa, ao lado.

— Meus parabéns pela sua formatura — o doutor Rajghatta me cumprimenta.

— Sim — a esposa concorda. — E, se nos permite dizer, você está muito magra e adorável.

— Ah, obrigada — respondo. — Muito obrigada mesmo!

— E o que vai fazer agora que se formou em... No que mesmo? — o doutor R quer saber. É uma pena ele estar usando um protetor de bolso, mas eu não consegui fazer nem com que meu próprio pai desistisse desse troço, então é bem improvável que eu consiga fazer algum avanço nesse sentido com o chefe dele.

— História da moda — respondo.

— História da moda? Eu não sabia que a sua faculdade oferecia cursos nessa área — diz o doutor R.

— Ah, não oferece. O meu programa de graduação foi individualizado. Sabe como é, quando você decide por conta própria as cadeiras que vai cursar?

— Mas história da moda? — o doutor Rajghatta parece preocupado. — Há muitas oportunidades disponíveis nessa área?

— Ah, toneladas — respondo, tentando não me lembrar de como, no fim de semana passado mesmo, peguei um exemplar do *New York Times* de domingo e vi que todos os empregos ligados a moda (e a promoção de vendas) dos classificados ou não exigiam exatamente diploma de bacharel ou exigiam anos de experiência no ramo, algo que não tenho. — Posso conseguir um emprego no Instituto do Vestuário no Museu Metropolitan. — Como faxineira, claro. — Ou figurinista da Broadway. — Sabe como é, se todos os figurinistas do mundo morrerem ao mesmo tempo. — Ou posso até ser compradora de uma loja refinada como a Saks Fifth Avenue. — Isso se eu tivesse escutado o meu pai, que insistiu para que eu estudasse administração.

— Como assim, compradora? — Vovó parece escandalizada. — Você vai ser estilista, não compradora! Ah, esta menina rasga e costura as roupas dela de um jeito todo esquisito desde que tinha idade suficiente para segurar uma agulha — ela explica ao doutor e à senhora R, que olham para mim como se vovó tivesse acabado de informar que eu gosto de ficar dançando salsa pelada no meu tempo livre.

— Hã — digo, com uma risada nervosa. — Era só um passatempo. — Não menciono, é claro, que eu só fazia isso (reinventava minhas roupas) porque era tão gordinha que não cabia nas roupas divertidas e charmosas do departamento infantil, então eu tinha que, de algum modo, transformar as coisas que minha mãe comprava na seção de vestuário feminino em algo interessante e mais jovem.

E é por isso, claro, que gosto tanto de roupas vintage. Elas são muito mais bem-feitas e caem muito melhor (independentemente do seu tamanho).

— Passatempo o caramba. Está vendo esta blusa aqui? — vovó aponta para sua túnica manchada. — Ela tingiu pessoalmente. Era cor de laranja, e agora, olhe só para ela! E ela cortou as mangas para ficar mais sexy, bem como eu pedi!

— É uma blusa muito bonita mesmo — diz a senhora Rajghatta gentilmente. — Tenho certeza de que Lizzie irá longe com tanto talento.

— Ah. — Sinto que meu rosto ficou da cor de uma beterraba. — Quer dizer, eu nunca poderia... sabe como é. Viver disso. É só um passatempo.

— Ah, que bom — o marido dela parece aliviado. — Ninguém deve passar quatro anos em uma boa faculdade para depois ganhar a vida costurando!

— Seria mesmo o maior desperdício! — concordo, preferindo não comentar com ele que passarei o primeiro semestre depois da formatura com o mesmo emprego de subgerente de loja enquanto espero meu namorado se formar.

Vovó parece incomodada.

— Por que o senhor se preocupa? — ela me dá uma cotovelada. — Os quatro anos foram de graça mesmo. Não importa o que vai fazer com o que aprendeu lá.

O doutor e a senhora Rajghatta e eu trocamos sorrisos, todos igualmente acanhados com a explosão de vovó.

— Os seus pais devem ter muito orgulho de você — continua a senhora Rajghatta, ainda com um agradável sorriso nos lábios. — Quer dizer, por ter tanta segurança a ponto de estudar uma coisa tão... obscura, quando tantos jovens qualificados não conseguem nem arrumar emprego no mercado de trabalho dos dias de hoje. É muito corajoso da sua parte.

— Ah — engulo a ânsia de vômito que sempre me parece subir à garganta quando penso sobre meu futuro. É melhor não pensar sobre o assunto agora. É melhor pensar em como vou me divertir com Andrew. — Bem, sou corajosa mesmo.

— Vou dizer, é corajosa mesmo — vovó apóia. — Ela vai para a Inglaterra depois de amanhã para transar com algum fulano que mal conhece.

— Bom, agora precisamos entrar — agarro a mão de vovó, puxando-a. — Muito obrigada por virem, doutor e senhora Rajghatta!

— Ah, espere. Isto aqui é para você, Lizzie. — A senhora Rajghatta coloca uma caixa embrulhada com papel de presente na minha mão.

— Ah, muito obrigada — exclamo. — Não precisava!

— Não é nada mesmo — a senhora Rajghatta diz com uma risada. — É só uma luzinha de leitura. Seus pais disseram que você iria para a Europa, então pensei que, se você for ler em um trem ou algo assim...

— Bem, muito obrigada mesmo — repito. — Vai ser mesmo muito útil. Tchauzinho, então.

— Luzinha de leitura — vovó resmunga enquanto a afasto, apressada, de perto do chefe de papai e de sua esposa. — Quem diabos vai querer uma luzinha de leitura?

— Muita gente — respondo. — É muito útil ter uma.

Vovó diz uma palavra muito feia. Ficarei feliz quando ela estiver bem acomodada e segura na frente da reprise de *Doutora Quinn*.

Mas, antes que possa fazer isso, há muitos obstáculos que precisamos transpor, inclusive Rose.

— Minha irmãzinha! — Rose exclama, tirando os olhos da criancinha que ela colocou em um cadeirão ao lado da mesa de piquenique, em cuja boca enfia colheradas de purê de batata. — Não acredito que está se formando na faculdade! Fico me sentindo tão velha!

— Você é velha — vovó observa.

Mas Rose simplesmente a ignora, como costuma fazer quando se trata de vovó.

— Angelo e eu estamos tão orgulhosos de você. — Os olhos de Rose se enchem de lágrimas. Foi uma pena ela não ter me escutado quando falei sobre o comprimento de seus jeans. O visual corsário só funciona quando se têm pernas compridas como as de Cindy Crawford. Algo que nenhuma de nós, as garotas Nichols, tem. — Não só pela coisa de se formar, mas por... bem, você sabe. A perda de peso. Mesmo. Você está simplesmente fantástica. E... bem, nós compramos uma coisinha para você. — Ela coloca um pacotinho embrulhado para presente na minha mão. — Não é nada de mais... sabe como é, com Angelo sem emprego e o bebê na creche o dia inteiro e tudo o mais. Mas achei que uma luzinha de leitura seria útil para você. Sei como você adora ler.

— Uau — digo. — Muito obrigada, Rose. Foi mesmo muita consideração da sua parte.

Vovó começa a dizer alguma coisa, mas aperto a mão dela com muita força.

— Ai — vovó reclama. — Dá próxima vez, por que não me esfaqueia?

— Bem, preciso levar a vovó para dentro — explico. — Está na hora da *Doutora Quinn*.

Rose olha para vovó.

— Ai, meu Deus, ela não falou para todo mundo que tem tesão por Byron Sully, falou?

— Pelo menos ele tem emprego — vovó começa —, e isso já é mais do que se pode dizer daquele seu marido de...

— Certo — digo, puxando vovó e entrando pelas portas de correr. — Vamos, vovó. Sully não pode ficar esperando.

— Isto não é maneira de falar do meu marido, vovó! — ouço Rose dizer atrás de nós. — Espere só até eu contar para o papai!

— Pode contar — vovó retruca. Então, enquanto a arrasto para longe, ela reclama: — Essa sua irmã. Como conseguiu agüentá-la todos estes anos?

Antes de conseguir formular uma resposta (o que não foi nada fácil), ouço minha outra irmã, Sarah, chamar o meu nome. Viro e a vejo se aproximar de nós aos tropeções, com uma travessa de comida nas mãos. Infelizmente, ela está usando calças capri brancas de *stretch* apertadas demais para ela.

Será que minhas irmãs nunca vão aprender? Algumas coisas *precisam* continuar sendo um mistério.

Mas acho que, como foi esse visual que conquistou o marido de Sarah, Chuck, ela resolveu mantê-lo.

— Ah, oi — Sarah diz, com a fala meio enrolada. Fica claro que ela também andou virando alguns copos. — Preparei seu prato preferido, em homenagem ao seu grande dia.

Ela tira a tampa de plástico da travessa e passa embaixo do meu nariz. Uma onda de náusea toma conta de mim.

— *Ratatouille* de tomate! — Sarah berra, com gargalhadas estridentes. — Lembra aquela vez que tia Karen fez aquela *ratatouille* e mamãe disse que você tinha que comer para ser educada, e você vomitou tudo no jardim?

— Lembro — respondo, sentindo-me como se estivesse pronta para vomitar tudo de novo.

— Não foi engraçado? Então, preparei este prato para lembrarmos do passado. Ei, qual é o problema? — Parece que ela pela primeira vez reparou na minha expressão. — Ah, fala sério. Não vá me dizer que você ainda odeia tomate! Achei que você tivesse esquecido disso depois que cresceu!

— Por que ela esqueceria? — vovó quer saber. — Eu nunca esqueci. Por que você não pega este troço e enfia...

— Certo, vovó — eu me apresso em dizer. — Vamos. *Doutora Quinn* está esperando.

Apresso vovó, antes que as duas comecem a trocar socos. Do outro lado da porta de correr estão os meus pais.

— Aqui está ela — papai fica todo alegre ao me ver. — A primeira das garotas Nichols que realmente termina a faculdade!

Espero que Rose e Sarah não o escutem. Apesar de, tecnicamente, ser verdade.

— Oi, pai — eu o cumprimento. — Oi, mãe. A festa está óti... — Daí, reparo na mulher parada ao lado deles. — Doutora Sprague! — exclamo. — Você veio!

— Claro que vim. — A doutora Sprague, minha conselheira universitária, me dá um abraço e um beijo. — Eu não teria perdido por nada no mundo. Olhe só para você, tão magrinha agora! Aquela coisa de maneirar nos carboidratos realmente funcionou.

— Obrigada.

— Ah, e olhe aqui, até trouxe um presentinho de despedida para você. Desculpe, mas não deu tempo de embrulhar. — A doutora Sprague coloca uma coisa na minha mão.

— Ah, uma luzinha de leitura! — meu pai diz — Olhe só para isso, Lizzie! Aposto que vai usar bastante.

— Com toda a certeza — mamãe concorda. — Naqueles trens que você vai tomar na Europa. Uma luzinha de leitura é sempre útil.

— Em nome de Jesus — vovó se intromete. — Isso estava em liquidação em algum lugar?

— Muito obrigada, doutora Sprague — eu me apresso em dizer. — Foi muito atencioso de sua parte. Mas, de verdade, não precisava.

44

— Eu sei — a doutora Sprague parece, como sempre, muito profissional e alinhada com um tailleur de linho vermelho. Mas não tenho bem certeza se esse tom de vermelho específico é o mais adequado para ela. — Eu estava aqui pensando se podemos conversar em particular um instante, Elizabeth?

— Claro que sim — respondo. — Mamãe, papai, se nos dão licença... Quem sabe um de vocês dois pode acompanhar vovó e colocar a televisão no canal Hallmark? O programa dela está começando.

— Ai, meu Deus — minha mãe diz, com um gemido. — Não é...

— Sabe — diz vovó —, você poderia aprender muito com *Doutora Quinn*, Anne-Marie. Ela sabe fazer sabão com um intestino de ovelha. E teve gêmeos aos cinqüenta anos. Cinqüenta! — Ouço vovó berrar enquanto mamãe a leva para o escritório. — Eu queria ver você tendo gêmeos aos cinqüenta anos.

— Há algo errado? — pergunto à doutora Sprague, conduzindo-a para a sala de visitas da casa dos meus pais, que mudou muito pouco nos quatro anos que passei morando no alojamento estudantil que fica mais ou menos no quarteirão seguinte. O par de poltronas em que meu pai e minha mãe lêem toda noite (ele, romances de espionagem; ela, histórias de amor) continua coberto com plástico para protegê-las dos pêlos da *sheepdog* Molly. Nossas fotografias de infância (eu cada vez mais gorda nas imagens consecutivas, Rose e Sarah cada vez mais magras e mais glamourosas) ainda forram cada centímetro disponível de parede. É um lugar aconchegante, surrado e simples, e eu não trocaria aquela sala por nenhuma outra no mundo.

Com a possível exceção de um cômodo na casa de praia de Pam Anderson, em Malibu, que eu vi na semana passada no *MTV Cribs*. Era surpreendentemente fofo. Levando tudo em conta.

— Você recebeu os meus recados? — a doutora Sprague quer saber. — Passei a manhã toda ligando para o seu celular.

— Não — respondo. Quer dizer, fiquei ocupada correndo de um lado para o outro, ajudando mamãe a organizar a festa. — Por quê? Qual é o problema?

— Não há uma maneira fácil de dizer isto — a doutora Sprague fala, com um suspiro. — Então, simplesmente vou dizer. Quando você se inscreveu no programa individualizado, Lizzie, você se deu conta de que uma das exigências para se formar era uma monografia, não?

Fico olhando para ela sem entender nada.

— Uma o quê?

— Uma monografia. — A doutora Sprague, aparentemente percebendo, pela minha expressão, que eu não faço a menor idéia do que ela está falando, afunda-se com um gemido na poltrona de meu pai. — Ai, meu Deus. Eu sabia. Lizzie, você não leu nenhum dos materiais do departamento?

— Claro que li — respondo, na defensiva. — Quer dizer, li a maioria deles, pelo menos. — Era tudo a maior *chatice*.

— Você não ficou se perguntando por quê, ontem, na cerimônia de entrega de diplomas, o seu canudo veio vazio?

— Bom, claro que sim. Mas achei que tinha sido porque eu não tinha terminado a cadeira relativa a língua estrangeira. E foi por isso que eu fiz dois cursos durante o verão...

— Mas você também tinha que redigir uma monografia — explica a doutora Sprague. — Com um resumo, basicamente, do que você aprendeu no seu campo de estudo. Liz, você só vai estar formada oficialmente quando entregar sua monografia.

— Mas — meus lábios pareceram entorpecidos —, vou viajar para a Inglaterra depois de amanhã e ficar lá um mês. Vou visitar meu namorado.

— Bem — a doutora Sprague diz, com um suspiro —, então vai ter que escrever quando voltar.

Agora é minha vez de me afundar na poltrona que ela acabou de vagar.

— Não dá para acreditar — balbucio, deixando todas as minhas luzinhas de leitura caírem no colo. — Meus pais fizeram esta festança... deve ter umas sessenta pessoas ali fora. Alguns dos meus professores da escola vêm. E a senhora está dizendo que eu nem me formei na faculdade de verdade?

— Não enquanto não entregar sua monografia — diz a doutora Sprague. — Sinto muito, Lizzie. Mas vão exigir pelo menos cinqüenta páginas.

— Cinqüenta páginas? — Ela podia ter dito quinhentas que não faria diferença. Como é que eu vou poder saborear o meu café-da-manhã inglês na cama *king size* de Andrew sabendo que tenho cinqüenta páginas pairando em cima da minha cabeça? —

47

Ai, meu Deus. — Então, me dou conta de algo ainda pior. Não sou mais a primeira garota Nichols a terminar a faculdade. — Por favor, não comente sobre isso com meus pais, doutora Sprague. Por favor.

— Não vou comentar. E sinto muito mesmo — lamenta a doutora Sprague. — Não faço idéia de como isso aconteceu.

— Eu faço — respondo, cheia de tristeza. — Eu deveria ter ido estudar em uma faculdade particular pequena. Em uma universidade estadual gigantesca, é muito fácil se perder no meio da multidão e acabar descobrindo que, na verdade, não me formei.

— Mas estudar em uma faculdade particular pequena teria custado milhares de dólares, e agora você estaria preocupada com como ia pagar a conta. Ao freqüentar uma universidade estadual gigantesca na qual o seu pai trabalha, você recebeu educação superior sem pagar absolutamente nada, e agora, em vez de ter que arrumar um emprego logo de cara, você pode se dar ao luxo de ir para a Inglaterra passar um tempo com... como é mesmo o nome dele?

— Andrew — respondo em tom desanimado.

— Certo. Andrew. Bem — a doutora Sprague coloca no ombro sua cara bolsa de couro —, acho que é melhor eu ir. Só quis dar uma passada por aqui para lhe dar a notícia. Se lhe serve de conforto, Lizzie, tenho certeza absoluta de que a sua tese vai ser ótima.

— Eu nem sei sobre o que escrever — choramingo.

— Uma breve história da moda basta. — Para mostrar que você aprendeu alguma coisa enquanto esteve aqui. E — ela completa, toda contente — você pode até fazer um pouco de pesquisa enquanto estiver na Inglaterra.

— Posso mesmo, não é?

Estou começando a me sentir um pouco melhor. Eu *amo* moda. E a doutora Sprague tem razão: a Inglaterra seria o lugar perfeito para fazer pesquisa. Lá tem tudo que é tipo de museu. E posso ir à casa de Jane Austen! Pode ser até que tenham algumas roupas dela lá. Roupas iguais às que usavam em *Orgulho e Preconceito* no canal A&E! Eu *amei* aquelas roupas!

Meu Deus. Pode até ser que isto se transforme em algo divertido.

Não faço idéia se Andrew vai querer visitar a casa de Jane Austen. Mas por que não quereria? Ele é britânico. E ela também. Naturalmente, vai se interessar pela história de seu próprio país.

Claro. Claro, vai ser maravilhoso!

— Obrigada por ter vindo aqui pessoalmente me dar a notícia, doutora Sprague — digo, levantando-me e a acompanhando até a porta. — E muito obrigada pela luzinha de leitura também.

— Ah, não foi nada. Claro que eu não devia dizer isto, mas vamos sentir falta de você no departamento. Você sempre causava tanta sensação quando aparecia por lá com uma das suas, bem... — percebo que o olhar dela vai do meu colar de macarrão para o meu vestido manchado de tinta — roupas incomuns.

— Bom, muito obrigada, doutora Sprague. Se algum dia quiser que eu arrume uma roupa incomum para a senhora, é só dar uma passada na Vintage to Vavoom, sabe onde é, ali na Kerrytown...

É bem aí que minha irmã Sarah irrompe na sala, aparentemente já esquecida da raiva dela por causa da *ratatouille* de tomate, já que está dando risadas quase histéricas. Ela é seguida pelo marido, Chuck, minha outra irmã, Rose, o marido dela, Angelo, Maggie, nossos pais, os Rajghatta, diversos outros convidados da festa, Shari e Chaz.

— Ela está aqui, ela está aqui — Sarah berra.

Dá para ver na hora que ela está mais bêbada do que nunca. Sarah agarra meu braço e começa a me arrastar para o patamar da escada, aquele que costumávamos usar como palco quando éramos pequenas, para representar peças para nossos pais. Bom, para onde Rose e Sarah costumavam ME empurrar para representar peças para nossos pais. E para elas.

— Vamos lá, formanda — Sarah diz, com um pouco de dificuldade com as palavras. — Cante! Todos queremos ver você e Shari cantando aquela musiquinha!

Na verdade, Sarah fala algo como: "Cantche! Todosh nósh querêmo vê vochê esh Sari cantchando aquel mushiquinha!"

— Bem... — digo, ao reparar que Rose agarra Shari com tanta força quanto Sarah me agarra. — Não.

— Ah, vamos lá — Rose exclama. — Queremos ver a nossa irmãzinha e a amiguinha dela cantarem a musiquinha! — E joga

Shari para cima de mim, de modo que nós duas tropeçamos e quase nos estatelamos no patamar.

— Essas suas irmãs sofrem do pior caso de inveja fraterna que já vi na vida — Shari sussurra no meu ouvido. — Não acredito em como elas se ressentem porque você, diferentemente delas, não engravidou de algum idiota no segundo ano de faculdade e foi obrigada a ficar em casa o dia inteiro com um pirralho babão.

— Shari! — fico chocada de ouvir esse resumo sobre a vida das minhas irmãs. Apesar de ser tecnicamente exato.

— Todas as bonitinhas que se formaram na faculdadezinha — Rose prossegue, sem se dar conta de que está se dirigindo a adultos com voz de bebê — têm que cantar sua musiquinha!

— Rose — digo. — Não. De verdade. Quem sabe mais tarde. Não estou a fim.

— Todas que se formaram na faculdade — Rose repete, desta vez apertando os olhos, com uma expressão perigosa — precisam cantar.

— Neste caso, você vai ter que me deixar fora desta.

E então me viro e dou de cara com trinta expressões embasbacadas.

E percebo que acabei de cometer um deslize.

— Brincadeirinha — digo rápido.

E todo mundo dá risada. Menos vovó, que acaba de sair do escritório.

— Sully nem está nesse episódio — ela anuncia. — Caramba. Quem vai pegar uma bebida para uma senhora de idade?

Então ela cai em cima do tapete e começa a roncar de leve.

— Eu amo esta mulher — Shari diz para mim quando todo mundo corre para tentar reanimar minha avó e esquece completamente de Shari e de mim.

— Eu também — concordo. — Você nem faz idéia de quanto.

Os antigos egípcios, que inventaram tanto o papel como a primeira forma conhecida de controle de natalidade (uma casca de limão com cocô de crocodilo como proteção cervical, que funcionava como um espermicida eficiente, ainda que fedido), eram extremamente higiênicos: preferiam linho a qualquer outro material, já que era fácil de lavar — e isso não é nada surpreendente, ainda mais quando se leva em conta o negócio do cocô de crocodilo.

História da Moda
MONOGRAFIA DE ELIZABETH NICHOLS

Qualquer pessoa que tenha obedecido à natureza ao
transmitir uma fofoca experimenta o alívio explosivo que
acompanha a satisfação de uma necessidade primária.

— *Primo Levi (1919-1987), químico e escritor italiano*

— **A**chei que era você! — Andrew diz com aquele sotaque
fofo que fazia todas as meninas do alojamento
McCracken babarem, apesar de ele trocar as letras. — Qual é o
problema? Você passou reto por mim!

— Ela achou que você era um seqüestrador — o sujeito da
cabine do ponto de encontro explica entre gargalhadas.

— Seqüestrador? — Andrew olha do sujeito na cabine para
mim. — Do que ele está falando?

— Nada —, pego o braço de Andrew e o arrasto para longe
da cabine. — Nada mesmo. Ai, meu Deus, como é bom ver
você!

— É bom ver você também — Andrew coloca o braço em
volta da minha cintura e me dá um abraço tão forte que as om-

breiras da jaqueta entram na minha bochecha. — Você está fantástica, porra! Perdeu peso ou algo assim?

— Só um pouquinho — respondo, cheia de modéstia. Andrew não precisa saber que nada de amido, como uma batata frita ou uma mísera migalha de pão, encostou nos meus lábios desde que ele me deu tchau em maio.

Então Andrew repara que estou olhando para um homem careca mais velho que se aproximou de nós e que está sorrindo educadamente para mim. Ele está usando um impermeável azul-marinho e calça de veludo cotelê marrom. Em pleno verão.

Isto não é bom sinal. Estou só dizendo.

— Ah, certo! — Andrew exclama. — Liz, este aqui é o meu pai. Pai, esta aqui é Liz!

Ah, que amor! Ele trouxe o pai para me conhecer no aeroporto! Andrew deve estar MESMO levando nosso relacionamento a sério para se dar a tanto trabalho. Já o perdoei pela jaqueta.

Bem, quase.

— Como vai, senhor Marshall? — digo e estendo a mão para cumprimentá-lo. — Muito prazer em conhecê-lo.

— O prazer é todo meu — o pai de Andrew diz com um sorriso simpático. — E, por favor, pode me chamar de Arthur. Não se incomode comigo, sou apenas o chofer.

Andrew dá risada. Eu também. Só que... Andrew não tem carro?

Ah, mas espere, está certo. Shari disse que as coisas são diferentes na Europa, que muita gente não tem carro porque é caro demais. E Andrew está tentando sobreviver com salário de professor...

Preciso parar de ficar julgando tanto as outras culturas. Acho que é a coisa mais fofa do mundo Andrew não ter carro. Mostra que ele se preocupa com o ambiente! Além do mais, ele mora em Londres. Imagino que muita gente em Londres não tenha carro. O pessoal usa o transporte público, ou vai a pé, como os nova-iorquinos. E é por isso que tem tão pouca gente gorda em Nova York. Sabe como é, porque todo mundo vive caminhando, o que é muito saudável. Provavelmente também não há muita gente gorda em Londres. Quer dizer, é só olhar para o Andrew. Ele é quase tão magro quanto um palito de dentes.

E, ainda assim, tem aqueles bíceps maravilhosos, do tamanho de *grapefruits*.

Mas, agora que estou olhando melhor, o tamanho está mais para o de uma laranja.

Mas como realmente saber se está por baixo de uma jaqueta de couro?

Também é um amor ele ter um relacionamento tão próximo com o pai. Quer dizer, de poder pedir para ele ir até Heathrow buscar a namorada. Meu pai sempre está ocupado demais trabalhando para ter tempo para esse tipo de coisa. Mas, bem, o trabalho dele no Cyclotron é muito importante, já que estão sempre desmembrando átomos e coisas assim por lá. O pai de Andrew é professor, como Andrew quer ser. Os professores têm férias no verão.

O doutor Rajghatta teria um ataque de riso se papai algum dia pedisse férias de verão.

Andrew pega minha mala, que tem rodinhas. De modo que, na verdade, é a coisa mais leve que eu carrego. Minha bolsa de mão está muito mais pesada, já que contém toda a minha maquiagem e os meus produtos de beleza. Eu não me importaria muito se a companhia aérea perdesse as minhas roupas, mas morreria, de verdade, se perdesse minha maquiagem. Fico parecendo um animal sem ela. Meus olhos são tão pequenos e apertados que, sem delineador e rímel, fico com cara de porco... apesar de Shari, que morou comigo nos últimos quatro anos, dizer que não é verdade. Shari diz que eu não precisaria usar maquiagem se não quisesse.

Mas por que eu não quereria, já que a maquiagem é uma invenção tão brilhante e útil para aquelas entre nós amaldiçoadas com olhos de porco?

Ainda assim, maquiagem de fato pesa muito, pelo menos quando se tem a quantidade que tenho. Isso sem falar em todo o meu equipamento para arrumar o cabelo e os produtos. Ter cabelo comprido não é piada. É necessário sempre carregar umas nove toneladas de coisas para poder deixá-lo adequadamente lavado, condicionado, desembaraçado, liso, seco, brilhante e encorpado. Isso sem falar em todos os vários adaptadores que tive que trazer para o meu secador de cabelo e o meu *baby liss*, já que Andrew foi totalmente inútil em sua descrição de como são as tomadas britânicas ("São tomadas normais", ele não parava de repetir ao telefone. Isso não é a cara do que um homem diria?), então precisei trazer todos os tipos que encontrei no supermercado.

Mas talvez seja melhor mesmo Andrew só estar puxando a minha mala de rodinhas em vez de carregar minha bolsa de mão. Porque daí, se ele perguntar o que tem dentro e quiser saber por que está tão pesada, vou ter que contar a verdade, e como resolvi que este relacionamento não será baseado em mentiras, como aconteceu com aquele tal de T.J. que conheci na noite de cinema do alojamento McCracken, que se revelou um feiticeiro praticante (o que, para mim, tudo bem, porque respeito totalmente as outras religiões)...

O problema é que descobri que ele era tarado por gordinhas quando o vi agarrando Amy De Soto na quadra. Ele tentou me dizer que o espírito com quem ele estava trabalhando o obrigou a ir para a cama com ela.

E é por isso que meu plano é sempre contar a verdade a Andrew, porque T.J. não me deu nem esse respeito.

Mas isso não significa que eu não vá me esforçar para evitar ter que dizer a verdade, se eu puder. Tipo, não existe absolutamente nenhuma razão para ele precisar saber que o motivo por que a minha bolsa de mão é tão pesada é devido ao fato de estar cheia com aproximadamente sete bilhões de amostras de cosméticos da Clinique; um contâiner de esponjinhas adstringentes (porque minha pele brilha demais, por culpa da família de minha mãe); um frasco tamanho-família de antiácido Tums (porque ouvi dizer que a comida inglesa não é exatamente muito boa); um frasco tamanho-família de tabletes mastigáveis de fibra (pelo mesmo motivo); os já mencionados secador e *baby liss*; as roupas que eu estava usando no avião antes de trocar para o meu vestido mandarim; um Gameboy com Tetris; o último livro do Dan Brown (porque não dá para fazer um vôo transatlântico sem ter nada para ler); meu mini iPod; três luzinhas de leitura; Sun-In para deixar meu cabelo mais claro; todos os meus remédios, como aspirina, band-aids para as bolhas que eu sem dúvida terei (de tanto passear de mãos dadas com Andrew pelo Museu Britânico, absorvendo toda aquela arte), e os de prescrição médica, como meu anticoncepcional e meu antibiótico contra espinhas; e, é claro, o caderno onde comecei a escrever a minha monografia. Precisei colocar meu kit de costura (para consertos emergenciais) na mala, por causa da tesoura e da pinça de costura.

Não há razão, na atual fase do nosso relacionamento, para Andrew descobrir que na verdade não nasci assim bonita: que preciso de muitos artifícios para ficar assim. E se por acaso ele for um daqueles caras que gostam de beldades naturais de bochechas rosadas como Liv Tyler? Que tipo de chance posso ter em comparação com uma rosa inglesa dessas? Uma garota precisa ter alguns segredos.

Ah, espere. Andrew está falando comigo. Está perguntando como foi o meu vôo. Por que ele está usando essa jaqueta? Ela não pode realmente achar que esse troço fica bem nele, não é mesmo?

— O vôo foi ótimo — respondo.

Não falo a Andrew a respeito da menina na poltrona ao lado da minha, que me ignorou o vôo inteiro enquanto eu estava de jeans e camiseta, com o cabelo preso em um rabo-de-cavalo. Foi só depois que terminei de arrumar o cabelo, aplicar maquiagem e colocar o meu vestido de seda, meia hora antes de pousarmos, que a garota olhou para mim de cima a baixo e, antes que eu me desse conta, ela já estava perguntando, toda acanhada:

— Com licença, mas você é Jennifer Garner, a atriz?

Jennifer Garner! Eu! Aquela menina achou que eu era Jennifer Garner!

E, tudo bem, ela só tinha uns dez anos ou algo assim, e usava uma camiseta com estampa de Caco, o Sapo (certamente uma atitude irônica, porque ela não deve assistir a *Vila Sésamo*, já que está um pouco velha para isso).

Mas, mesmo assim! Ninguém nunca me confundiu com uma atriz na vida! Quanto menos uma magrinha como Jennifer Garner.

Mas o negócio é que, de maquiagem e com o cabelo arrumado, acho mesmo que me pareço um pouco com Jennifer Garner... sabe como é, se ela não tivesse exatamente perdido toda a gordurinha da infância. E tivesse franja. E só tivesse um metro e sessenta e cinco de altura.

Acho que não ocorreu à menina que seria bem difícil Jennifer Garner estar viajando na classe econômica, sozinha, para a Inglaterra. Mas tanto faz.

E, antes que eu conseguisse me segurar, eu já estava respondendo:

— Ah, sou sim. Eu sou Jennifer Garner — porque, tanto faz, nunca mais vou ver aquela menina na vida. Por que não deixá-la emocionada?

60

Os olhos da menina praticamente saltaram das órbitas, de tão animada que ela ficou.

— Oi — ela disse, remexendo-se toda na poltrona. — Eu sou Marnie, sua maior fã!

— Bom, olá, Marnie — respondi. — É um prazer conhecê-la.

— Mãe! — Marnie se vira para cochichar com a mãe, que estava tirando um cochilo. — É SIM Jennifer Garner! Eu DISSE que era!

E a mãe da menininha, sonolenta, olha para mim, com os olhos ainda inchados de sono, e diz:

— Ah, olá.

— Olá — respondi, imaginando se eu soava como a Jennifer Garner.

Mas acho que sim, porque as palavras que saíram da boca da menina em seguida foram:

— Eu simplesmente adorei você em *De repente 30*.

— Ah, muito obrigada — respondi. — Considero esse um dos meus melhores trabalhos. Além de *Alias,* é claro.

— Não tenho permissão para ficar acordada até tarde para assistir — Marnie disse, tristonha.

— Quem sabe você não assiste em DVD?

— Você me dá seu autógrafo, por favor? — a menininha quis saber.

— Claro que dou — peguei a caneta e o guardanapo de coquetel da British Airways que ela me ofereceu e rabisquei *Tudo de bom para Marnie, minha maior fã! Com amor, Jennifer Garner.*

A menininha pegou o guardanapo com reverência, como se não conseguisse acreditar na sorte que teve.

— Obrigada!.

Eu sabia que ela levaria o guardanapo de volta para os Estados Unidos quando voltasse das férias na Europa e mostraria para todas as amigas.

Foi aí que comecei a me sentir mal. Porque, e se alguma amiga de Marnie tiver um autógrafo da Jennifer Garner DE VERDADE e as duas forem comparar a caligrafia? Então Marnie vai ficar toda desconfiada! E pode até perguntar a si mesma por que Jen não estava com a assessora de imprensa e até por que estava voando em um avião de carreira. E daí vai perceber que eu não era a Jennifer Garner DE VERDADE, e que passei o tempo todo mentindo. E isso pode abalar a fé que ela tem na humanidade. Marnie poderia desenvolver sérias questões de confiança, do tipo que eu mesma desenvolvi quando meu par da festa de formatura, Adam Berger, me disse que tinha que ir para casa pintar o teto em vez de me levar para a festa depois da formatura. Mas, na verdade, o que ele fez foi sair com Melissa Kemplebaum, magra como um pau, depois de me deixar em casa.

Mas daí eu disse a mim mesma que não fazia mal, porque eu nunca mais veria Marnie. Então, que diferença faria?

Ainda assim, não menciono o incidente a Andrew porque, tendo em vista que ele está fazendo mestrado em educação, duvido muito que seja favorável a mentir para crianças.

Além do mais, a verdade é que estou me sentindo um tanto sonolenta, apesar de serem oito horas da manhã na Inglaterra, e eu estar aqui imaginando se o apartamento de Andrew fica muito longe, e se existe alguma possibilidade de ele ter Diet Coke por lá. Porque uma latinha cairia muito bem.

— Ah, não é nem um pouco longe — é o que o pai de Andrew, o senhor Marshall, diz quando pergunto a Andrew se a casa dele é longe do aeroporto.

É meio estranho o fato de o pai de Andrew ter respondido, e não Andrew. Mas, bem, o senhor Andrew é professor, e responder a perguntas é basicamente seu trabalho. Ele provavelmente não consegue se segurar, nem mesmo quando está de folga.

Realmente é muito bom o fato de existirem homens como Andrew e o pai dele, dispostos a assumir a educação dos jovens. Os Marshall realmente são uma raça em extinção. Fico feliz de estar com Andrew e não com, digamos, Chaz, que preferiu fazer pós-graduação em filosofia só para poder discutir com os pais com mais eficiência. Como é que isso vai ajudar as futuras gerações?

Apesar de Andrew ter escolhido de propósito uma carreira que nunca vai lhe render muito dinheiro, pelo menos ele vai garantir que as mentes jovens não deixem de ser formadas.

Esta por acaso esta não é a coisa mais nobre que você já escutou na vida?

O carro do senhor Marshall está muito, muito longe. Precisamos passar por um monte de corredores em que, ao longo das paredes, há anúncios de produtos de que nunca ouvi falar. Chaz tinha reclamado que, da última vez que tinha ido visitar seu amigo Luke (o do *château*), tinha achado a Europa muito americanizada, que não dava para ir a lugar nenhum sem ver um anúncio de Coca-Cola.

Mas não estou vendo americanização nenhuma aqui na Inglaterra. Até agora. Não vi nada americano, nem de longe. Nem mesmo uma máquina de Coca-Cola.

Não que isso seja ruim. Só estou comentando. E, sinceramente, uma Diet Coke não cairia nada mal agora.

Andrew e o pai estão falando sobre o clima e sobre como eu tive sorte de chegar em um período em que o tempo está tão bom. Mas, quando saímos do prédio e entramos no estacionamento, percebo que deve estar fazendo uns quinze graus, no máximo, e que o céu (o pedacinho que consigo ver no final do andar da garagem) está cinzento e encoberto.

Se isto é tempo bom, o que os britânicos consideram ruim? E, tudo bem, dou o braço a torcer, está frio o suficiente para usar jaqueta de couro. Mas isso não exime Andrew de culpa por estar usando uma. Certamente existe alguma regra por aí (como a que determina que não se usa calça branca depois do fim do verão) a respeito de usar couro em agosto.

Estamos quase no carro (um modelo compacto pequeno e vermelho, exatamente o que eu esperaria de um professor de meia-idade) quando ouço um berro e vejo a menininha do avião parada ao lado de um jipão com a mãe e um casal mais velho que, só posso imaginar, devem ser os avós dela.

— Lá está ela! — Marnie fica berrando, apontando para mim — Jennifer Garner! Jennifer Garner!

Continuo caminhando com a cabeça abaixada, tentando ignorá-la. Mas tanto Andrew quanto o pai estão olhando para ela, com sorrisos confusos no rosto. Andrew se parece um pouco com o pai. Será que ele também vai ficar completamente careca quando chegar ao cinqüenta anos? Será que a calvície é transmitida pelo lado da mãe ou pelo do pai? Por que não fiz nenhuma cadeira de biologia quando estava delineando meu currículo? Eu poderia ter feito pelo menos um semestre...

— Aquela criança está falando com você? — o senhor Marshall me pergunta.

— Eu? — Olho por cima do ombro, fingindo reparar pela primeira vez que tem uma menininha gritando para mim do outro lado da garagem.

— Jennifer Garner! Sou eu! Marnie! Do avião! Está lembrada?

Sorrio e aceno para Marnie. Ela fica toda vermelha de alegria e agarra o braço da mãe.

— Está vendo? — ela exclama. — Eu disse! É ela mesmo!

Marnie acena mais um pouco. Aceno de volta enquanto Andrew se debate para enfiar minha mala no porta-malas pequeno, xingando um pouco. Como ele só estava puxando a mala o tempo todo, não se deu conta de como era pesada até se abaixar para erguê-la.

Mas, falando sério, um mês é muito tempo. Não sei como eu poderia ter trazido menos do que dez pares de sapatos. Shari até disse que estava orgulhosa de mim por ter tido a sensatez de não levar minha plataforma de amarrar. Mas consegui enfiá-la na mala no último minuto, antes de sair.

— Por que aquela criança está chamando você de Jennifer Garner? — o senhor Marshall quer saber, já que ele também acena para Marnie, cujos avós, ou sejam lá quem forem, ainda não conseguiram fazê-la entrar no carro.

— Ah — respondo, sentindo que minhas bochechas começam a corar —, nós sentamos uma do lado da outra no avião. Era só uma brincadeira que fizemos, para passar o tempo do vôo.

— Quanta gentileza sua — o senhor Marshall acena com mais energia ainda. — Nem todos os jovens percebem como é importante tratar as crianças com respeito e dignidade, em vez de condescendência. É importantíssimo dar um bom exemplo para a geração mais nova, principalmente quando se leva em conta como as unidades familiares de hoje são instáveis.

— É verdade mesmo — digo em um tom que espero ser respeitoso e digno.

— Caramba. — Andrew acaba de tentar pegar minha bolsa de mão. — O que você trouxe aqui, Liz? Um cadáver?

— Ah — respondo, com meus modos respeitosos e dignos ameaçando ruir —, apenas algumas necessidades.

— Sinto muito por meu veículo não ter mais estilo — o senhor Marshall diz, abrindo a porta do motorista. — Certamente não é a isso que você está acostumada, tenho certeza, lá nos Estados Unidos. Mas eu mal uso, já que vou a pé para a escola onde dou aula na maior parte dos dias.

Fico instantaneamente encantada pela imagem do senhor Marshall caminhando por uma ruazinha interiorana cheia de árvores com um paletó em espinha de peixe com cotoveleiras de couro (e não com o impermeável extremamente sem inspiração que está usando agora) e talvez um ou dois *cocker spaniels* saltitando a seus pés.

— Ah, está ótimo — digo, a respeito do carro dele. — O meu não é muito maior.

Fico me perguntando por que ele simplesmente está ali parado ao lado da porta, em vez de entrar, até que ele diz:

— Você entra primeiro, Ih... Liz.

Ele quer que eu dirija? Mas... eu acabei de chegar! Nem conheço as ruas!

Daí percebo que ele não está segurando a porta do motorista coisa nenhuma... é o lado do passageiro. A direção fica do lado direito do carro.

Claro. Estamos na Inglaterra.

Dou risada do meu próprio erro e me sento no banco da frente.

Andrew bate a tampa do porta-malas, dá a volta e me vê sentada no banco do passageiro. Ele olha para o pai e diz:

— O quê? Eu vou ter que sentar atrás?

— Olhe a educação, Andy — o senhor Marshall diz.

Parece tão estranho ouvir Andrew sendo chamado de Andy. Ele tem tanta cara de Andrew para mim... Mas, evidentemente, não para a família dele.

Apesar de que, com aquela jaqueta, ele tem mais cara de Andy do que de Andrew.

— Senhoras no banco da frente — o senhor Marshall continua, com um sorriso para mim. — Cavalheiros, no de trás.

— Liz, achei que você era feminista — Andrew diz, em um resmungo quase ininteligível. — Você vai aceitar este tipo de tratamento?

— Ah, é claro. Andrew deve sentar na frente, as pernas dele são mais compridas...

— Não quero nem ouvir — o senhor Marshall diz. — Você vai amassar seu lindo vestido chinês com tanta movimentação.

E então ele fecha a porta do carro do meu lado, com firmeza.

Antes que eu me dê conta, ele já deu a volta até o lado direito do carro e está segurando o banco do motorista deitado para que Andrew entre atrás. Há uma breve discussão que não escuto muito bem, e então Andrew aparece. Não conheço outra palavra para descrever a expressão no rosto de Andrew além de birra.

Mas me sinto mal até de pensar que Andrew pode ter ficado de birra porque ganhei o banco da frente. O mais provável é que ele esteja com vergonha de não ter um carro próprio para ir me buscar. É, deve ser isso. Coitadinho. Deve estar pensando que o avalio de acordo com os padrões capitalistas dos Estados Unidos! Vou ter que encontrar algum jeito de dizer para Andrew que acho a pobreza dele extremamente sexy, tendo em vista que todos os sacrifícios que ele faz são em nome das crianças.

Não por Andrew Jr., Henry, Stella e Beatrice, claro. Estou falando das crianças do mundo, as que ele vai ensinar algum dia.

Uau. Só de pensar nas pequenas vidas que Andrew vai melhorar com os sacrifícios da profissão de professor, fico com um certo tesão.

O senhor Marshall acomoda-se no assento do motorista e sorri para mim.

— Está pronta? — pergunta, todo animado.

— Pronta. — Sou tomada por uma onda de animação, apesar do fuso horário. Inglaterra! Finalmente estou na Inglaterra! Logo vou ser conduzida pelo campo, até Londres! Quem sabe vou até ver uns carneiros!

Antes que possamos sair do estacionamento, um jipão se coloca atrás de nós e a janela de trás abaixa. Marnie, minha amiguinha do avião, debruça-se para fora da janela para gritar:

— Tchau, Jennifer Garner!

Abaixo minha própria janela e aceno.

— Tchau, Marnie!

Então o jipão se afasta, com Marnie toda radiante no banco de trás.

— Quem diabos — o senhor Marshall pergunta — é essa tal de Jennifer Garner?

— É só uma atriz americana qualquer — Andrew diz antes que eu possa responder.

Só uma atriz americana qualquer? Só uma atriz americana qualquer que por acaso é igualzinha à sua namorada! Tenho vontade de gritar. Tanto que menininhas no avião pedem autógrafo para ela!

Mas consigo ficar com a boca fechada uma vez na vida, porque não quero que Andrew se sinta inadequado por saber que está saindo com uma sósia de Jennifer Garner. Isso realmente podia ser intimidador, sabe como é, para um cara. Até mesmo para um americano.

Em contraste com o vestuário egípcio, em que havia divisão de estilo visível entre os sexos, o vestuário grego durante o mesmo período não variava entre homens e mulheres. Retângulos grandes de tecido, de tamanhos diversos, eram enrolados no corpo e presos apenas com um broche decorativo.

Esta vestimenta, que se chama toga, transformou-se em um dos modelos preferidos das festas de fraternidades universitárias, por razões que esta autora não é capaz de imaginar, já que a toga não contribui nada para o visual nem é confortável, principalmente quando usada com roupa de baixo emagrecedora.

História da Moda
MONOGRAFIA DE ELIZABETH NICHOLS

Os homens sempre detestaram as fofocas das mulheres
porque desconfiam da verdade: elas tiram
as medidas deles e as comparam.

— *Erica Jong (1942-), educadora e escritora norte-americana*

Não estou vendo ovelha nenhuma. Acontece que o aeroporto de Heathrow não é exatamente assim tão no interior. Como se já não desse para ver que não estou mais em Michigan pela aparência das casas (muitas delas são geminadas, como naquele filme, *The Snapper*... que, pensando bem, na verdade era ambientado na Irlanda, mas tudo bem), tenho certeza absoluta ao olhar para os outdoors por que passamos. Em muitos casos, sei qual é o produto que estão tentando vender: um deles mostra uma mulher de calcinha e sutiã com a palavra *Vodafone* por baixo, o que pode ser um anúncio de serviços de sexo por telefone.

Mas também pode ser, com a mesma probabilidade, anúncio de lingerie.

Mas, quando pergunto, nem Andrew nem o pai conseguem me dizer o que é, já que a palavra *calcinha* faz com que os dois tenham um ataque de riso.

Não me importo de eles me acharem tão hilária (ainda que sem intenção), já que isso significa que Andrew parou de pensar que foi relegado ao banco de trás.

Quando finalmente viramos na rua que reconheço como sendo a de Andrew, por causa do endereço dos pacotes que eu tenho mandado para ele o verão todo (caixas cheias com seu doce americano preferido, wafers Necco, e maços de Marlboro Light, a marca de cigarro preferida dele; apesar de eu mesma não fumar e saber que Andrew vai largar antes do nascimento do primeiro filho), estou me sentindo muito melhor a respeito das coisas comparado à maneira como me senti no estacionamento. Isso porque o sol finalmente resolveu aparecer, espiando tímido por detrás das nuvens, e porque a rua de Andrew parece bacana e tem um ar europeu, com calçadas limpas, árvores em flor e casinhas antiquadas. Parece alguma coisa tirada daquele filme *Um Lugar Chamado Notting Hill.*

Preciso admitir que sinto um certo alívio: fiquei imaginando o apartamento de Andrew como algo entre *high-tech*, tipo o de Hugh Grant em *Um Grande Garoto*, e um sótão, como o de *A Princesinha* (que ficou bem fofo depois que aquele cara arrumou tudo para ela), só que em uma parte mais feia da cidade, com vista para um porto. Simplesmente achei que eu não poderia andar a pé pelo bairro dele depois que escurecesse por medo de ser atacada por viciados em heroína. Ou por ciganos.

Fico feliz de ver que, na verdade, é algo entre os dois extremos.

Como o senhor Marshall me informa, estamos a apenas um quilômetro e meio de Hampstead Heath, o parque em que um monte de coisas famosas aconteceram, sendo que eu não me lembro de nenhuma delas neste momento, e aonde as pessoas vão hoje em dia para fazer piquenique e empinar pipa.

Fico feliz de ver que Andrew mora em um bairro tão bacana e refinado. Não achei que professores ganhassem o bastante para alugar apartamentos em casas antigas que foram convertidas em condomínios. Sem dúvida, o apartamento dele é o mais alto: igualzinho ao de Mickey Rooney em *Bonequinha de Luxo*! Talvez eu conheça os vizinhos malucos, mas com um coração bem grande, de Andrew. Talvez eu possa convidá-los (junto com os pais de Andrew, para agradecer ao senhor Marshall pela carona do aeroporto) para um jantarzinho, para demonstrar minha hospitalidade americana. Posso fazer o espaguete *due* da minha mãe: o sabor é complicado, mas é a coisa mais fácil de fazer no mundo. É só massa, alho, azeite de oliva, pimenta vermelha em flocos e queijo parmesão. Tenho certeza de que dá para encontrar todos esses ingredientes na Inglaterra.

— Bom, chegamos — o senhor Marshall diz e estaciona em uma vaga na frente das casas antigas de tijolinhos marrons e desliga o motor. — Lar, doce lar.

Fico um pouco surpresa de ver que o senhor Marshall vai descer conosco. Achei que ele ia nos deixar e ir para a casa dele, sei lá onde; para o lugar onde a família de Andrew mora. Esta família, pelo que posso me lembrar dos e-mails dele, consiste em um pai, que é professor; uma mãe, que é assistente social, dois irmãos mais novos e um *collie*.

Mas talvez o senhor Marshall queira nos ajudar com as minhas malas, tendo visto que Andrew provavelmente mora no último andar da casa antiga encantadora na frente da qual estamos estacionados.

Só que, quando chegamos ao topo da escadaria comprida, é o senhor Marshall quem pega uma chave e abre.

E é recebido pelo focinho inquisidor dourado e branco de um *collie* lindo.

— Olá. — O senhor Marshall nos chama para dentro e eu logo vejo que aquela não é uma casa antiga convertida em apartamentos, mas sim a casa de uma única família. — Chegamos!

Arrasto minha bolsa de mão enquanto Andrew faz minha mala de rodinhas subir a escada, sem nem se dar ao trabalho de levantá-la, mas sim arrastando-a de degrau em degrau: *tonk, tonk, tonk, tonk*. Mas juro que eu quase larguei a bolsa (que se dane o secador) quando vi aquele cachorro.

— Andrew — sussurro, virando para trás, já que ele vem subindo as escadas atrás de mim. — Você mora... com os seus pais?

Porque, a menos que ele esteja cuidando do cachorro, esta é a única explicação que posso encontrar para o que vejo. E não é uma explicação lá muito boa.

— Claro que sim — Andrew responde, parecendo aborrecido. — O que você achou?

74

Só que ele fala tudo enrolado e preciso me esforçar para entender.

— Achei que você morasse em um apartamento — digo. Realmente estou tentando não soar acusatória. Não o estou acusando de nada. Só estou... surpresa. — Quer dizer, você me disse lá na faculdade, em maio, que ia alugar um apartamento durante o verão, quando voltasse para a Inglaterra.

— Ah, claro — Andrew diz. Como paramos no meio dos degraus, parece que ele achou este um bom momento para fazer um intervalo e fumar, por isso pega um maço e acende um cigarro.

Bem, o trajeto desde o aeroporto foi *mesmo* longo. E o pai dele *realmente* disse que ele não podia fumar no carro.

— É, o negócio do apartamento não deu certo. O meu amigo... você deve estar lembrada, escrevi sobre ele? Ele ia me emprestar a casa dele, porque conseguiu um trabalho em uma fazenda de ostras na Austrália. Mas daí ele conheceu uma gata e resolveu não ir, no final das contas, então vim morar com os meus pais. Por quê? Isto é um problema?

Isto é um problema? ISTO É UM PROBLEMA? Todas as minhas fantasias relativas a Andrew me levar café-da-manhã na cama (e a cama *king size* dele com lençóis de mil fios) se despedaçam em migalhas e são levadas pelo vento. Não vou fazer espaguete para os vizinhos e para os pais de Andrew. Bom, talvez faça para os pais dele, mas não vai ser a mesma coisa se eles simplesmente descerem as escadas para comer, em vez de virem da casa deles.

Daí penso uma coisa que faz o meu sangue gelar.

— Mas, Andrew — eu digo —, quer dizer, como é que você e eu... com os seus pais por perto?

— Ah, não se preocupe com isso. — Andrew sopra fumaça pelo canto da boca de um jeito que, preciso admitir, considero arrepiante de tão sexy. Ninguém da minha cidade fuma... nem vovó, desde aquele dia em que colocou fogo no tapete da sala. — Estamos em Londres, sabe como é, não é o Cinturão da Bíblia dos Estados Unidos. A gente não se importa com esse tipo de coisa por aqui. E meus pais são superlegais.

— Certo — respondo. — Desculpe. É só que eu fiquei... sabe como é. Meio surpresa. Mas, de verdade, não faz mal. Desde que possamos ficar juntos... Seus pais não vão mesmo ligar? De nós dormirmos no mesmo quarto, quer dizer?

— Ah — Andrew diz, em um tom meio distraído, dando um puxão na minha mala. *Tonk*. — Falando no assunto... Eu não tenho exatamente um quarto nesta casa. Sabe, meus pais mudaram para cá no ano passado, enquanto eu estava nos Estados Unidos. Eu disse a eles que não voltaria para casa no verão, sabe como é, mas foi antes de eu ter problemas com o meu visto de estudante... Mas, bem, eles ficaram achando, sabe como é, que eu tinha basicamente saído de casa, então se mudaram para uma casa de três quartos. Mas não se preocupe, estou dividindo o quarto com meu irmão Alex...

Olho para Andrew, um degrau abaixo de mim. Ele é tão alto que, mesmo em pé em um nível mais baixo do que eu, continuo precisando erguer um pouco o queixo para olhar nos olhos verde-acinzentados dele.

— Ah, Andrew — digo, e sinto meu coração derreter. — O seu outro irmão vai deixar o quarto para mim? Ele não precisava fazer isto!

Um olhar estranho passa pelo rosto de Andrew.

— Ele não deixou. Não quis deixar. Você sabe como as crianças são. — Ele me lança um sorriso torto. — Mas não precisa se preocupar. Minha mãe é mestre em projetos de faça-você-mesmo, e ela arrumou uma cama suspensa para você... bom, na verdade, para mim. Mas você pode usar enquanto estiver aqui.

Ergo as sobrancelhas.

— Uma cama suspensa?

— Isso mesmo, é fantástica. Ela fez a coisa toda de MDF, na lavanderia. Bem em cima da lavadora-secadora! — Andrew, ao ver minha expressão, completa: — Mas não se preocupe. Ela colocou uma cortina entre a lavanderia e a cozinha. Você vai ter muita privacidade. De todo modo, ninguém vai lá, só o cachorro. É lá que a tigela de comida dele fica.

Cachorro? Tigela de comida? Então... em vez de dormir com meu namorado, vou dormir com o cachorro da família. E a tigela de comida dele.

Mas tudo bem. Está ótimo. Educadores como o pai de Andrew (e assistentes sociais como a mãe dele) não ganham muito dinheiro, e imóveis na Inglaterra custam caro. Tenho sorte por eles terem um lugar para me receber! Quer dizer, nem o filho mais velho deles tem quarto em casa, e arrumaram um jeito de espremer uma cama para mim!

E por que um dos irmãos de Andrew deixaria o quarto dele para mim? Só porque na minha casa eu sempre tinha que deixar o MEU quarto para qualquer visita de fora que fosse ficar lá não significa que a família de Andrew seja obrigada a fazer a mesma coisa...

Principalmente porque nem sou uma visita importante. Sou apenas a futura esposa de Andrew, afinal de contas.

Bem, na minha cabeça.

— Agora, vamos — Andrew diz. — Preciso me apressar. Tenho que trocar de roupa para trabalhar.

Estou prestes a subir mais um degrau quando fico paralisada de novo.

— Trabalhar? Você tem que trabalhar? *Hoje*?

— Tenho. — Pelo menos, ele faz a gentileza de parecer chateado. — Mas não é nada demais, Liz, só preciso fazer o turno do almoço e do jantar...

— Você... você é *garçom*?

Minha intenção não é soar pejorativa. Não é assim que me sinto. Não tenho nada contra quem trabalha em restaurantes, não tenho mesmo. Também cumpri meu período obrigatório de trabalho no setor alimentício, como todo mundo, usando aquelas calças de poliéster com muito orgulho.

Mas...

— O que aconteceu com o seu estágio? — pergunto. — Aquele na escola prestigiosa para crianças superdotadas?

— Estágio? — Andrew bate a cinza do cigarro. Cai nas roseiras lá embaixo. Cinzas na terra geralmente são usadas como fertilizante, então isso não conta exatamente como sujar a rua. — Ah, aquilo se transformou em um desastre de proporções épicas. Sabia que não iam me pagar nada? Nem uma porra de um centavo.

— Mas... — engulo em seco. Ouço passarinhos cantando nas copas das árvores da rua. Pelo menos os passarinhos daqui cantam igual aos passarinhos de Michigan. — É por isso que se chama estágio. O pagamento é a experiência que se ganha.

— Bom, a experiência não vai pagar a cerveja com os meus amigos, vai? — Andrew brinca. — E é claro que eles tinham duas mil inscrições para a vaga... uma vaga que nem tem salário! Não é igual ao que acontece lá nos Estados Unidos, onde você já ganha uma vantagem sobre todos os outros só por ter sotaque britânico, já que vocês ianques acham que qualquer pessoa que fala um pouco mais empolado de algum modo é mais inteligente... A verdade, Lizzie, é que nem me dei ao trabalho de me inscrever. De que adiantaria?

Fico só olhando para ele. O que aconteceu com aquela história de aceitar um trabalho apenas pela pura experiência? O que aconteceu com ensinar crianças a ler?

— Além do mais — ele completa —, quero trabalhar com crianças de verdade, não geniozinhos aristocratas... Crianças que realmente precisem de modelos masculinos de conduta positiva na vida...

— Então — digo, com meu coração se enchendo de esperança —, você se inscreveu para dar aula em alguma escola de um bairro pobre durante o verão?

— Ah, cacete, não. Nesse tipo de trabalho, o salário era uma merda. A única maneira de pagar as contas nesta cidade é trabalhando em restaurante. E tenho o melhor turno, de onze às onze. Aliás, preciso sair correndo agora mesmo para conseguir chegar na hora.

Mas acabei de chegar! Tenho vontade de gritar. *Acabei de chegar, e você vai sair? E não só vai sair como também vai me deixar sozinha com a sua família, que não conheço, durante DOZE HORAS?*

Mas não digo nenhuma dessas coisas. Quer dizer, aqui está Andrew, que me convidou para ficar, sem pagar nada, na casa da família dele com ele, e estou tendo um ataque porque ele tem que trabalhar... e por causa do emprego que ele tem. Que tipo de namorada sou, hein?

Mas acho que a expressão do meu rosto deve entregar o fato de que estou bem menos do que entusiasmada em relação à situação, já que Andrew diz, esticando a mão para me abraçar pela cintura e me puxar para mais perto.

— Olha, não se preocupe, Liz. A gente se vê à noite, quando eu sair do trabalho.

De repente, ele já está amassando a guimba de cigarro com o calcanhar e está com os lábios no meu pescoço.

— E, quando eu voltar, você vai se divertir como nunca. Certo?

É muito difícil pensar direito quando um cara fofo com sotaque britânico está fazendo carinho no seu pescoço.

Não que, na verdade, exista alguma coisa a respeito de que se pensar. Meu namorado obviamente me adora. Eu sou a garota mais sortuda do mundo.

— Bem — digo —, isso me parece...

E, antes que me dê conta, a boca de Andrew já está na minha e nós estamos nos agarrando na escada diante da casa dos pais dele.

Espero que os Marshall não tenham como vizinhas velhinhas que se assustam com facilidade e que, se tiverem, que não estejam olhando pela janela neste momento.

— Porra — Andrew interrompe nosso beijo. — Preciso ir trabalhar. Mas, olha, nos vemos à noite, certo?

Meus lábios ainda formigam dos lugares onde a barba por fazer dele arranhou. A esta altura devem estar tão inchados quanto os de Angelina Jolie, de tanta pressão que foi aplicada sobre eles.

Não que eu me importe. Não tenho muita experiência no departamento de beijos.

Mas acho que talvez Andrew seja o melhor beijador do mundo.

Além do mais, não posso deixar de notar que parece estar acontecendo alguma coisa muito agradável na região da virilha de Andrew.

— Você precisa mesmo ir trabalhar? — pergunto a ele. — Não pode tirar o dia de folga?

— Hoje, não. Mas amanhã vou estar livre. Tem uma coisa que preciso fazer na cidade. Mas, depois disto, vamos poder fazer o que você quiser. Ai, meu Deus. — Ele me dá mais alguns beijos, então apóia a testa contra a minha. — Não acredito que vou fazer isto. Vai ficar tudo bem com você, não é?

Fico olhando para ele, pensando em como é bonito, apesar da jaqueta pavorosa, e como ele é fofo e desencanado também. Quer dizer, ele tem tanta determinação em seguir os passos do pai e ensinar todas aquelas crianças a ler... Só que ele não vai se contentar com qualquer situação. Está esperando até a oportunidade certa aparecer...

Tenho tanta sorte por ter estado no banho bem na hora que o *pot-pourri* daquela menina pegou fogo e por Andrew ter sido o assistente dos residentes que estava de plantão na hora...

Eu me lembro da primeira vez em que ele me beijou, na frente do alojamento McCracken (comigo de toalha e ele com aquele jeans Levi's desbotado bem nos lugares certos), com o hálito enfumaçado (de cigarro, não do incêndio) e quente na minha boca.

Fico pensando em todos os telefonemas e os e-mails que trocamos desde então. Lembro-me do fato de ter torrado todo o meu dinheiro em uma passagem de avião para a Inglaterra, já que não vou me mudar para Nova York com Shari e Chaz, para ficar na casa dos meus pais e poder estar perto dele quando o ano letivo começar.

E respondo, com um sorrisão:

— Vou ficar bem.

— Beleza, então — Andrew diz e me dá mais um último beijo.

Então ele dá meia-volta e vai embora.

Uma das primeiras mulheres conhecidas a ditar moda foi a imperadora bizantina Teodora, filha de um domador de ursos, que se sobressaiu frente a milhares de outras garotas e ganhou a mão do imperador Justino. Segundo os boatos, para que ela vencesse a Caça ao Imperador, de muito lhe valeram seus talentos de dançarina e acrobata.

Apesar de ter sido necessário um ato legislativo especial para permitir que Justino se casasse com alguém de posição social tão baixa, Teodora revelou-se uma imperadora valiosa: patrocinou dois espiões reais para que se infiltrassem na China e roubassem bichos-da-seda, para que ela pudesse se vestir de uma maneira a que, ela acreditou, seria fácil de se acostumar. Se Teodora não podia ir a Chanel, bom, simplesmente mandou que lhe trouxessem Chanel.

História da Moda
MONOGRAFIA DE ELIZABETH NICHOLS

"Eu nunca repito nada." Essa é a frase ritualística dos
integrantes da alta sociedade, por meio da qual
a fofoca é sempre garantida.

— *Marcel Proust (1871-1922), romancista, crítico e ensaísta francês*

Estou aqui! Finalmente estou aqui, na Inglaterra!

E, tudo bem, não é exatamente o que eu esperava. Eu realmente pensava que Andrew morava sozinho.

Mas, também, ele não MENTIU para mim.

E talvez isto seja melhor do que se nós dois simplesmente
tivéssemos ficado sozinhos no apartamento dele, fazendo amor
delicioso dia e noite. Assim, vou ser obrigada a interagir com a
família dele. Nós vamos mais ou menos poder nos testar, os
Marshall e eu, para ver se somos compatíveis. Afinal de contas,
ninguém vai querer casar com alguém cuja família a odeia.

Além do mais, enquanto Andrew está trabalhando, posso dar
início à minha monografia. Talvez um dos Marshall me empreste
um computador. E posso fazer um pouco de pesquisa no Museu
Britânico. Ou sei lá como aquele lugar se chama.

É, sinceramente, é bem melhor assim. Realmente vou poder conhecer Andrew e a família dele e começar minha monografia de maneira bem sólida. Talvez até consiga terminar antes de voltar para casa! Meus pais nunca vão saber que houve qualquer tipo de atraso na minha formatura.

Hummm... sinto um cheirinho vindo da cozinha. Imagino o que seja. O cheiro é bom... mais ou menos. Não cheira nem um pouco como ovos mexidos com bacon, que são a especialidade da minha mãe. Realmente, é muito gentil da parte da senhora Marshall preparar café-da-manhã para mim. Eu disse a ela que não precisava... Ela parece tão legal, com seu cabelo curto castanho-areia. Ela me disse para chamá-la de Tanya, mas é claro que nunca vou fazer isso. Os olhos dela ficaram meio esbugalhados quando entrei e o senhor Marshall me apresentou. Mas seja lá o que tenha pensado sobre mim que a deixou apavorada, ela não deixou transparecer.

Com certeza, espero que ela não repare na minha calcinha. Ou na ausência dela. E se foi por ISSO que ela ficou olhando para mim daquele jeito? Ela deve estar pensando: De todas as garotas que meu filho poderia ter trazido dos Estados Unidos, ele foi logo escolher uma vagabunda. Eu sabia que deveria ter colocado outra roupa para descer do avião. E estou com tanto frio com este vestido idiota que sei que os meus mamilos devem estar aparecendo. Talvez eu devesse colocar alguma coisa menos... fina. Certo, é o que vou fazer. Vou colocar um jeans e o meu twin-set bordado... apesar de eu estar guardando-o para a noite, quando achei que poderia fazer um pouco mais de frio.

Mal sabia eu que aqui fazia frio o dia inteiro.

Certo. Uau, seja lá o que a senhora M estiver cozinhando, com certeza o cheiro é... forte. O que será? E também, por que parece que conheço este cheiro de algum lugar?

Sabe, minha cama de MDF não é tão ruim. É meio fofa, para falar a verdade. Parece o tipo de cama que Ty Pennington, daquele programa *Extreme Makeover — Home Edition*, faria para uma criança com câncer.

Só que a versão dele teria o formato de um ventrículo de coração, ou uma nave espacial, ou algo assim.

Certo, já estou pronta. É só dar uma ajeitadinha no cabelo e... Ih... pena que não tem espelho aqui. Ah, bom, é óbvio que os britânicos não são tão vaidosos quanto nós, nos Estados Unidos. Quem se importa se o meu rímel estiver um pouco borrado ou algo assim? Tenho certeza de que estou ótima. Certo, é só abrir a cortina, e...

— Ah, nossa — a senhora Marshall diz, toda animada. — Achei que você iria se deitar um pouco.

Será que era isso que ela me disse agorinha há pouco? Na verdade não entendi o que ela falou. Ah, por que Andrew foi trabalhar? É óbvio que eu preciso de um tradutor.

— Desculpe — digo. — Simplesmente estou agitada demais para dormir!

— Então, esta é a primeira vez que vem à Inglaterra? — a senhora M quer saber.

— Esta é a primeira vez na vida que saio dos Estados Unidos. Não sei o que a senhora está cozinhando, mas o cheiro está delicioso. — Esta foi uma leve mentira. O que ela está cozinhando simplesmente... cheira. Mesmo assim, provavelmente vai estar delicioso. — Tem alguma coisa que eu possa fazer para ajudar?

— Ah não, querida, acho que está tudo sob controle. Então, gostou da cama? Não é muito dura? Está boa?

— Ah, está ótima. — Eu me acomodo em uma banqueta na ponta do balcão da cozinha. Não consigo ver o que está chiando nas panelas em cima do fogão na frente dela, porque todas estão com tampa. Mas com toda a certeza cheira... muito. A cozinha é minúscula, realmente muito pequena. Tem uma janela no fundo que dá para um jardim colorido banhado pelo sol, cheio de botões de rosa. A própria senhora M parece uma rosa, com bochechas rosadas, jeans e bata.

Mas a bata dela não parece ser exatamente desta estação. Na verdade, deve ser uma bata dos tempos em que os senhores feudais liberaram os servos e esse tipo de bata entrou na sociedade, lá nos tempos de Haight-Ashbury!

Agora sei por que Andrew acha que está tudo bem em andar por aí com uma jaqueta de dançar break. Mas ao mesmo tempo que algumas peças vintage (como a blusa da senhora Marshall) são maravilhosas, outros exemplos (como a jaqueta de Andrew) não são. Obviamente, a família Marshall precisa ser informada a respeito do que funciona e do que não funciona quando se trata de peças de brechó.

É bom que eu esteja aqui para ajudar. Vou ter que me mostrar muito sensível ao fato de eles não terem muito dinheiro para gastar com roupas. Mas sou a prova viva de que não é necessário ter muito dinheiro disponível para se vestir superbem. Este twin-set consegui no eBay por vinte dólares! E a minha Levi's stretch é da Sears. E, tudo bem, comprei no departamento infantil... Mas você faz idéia de como fiquei feliz por caber em alguma coisa do departamento infantil?

Não que, na nossa sociedade obcecada com o peso, isso seja algo de que se gabar. Por que as mulheres precisam caber em roupas infantis para serem consideradas desejáveis? Isso é, ao mesmo tempo, doentio e nojento.

Mas... são para uma criança de nove anos! Caibo em um tamanho nove! Nunca entrei em um tamanho desses, nem quando tinha a idade em que supostamente deveria usar este tamanho.

— Que blusa bonita — a senhora M diz, a respeito do meu suéter.

— Obrigada — respondo. — Eu estava mesmo admirando a sua bata!

Ela dá risada ao ouvir isto.

— O quê? Esta coisa velha? Deve ter uns trinta anos, no mínimo. Provavelmente é ainda mais velha.

— Que legal. Adoro roupas antigas.

Isto é tão bacana! A mãe de Andrew e eu estamos nos dando bem. Talvez mais tarde possamos ir fazer compras, só a senhora M e eu. Ela provavelmente não tem muita oportunidade para conversar sobre assuntos femininos, já que tem três filhos e tudo o mais. Quem sabe podemos fazer a mão e o pé, e ir à Harrods tomar champanhe! Espere: será que as pessoas na Inglaterra fazem manicure e pedicure?

— Nem posso dizer como é ótimo poder conhecê-la depois de ouvir falar da senhora durante tanto tempo. — Também não estou tentando puxar o saco. É de coração. — Estou tão animada de estar aqui!

— Que bom. — A senhora Marshall parece de fato feliz por mim.

Dá para ver que as unhas dela são quadradas e com aparência forte, e totalmente sem cuidado. Bom, ela provavelmente não tem tempo para frivolidades como ir à manicure, já que é uma assistente social ocupada.

— Então, o que planeja ver por aqui?

Por alguma razão, minha mente vai para a foto da bunda pelada de Andrew. Não acredito que pensei nisso! Deve ser o fuso horário.

Respondo:

— Ah, o palácio de Buckingham, é claro. E o Museu Britânico. — Não menciono que as únicas partes do museu que estou interessada em visitar são as salas onde guardam as vestimentas históricas. Se é que tem alguma sala assim. Posso ver arte velha e chata no meu país sempre que eu quiser. De todo modo, vou me mudar para Nova York depois que Andrew terminar o mestrado. Nós já combinamos.

— Ah, e a Torre de Londres. — Porque ouvi dizer que é lá que ficam todas as jóias refinadas. — E... ah, a casa de Jane Austen.

— Ah, você gosta dela, é? — a senhora Marshall parece um pouco surpresa. Está claro que nenhuma das antigas namoradas de Andrew tinha um gosto literário tão sofisticado. — Então, qual é a sua obra preferida?

— Ah, a versão que passa no canal A&E, com Colin Firth, é claro — respondo. — Mas o figurino na versão com Gwyneth Paltrow também era fantástico.

A senhora Marshall olha para mim de um jeito meio esquisito: talvez não esteja entendendo meu sotaque do Meio-Oeste, da mesma maneira que eu não tenho facilidade de entender o dela, da Grã-Bretanha. Mas realmente estou tentando falar de maneira bem clara. Daí percebo o que ela quis dizer e acrescento:

— Ah, está falando dos livros? Não sei. São todos muito bons. — Tirando o fato de que não têm muitas descrições sobre as roupas dos personagens.

A senhora Marshall dá risada e pergunta:

— Quer se servir de um pouco de chá? Tenho certeza de que deve estar morrendo de sede depois da viagem.

O que eu realmente gostaria de beber, é claro, é uma Diet Coke. Mas quando pergunto se tem alguma latinha na casa dos Marshall, a senhora Marshall me lança mais um olhar estranho e diz que precisa comprar algumas no mercado.

— Ah, não — digo, morrendo de vergonha. — Mesmo, está ótimo. Tomo um pouco de chá.

— Que bom. Porque não gosto da idéia de você colocar todos aqueles produtos químicos artificiais e horríveis no seu corpo. Isso não pode fazer bem.

Sorrio para ela, apesar de não fazer a mínima idéia do que ela está falando. Diet Coke não contém nenhum produto químico horrível. Contém gás carbônico, cafeína e aspartame, tudo muito adorável e delicioso. O que há de artificial nisto?

Mas agora que estou na Inglaterra, vou fazer como os ingleses fazem. Sirvo-me de um pouco de chá de uma chaleira de cerâmica que está ao lado do bule elétrico e, de acordo com as indicações da senhora M, coloco leite, porque parece que é assim que os ingleses tomam, em vez de colocar mel ou limão.

Fico surpresa ao descobrir que realmente fica bom assim. E menciono isto em voz alta.

— O que é bom?

Um menino com cabelo cor de areia, com uns 15 ou 16 anos, usando jaqueta jeans escura com calça *stone washed* (essa doeu; mas como ele está usando a camiseta do Killers por baixo da jaqueta, isso meio que o redime um pouco), entra na cozinha e então fica paralisado ao me ver.

— Quem é *essa*? — ele quer saber.

— Como assim, quem é essa? — a senhora M diz em tom ríspido. — É Liz, a namorada do seu irmão Andy, dos Estados Unidos...

— Ah, fala sério, mãe — Alex diz, sorrindo. — Acha que sou bobo? Não é ela. Ela não é...

91

— Alex, esta é Liz — a senhora M interrompe, de maneira ainda mais ríspida. Agora ela não está muito parecida com uma rosa. Ou acho que está sim, mas uma rosa com os espinhos aparecendo. — Cumprimente-a de maneira adequada, por favor.

Alex, parecendo acanhado, estende a mão direita. Eu a aperto.

— Desculpe — ele diz. — Prazer em conhecê-la. É só que o Andy disse...

— Por favor, leve isto para a mesa — a senhora M enfia um punhado de facas e garfos na mão do filho mais novo. — O café-da-manhã logo ficará pronto.

— Café-da-manhã? Está quase na hora do almoço, não está?

— Bem, Liz não tomou café-da-manhã ainda, então é o que vamos comer.

Alex pega os talheres e vai para a sala de jantar. Geronimo, o *collie* da família (não é superfofo?), que tinha ficado encostado nas minhas pernas durante todo o tempo que eu estive sentada, sai atrás dele, aparentemente na esperança de cruzar com alguma travessa de comida.

— Você tem irmãos, Liz? — a senhora M pergunta, deixando toda a rispidez de lado, agora que o filho saiu do recinto.

— Não — respondo. — Só duas irmãs mais velhas.

— A sua mãe teve muita sorte, meninos dão um trabalhão. — A senhora M desliga o fogão e grita: — Alex, diga a seu pai que o café-da-manhã está pronto. Dê um berro para Alistair também.

Andrew, Alistair e Alexander. Adoro os nomes que os pais de Andrew escolheram para os três filhos! Que fofura, dar nomes com A para os três... Igualzinho a Paul Anka, só que ele só teve filhas: Alexandra, Amanda, Alicia, Anthea e Amelia.

E como é fofo eles todos me chamarem de Liz e não de Lizzie. Ninguém nunca me chama de Liz. Ninguém além de Andrew, é claro. Não que eu algum dia tenha pedido para que ele o fizesse. Ele simplesmente... chama.

— Bem — a senhora Marshall sorri para mim —, por que não se senta? Daí podemos comer.

— Deixe-me ajudar a levar as coisas para a mesa. — Desço da minha banqueta.

Mas a senhora Marshall me expulsa da cozinha, dizendo que não precisa de ajuda. Vou para a sala de jantar — que simplesmente faz parte da sala de visitas em formato de L, onde fica a mesa. Geronimo já está sentado ao lado da cadeira na cabeceira da mesa, alerta para qualquer migalha que possa cair perto dele.

— Onde eu sento? — pergunto a Alex, que, da maneira típica dos adolescentes (acho que isso é universal), dá de ombros.

É nesse instante que o senhor Marshall aparece e puxa uma cadeira para mim com um gesto galante. Agradeço e sento, tentando me lembrar de alguma vez que meu pai tenha puxado uma cadeira para mim, e não consigo.

— Prontinho — a senhora Marshall diz, saindo da cozinha com vários pratos fumegantes. — Em homenagem à primeira visita da amiga de Andy, Liz, a este país, um genuíno café-da-manhã inglês!

Aprumo as costas na cadeira, de tão animada e lisonjeada que fico.

— Muito obrigada — digo. — Realmente, não precisava ter tanto...

Daí, vejo o que tem nos pratos.

— *Ratatouille* de tomate — a senhora Marshall diz, toda orgulhosa. — A sua preferida! E a nossa interpretação muito inglesa do mesmo prato, tomates no vapor. E também tomates recheados e omelete de ovo com tomate. Andy me contou como você adora tomate, Liz. Espero que esta refeição faça com que você se sinta em casa!

Ai. Meu. Deus.

— Liz? — A senhora Marshall, percebo, olha para mim com o rosto rosado tomado pela preocupação. — Está tudo bem com você? Parece um pouco... agitada.

— Estou bem. — Tomo um gole grande do meu chá com leite — Parece ótimo, senhora Marshall. Muito obrigada por ter tanto trabalho. Não precisava.

— Foi um prazer — a senhora Marshall diz, radiante, e se senta na cadeira diante da minha. — E, por favor, me chame de Tanya.

— Certo. Tanya. — Torço para que meus olhos não pareçam tão úmidos quanto sinto que estão. Como ele pode ter cometido um erro desses? Será que ele nunca LEU os meus e-mails? Será que nem estava escutando o que eu disse na noite do incêndio?

94

— Quem está faltando? — a senhora Marshall pergunta, olhando para a cadeira vazia na frente de Andrew.

— Alistair — Alex responde e pega uma torrada.

Torrada! Eu posso comer torrada. Não, espere, não posso. Não se quiser continuar usando um tamanho da seção infantil. Ai, meu Deus. Vou ter que comer alguma coisa. A omelete de ovo com tomate. Talvez o ovo disfarce o gosto do tomate.

— ALISTAIR! — o senhor Marshall berra.

De algum lugar nas profundezas da casa, uma voz masculina avisa:

— Oi! Já estou indo!

Dou uma mordida na omelete. Está boa. Mal dá para sentir o gosto do... Ah, não. Dá sim, para falar a verdade.

Mas o negócio é que este foi um erro honesto. Estou falando dos tomates. Qualquer um poderia ter confundido algo assim. Até mesmo a sua alma gêmea.

E, quer dizer, pelo menos ele se lembrou de que mencionei tomates. Pode não ter se lembrado exatamente o que eu disse sobre eles. Mas obviamente sabe que eu disse *alguma coisa*.

E até parece que ele não está ocupado, ensinando as crianças a ler e tudo o mais.

E trabalhando como garçom, parece.

Ao perceber que ninguém está olhando para mim, derrubo um pouco da omelete do meu prato no guardanapo do meu colo. Então olho para Geronimo, que saiu do lado do senhor Marshall, aparentemente percebendo que dali não vai sair nenhuma migalha.

O olhar do *collie* encontra o meu.

Antes que eu me dê conta, já estou com um focinho de cachorro na virilha.

— Mas o que é isso?

Um garoto, que deve ser o segundo irmão mais novo de Andrew, Alistair, aparece na porta. Diferentemente da mãe e dos dois irmãos, o cabelo de Alistair é brilhante, de um ruivo acobreado (provavelmente da cor que era o cabelo do pai, antes de ter perdido todos os fios... a julgar pelas sobrancelhas, pelo menos).

— Ah, olá, Ali — a senhora Marshall diz. — Sente-se. Estamos tomando um café-da-manhã inglês tradicional para dar as boas-vindas à amiga de Andrew, Liz, dos Estados Unidos.

— Oi — digo, e ergo os olhos para o ruivo, que parece ser só um ou dois anos mais novo do que eu. Está vestido da cabeça aos pés com roupas esportivas Adidas... Calça de moletom, jaqueta, camiseta e tênis Adidas. Talvez ele seja patrocinado pela marca. — Sou Lizzie. Prazer em conhecê-lo.

Alistair fica olhando para mim com olhar fixo durante um minuto. Daí, cai na gargalhada.

— Até parece! Fala sério, mãe. Que tipo de piada é esta?

— Não é piada nenhuma, Alistair — a senhora Marshall diz em tom frio.

— Mas — Alistair solta — ela não pode ser Liz! Andy disse que Liz é uma gordinha!

Pouco se sabe a respeito das vestimentas do período que se estende do século II até uma boa parte do século VIII, graças às invasões bárbaras dos godos, visigodos, ostrogodos, hunos e francos. Sabemos, graças a essas invasões, que pouca gente tinha tempo de pensar em moda, já que todo mundo estava ocupado fugindo para sobreviver.

Foi só quando Carlos Magno chegou ao poder, no século IX, que começamos a ter algumas descrições detalhadas das vestimentas da época, que incluíam calças com as pernas amarradas com fitas, que ficaram conhecidas como culotes, ou bragas, a peça tão amada por escritores de histórias românticas no mundo todo.

História da Moda
MONOGRAFIA DE ELIZABETH NICHOLS

Mas diga a verdade, e toda a natureza e todos os espíritos o
ajudarão com incrementos inesperados. Diga a verdade, e
todas as coisas vivas ou brutas são prova, e as próprias raízes
enterradas do capim parecem se movimentar
para lhe prestar testemunho.

— *Ralph Waldo Emerson (1803-1882),*
ensaísta, poeta e filósofo norte-americano

O telefone toca cinco vezes antes que eu ouça a voz de Shari.
Durante um minuto, fico preocupada com a possibilidade
de minha amiga não atender. E se ela estiver dormindo? Sei que
são só nove horas, afinal de contas, no horário da Europa, mas e
se ela não se acostumou com o fuso horário tão bem quanto eu?
Apesar de Shari estar aqui há mais tempo. Ela deveria ter chegado a Paris há dois dias, passado uma noite em um hotel lá e depois viajado para o *château* no dia seguinte.

Mas, bom, ela é Shari: ótima com as coisas da escola, não
tanto com as coisas do dia-a-dia. Já derrubou o celular dentro da

privada mais vezes do que sou capaz de contar. Vai saber se vou conseguir falar com ela...

Então, para meu alívio, Shari finalmente atende. E fica bem claro que não a acordei, porque tem música tocando bem alto no fundo. É uma música em que o refrão, *Vamos a la playa*, toca uma vez atrás da outra, com uma batida latina.

— Liz-ZIE! — Shari berra ao telefone. — É VOCÊÊÊÊÊ? Ah, legal. Ela está bêbada.

— Como vaaaaiiiii? — ela quer saber. — Como está Londres? Como está o gostoso, gostoso, gostoso do Andrew? Como está a buuuuuuundaaaaaaaaaaa dele?

— Shari — digo em voz baixa. Não quero que os Marshall me escutem, por isso abri a torneira da banheira. Não vou desperdiçar. Realmente planejo tomar um banho. Daqui a um minuto. — As coisas estão esquisitas aqui. Esquisitas de verdade. Preciso falar com alguém normal um minuto.

— Espere, deixe ver se acho Chaz. — Shari dá uma gargalhada. — Brincadeirinha! Ai, meu Deus, Lizzie, você tinha que ver este lugar. Você ia morrer. Parece uma combinação de *Sob o Sol da Toscana* e *Valmont — Uma História de Seduções*. A casa de Luke é ENORME. ENORME. Tem até nome: Mirac. Tem o próprio VINHEDO. Lizzie, eles fazem o próprio champanhe. ELES FAZEM PESSOALMENTE.

— Que maravilha — digo. — Shari, acho que Andrew disse aos irmãos que eu era gorda.

Shari fica em silêncio por um instante e mais uma vez ouço o chamado *Vamos a la playa*. Então, Shari explode.

— Ele disse isso, porra? Ele disse que você era gorda, porra? Fique onde está. Fique na porra do lugar em que está agora. Vou pegar aquele tal trem do canal da Mancha e vou aí cortar o saco dele fora...

— Shari — digo. Ela está gritando tão alto que eu fico preocupada de os Marshall escutarem. Através da porta fechada. Por cima do barulho da TV e da água da banheira. — Shari, espere, não foi isso que eu quis dizer. Ou seja, não *sei* o que ele disse. As coisas realmente estão muito estranhas. Cheguei aqui e a primeira coisa que Andrew fez foi ir trabalhar. O que, até aí, tudo bem. Quer dizer, não faz mal. Porque a verdade é que — sinto as lágrimas chegando. Ah, que maravilha — Andrew não está trabalhando com crianças. Ele é garçom. Trabalha das onze da manhã às onze da noite. Eu nem sabia que isso era legal. Além do mais, ele nem mora sozinho. Estamos na casa dos pais dele. Com os irmãos menores dele. Para quem ele disse que eu era gorda. E ele também disse para a mãe dele que gosto de tomate.

— Retiro o que disse. Eu não vou até aí. Você é que vem para cá. Compre uma passagem de trem e venha para cá. Não se esqueça de pedir a tarifa com desconto para jovens. Você vai ter que trocar de trem em Paris. De lá compre uma passagem para Souillac. E daí é só me ligar. Nós vamos buscar você na estação.

— Shari, não posso fazer isto. Não posso simplesmente *ir embora*.

—. Uma ova que não pode — ouço outra voz no fundo. Então Shari está dizendo para alguém: — É Lizzie. Aquele porra do Andrew trabalha o dia inteiro e a noite inteira e a obrigou a ficar na casa dos pais dele e comer tomate, porra. E ainda disse que ela era gorda.

— Shari. — Sinto uma pontada de culpa. — Não sei se ele disse isso. E ele não está... aliás, para quem você está dizendo tudo isso?

— Chaz disse que é para você colocar a sua bunda nada gorda em um trem amanhã de manhã. Ele a pega pessoalmente na estação amanhã à noite.

— Não posso ir para a *França* — digo, horrorizada. — Minha passagem de volta sai de Heathrow. Não posso devolver, nem transferir, nem nada.

— E daí? Você pode voltar para a Inglaterra no fim do mês e pegar o vôo aí. Vamos lá, Lizzie. Nós vamos nos divertir MUITO.

— Shari, não posso ir para a França — insisto, tristonha. — Não quero ir para a França. Eu amo Andrew. Você não entende. Aquela noite, na frente do alojamento McCracken... foi mágica, Shar. Ele enxergou a minha alma, e eu enxerguei a dele.

— Como você conseguiu? — Shari quer saber. — Estava escuro.

— Não, não estava. As chamas do quarto daquela menina iluminavam tudo.

— Bem, então talvez você só viu o que queria ver. Ou talvez só *sentiu* o que queria *sentir*.

Ela está falando, eu sei, sobre a ereção de Andrew. Fico olhando para a água que cai dentro da banheira sem enxergar nada.

O negócio é que, no geral, sou uma pessoa muito alegre. Até dei risada depois que Alistair disse aquela coisa à mesa, sobre eu ser gorda; porque o que mais você pode fazer quando descobre que o seu namorado anda por aí dizendo às pessoas que você é gorda?

Principalmente porque, da última vez que Andrew me viu, eu *era* gorda mesmo. Ou pelo menos tinha quinze quilos a mais do que agora.

Tive que rir porque não queria que os Marshall ficassem pensando que eu era algum tipo de esquisitona sensível.

Acho que deu certo também, porque a única coisa que a senhora Marshall fez foi lançar um olhar enviesado para o filho... Daí, como acho que não pareci ofendida, acredito que ela se esqueceu do assunto. Todo mundo esqueceu.

E descobri que Alistair na verdade é bem legal: ele me ofereceu o computador dele para eu começar a trabalhar na minha monografia, e foi o que fiz durante o resto do dia, até parar para jantar no restaurante indiano da esquina, que entregava em domicílio, só com os dois Marshall mais velhos, porque os meninos saíram. Comemos assistindo a um seriado de mistério inglês, do qual só entendi mais ou menos uma a cada sete palavras, por causa do sotaque dos atores.

O negócio é que eu estava determinada a não deixar que a questão da gordura me colocasse para baixo. Porque, apesar do que as minhas irmãs podem pensar (e elas sempre se sentiram muito mais do que contentes de me dizer tudo que pensavam a respeito do assunto quando eu era criança), peso não importa. Realmente não importa. Quer dizer, importa se você for modelo ou algo assim.

Mas, de maneira geral, estar alguns quilos acima do peso nunca me impediu de fazer o que eu queria. Claro que houve todas aquelas vezes em que fui a última a ser escolhida para o time de vôlei na aula de educação física.

E o pavor ocasional de ter que aparecer de maiô na frente de um cara de quem eu gostava no lago ou em algum lugar assim.

E teve também aqueles caras idiotas de fraternidade que não olharam duas vezes para mim por eu ser mais gorda do que o tipo de menina que eles preferiam.

Mas quem é que quer ficar com caras de fraternidade? Eu quero ficar com caras que têm mais coisas na cabeça além de onde vai ser a próxima festa com barril de chope. Quero estar com caras que se preocupem em fazer deste mundo um lugar melhor, como Andrew. Quero estar com caras que saibam que o importante não é o tamanho da cintura da menina, mas sim o tamanho do coração dela, como Andrew. Quero estar com caras que sejam capazes de enxergar além da aparência exterior de uma garota, e que possam ver sua alma, como Andrew.

É só que... bom, com base na observação de Alistair, parece que Andrew não enxergou dentro da minha alma naquela noite diante do alojamento McCracken.

E tem também a história do tomate. Eu DISSE a Andrew (na verdade, escrevi) que odeio tomate. Disse a ele que é o único alimento que eu simplesmente não suporto. Até expliquei, em muitos detalhes, como foi horrível crescer em uma casa que era meio italiana e odiar tomate. Minha mãe estava sempre preparando paneladas de molho de tomate para colocar nas massas e lasanhas dela. Ela tinha um enorme pomar de tomates no quintal, e era minha função tirar as ervas daninhas, porque como eu não encostava naquelas coisas vermelhas horrorosas, eu não podia ajudar em nada nas atividades de colheita e limpeza.

Eu contei a Andrew tudo isso, não apenas em resposta à pergunta dele relativa a quais alimentos eu gostava, mas também na noite que passamos juntos há três meses, eu de toalha e ele numa camiseta do Aerosmith (devia ser dia de lavar roupa) e a identificação de assistente dos residentes, sob as estrelas e a fumaça.

E ele não escutou. Não prestou a mínima atenção a uma única palavra que eu disse.

Mas ele tinha dado um jeito de fazer com que a família soubesse que eu era... como era mesmo? Ah, sim: "gordinha".

Será possível que cometi um erro? Será possível (como Shari certa vez sugeriu) que o motivo por que amo Andrew não é por causa de quem ele de fato é, mas porque projetei nele a personalidade que desejo que ele tenha?

Será que ela tem razão quando diz que fui teimosa o tempo todo e me recusei a enxergá-lo como é na verdade, porque ficar com ele foi tão divertido (e porque fiquei tão contente com o pau bem duro dele) que não quero reconhecer que minha atração por Andrew é meramente física?

Passei quase duas horas sem falar com Shari depois que ela disse isso, e fiquei tão brava que no fim ela acabou pedindo desculpas.

Mas e se ela tiver razão? Porque o Andrew que eu conhecia (ou achava que conhecia) não teria dito ao irmão que sou gorda. O Andrew que conheço nem teria reparado que sou gorda.

— Lizzie? — a voz de Shari estala no telefone que aperto contra a bochecha. — Você morreu?

— Não, estou aqui. — Ainda ouço um rock bombando no fundo. Shari, está bem claro, não sofre nem um pouco com a diferença de fuso horário. O namorado de Shari não está trabalhando. Ou melhor, está. Mas eles estão trabalhando juntos. — É só que... Olhe, preciso ir. Ligo mais tarde.

— Espere — Shari diz. — Isso significa que, no final das contas, você vai comigo para Nova York?

Desligo. Não é exatamente que eu esteja brava com ela. É só que...

Estou tão cansada.

Nem lembro como tomei banho e vesti o pijama e me arrastei até a cama. Só sei que parecem ser um milhão de horas quando Andrew me sacode com cuidado e me acorda. Mas na verdade é só meia-noite (pelo menos de acordo com o relógio que ele me mostra quando eu, sonolenta, pergunto que horas são).

Nunca percebi que ele usa um relógio digital do tipo que acende no escuro. Isso é... nada sexy.

Mas talvez ele precise disso. Para ver que horas são quando está trabalhando feito um escravo naquele restaurante escuro, iluminado a velas...

— Desculpe acordar você. — Ele está parado ao lado da minha cama elevada, que tem a altura certinha para ele não precisar se abaixar para falar comigo aos sussurros. — Mas eu queria ter certeza de que estava tudo bem com você. Não está precisando de nada?

Aperto os olhos para ele naquela semi-escuridão. A única luz que há ali é o luar que entra pela única janela estreita da lavanderia. Andrew, consigo ver, está de jeans preto e camisa branca (uniforme de garçom).

Não sei o que me leva a fazer isso. Talvez seja porque me senti tão solitária e deprimida a noite toda. Talvez seja porque estou meio dormindo.

Ou talvez seja porque realmente o ame. Mas, antes que eu me dê conta, estou sentada com os dedos entrelaçados na parte da frente da camisa dele e sussurrando:

— Ah, Andrew, tudo está um horror! O seu irmão Alistair... falou alguma coisa a respeito de você ter dito que eu era gordinha. Não é verdade, é?

— O quê? — Andrew está rindo no meu cabelo enquanto acaricia meu pescoço com o nariz. Ele gosta muito de passar o nariz no meu pescoço, estou descobrindo. — Do que você está falando?

— O seu irmão, Alistair. Ele ficou chocado quando me conheceu, porque você tinha dito a ele que eu era gorda.

Andrew pára de acariciar meu pescoço com o nariz e olha para mim sob o luar.

— Espere — ele diz. — Ele falou isso? Você está zoando com a minha cara?

— Não estou. Mas, sim, ele disse que achava que eu era gorda. "Gordinha", foi a palavra que ele usou.

Percebo, um pouco atrasada, que Andrew possivelmente pode ter ficado um pouco incomodado com o fato de o irmão ter dito aquilo... principalmente porque não é verdade. E não pode ser mesmo, certo? Andrew nunca diria algo assim...

— Ah, Andrew, sinto muito. — Coloco os braços em volta do pescoço dele e lhe dou um beijo carinhoso. — Não acredito que toquei neste assunto. Esqueça que eu disse qualquer coisa. Alistair com certeza estava fazendo piada comigo. E eu caí. Vamos simplesmente esquecer tudo isto, certo?

Mas Andrew não parece disposto a esquecer. Os braços dele se apertam mais em volta de mim e ele usa alguns adjetivos muito bem escolhidos para descrever o irmão, que sussurra contra os meus lábios. Então, ele diz:

— Acho que você está maravilhosa, porra. Sempre achei. Claro que, quando a gente se conheceu, você era um pouco mais cheinha do que agora. Quando vi você saindo da alfândega no aeroporto com aquele vestidinho chinês, não a reconheci. Não conseguia parar de olhar. Fiquei imaginando quem era o sortudo que iria buscar aquela gostosa.

Só fico olhando fixo para ele. De algum modo, suas palavras não são assim tão incentivadoras quanto ele espera que sejam.

Talvez seja por causa da maneira como ele pronuncia tudo meio enrolado.

— Então, quando ouvi me chamarem pelo alto-falante, me aproximei e vi que você era... bom, você... percebi que o sortudo era eu — Andrew prossegue. — Sinto muito por as coisas estarem confusas até agora... o apartamento do meu amigo que não deu certo, você com essa cama improvisada, o idiota do meu irmão e a porra do meu horário de trabalho. Mas você precisa saber — ele sacode o braço em volta da minha cintura — que estou muito feliz por você finalmente ter chegado. — É quando ele se abaixa e dá mais uns beijos no meu pescoço.

Eu assinto. Por mais que esteja apreciando os beijos no pescoço, ainda tem alguma coisa pesando na minha cabeça. Então, digo:

— Andrew., só mais uma coisa...

— Sim, o que é, Liz? — ele quer saber, quando seus lábios se aproximam da minha orelha.

— O negócio, Andrew, é que... — digo devagar. — Eu, realmente... eu...

— O que foi, Liz? — Andrew pergunta de novo.

Respiro fundo. Tenho que fazer isso. Tenho que dizer. Se não, vou ficar com essa nuvem em cima da cabeça durante toda a viagem.

— Eu realmente odeio tomate — digo, apressada, para acabar logo com o assunto.

Andrew ergue a cabeça e fica olhando para mim sem entender nada. Então, joga a cabeça para trás e ri.

— Ai, meu Deus! — ele sussurra. — É verdade! Você me escreveu isso! Minha mãe perguntou o que você mais gostava de comer, para ela oferecer no seu café-da-manhã de boas-vindas. Mas eu não lembrava. Sabia que você tinha dito algo a respeito de tomate...

Tento não levar para o lado pessoal o fato de ele lembrar que eu tinha dito algo sobre tomate, mas não O QUE eu tinha dito sobre eles. Tipo que eu odiava esse troço mais do que qualquer outra comida no mundo.

Andrew agora está morrendo de rir. Fico feliz por ele achar a situação tão hilária.

— Ah, coitadinha. Não se preocupe, vou dar a dica para minha mãe. Venha aqui, deixe-me dar mais um beijo em você...
— E ele me beija. — Você é realmente um bom partido, não é?

Eu não achava que ele tivesse alguma dúvida sobre essa questão.

Mas sei o que ele quer dizer.

Ou acho que sei, pelo menos. É difícil saber ao certo o que eu sei quando ele está me beijando, a não ser *Oba! Ele está me beijando!*.

E então passamos um tempo sem sussurrar nada, enquanto nos beijamos.

E dá para ver que o irmão de Andrew está errado: ele não acha que eu sou gordinha... a menos que ele queira dizer gordinha de um jeito legal. Ele gosta de mim. Ele gosta de mim MESMO. Dá para sentir que gosta pela coisa que se pressiona contra o meu corpo sob a calça de garçom dele.

Que eu senti ser minha tarefa ajudá-lo a remover. Porque parece muito apertada.

Quando ele sobe para a minha cama elevada comigo, dando risada (graças a Deus ela agüenta; ou devo dizer, graças à senhora Marshall, muito obrigada), e nós dois nos abraçamos de novo, vejo por quê. Quer dizer, vejo por que a calça parecia tão apertada.

— Andrew — eu sussurro —, você tem camisinha?

— Camisinha? — Andrew sussurra a palavra de volta, como se fosse estranha. — Você não toma pílula? Achei que as americanas tomassem pílula.

— Bem — eu digo, pouco à vontade. — Eu tomo. Mas... sabe como é, a pílula não protege contra doenças.

— Você está sugerindo que eu tenho alguma doença? — Andrew quer saber; e dessa vez, seu tom não é de piada.

Ai, meu Deus. Por que é que nunca consigo ficar de boca fechada?

— Bem... — respondo, pensando rápido. O que é difícil de fazer, já que estou tão cansada. E com tesão. — Não. Mas, Ih... pode ser que eu tenha. Sabe-se lá..

— Ah — Andrew diz com uma risada. — Claro. Você? Nunca. Você é fofa demais. — E volta a acariciar o meu pescoço.

O que é muito gostoso. Mas ele ainda não respondeu à minha pergunta.

— E aí? — questiono. — Você tem ou não?

— Pelo amor de Deus, Liz — Andrew diz, sentando-se. Ele remexe nos bolsos da calça, jogada na ponta da cama, e tira uma camisinha Trojan. — Está feliz agora?

— Estou — respondo, porque realmente estou. Feliz, quer dizer. Apesar de o meu namorado aparentemente ir trabalhar com uma camisinha no bolso, o que pode fazer com que a gente se pergunte, caso se tenha uma natureza desconfiada (o que não é o meu caso), o que ele exatamente planejava fazer com tal camisinha. Quer dizer, levando em conta que a namorada dele está em casa, e não em seu local de trabalho.

Mas este não é o ponto. O ponto é que ele tem uma camisinha, e agora a gente pode mandar ver.

O que fazemos sem mais delongas.

Só que...

Bom, as coisas se desenrolam da maneira como acredito que deveriam se desenrolar, levando em conta que a minha experiência nesse ramo se limita a uns amassos desajeitados em uma cama comprida do alojamento com Jeff, o único namorado com quem fiquei bastante tempo (três meses), com quem saí no segundo ano de faculdade e que depois, mais para a frente, no mesmo semestre, me confessou, com os olhos cheios de lágrimas, que estava apaixonado pelo colega de quarto, Jim.

Mesmo assim, já li edições suficientes de *Cosmo* para saber que cada mulher é responsável por seu próprio orgasmo... da mesma maneira como cada convidado é responsável por sua diversão em uma festa... nenhuma anfitriã pode controlar TUDO! Quer di-

111

zer, a gente realmente não pode deixar esse tipo de coisa a cargo dos caras. Ele só vai estragar tudo, ou pior, não vai nem se dar ao trabalho de tentar (a menos, é claro, que seja como Jeff, que se interessava muito pelos meus orgasmos... da mesma maneira que se interessava pelos meus escarpins Herbert Levine da década de 1950 com fivela de *strass*, como descobri quando o peguei se admirando com eles nos pés).

Mas, ao passo que eu aparentemente dei um jeito de tratar da minha própria diversão, Andrew parece estar tendo um pouco de problema com a dele. Parou abruptamente o que estava fazendo e se jogou de costas na cama.

— Eh... Andrew — eu digo, cheia de preocupação. — Está tudo bem?

— Não consigo gozar, porra — é a resposta romântica dele. — É esta porra desta cama. Não tem espaço.

Fico, para colocar as coisas de maneira branda, aturdida. Nunca ouvi falar de um homem que não consegue gozar. Mas eu sei que, para algumas pessoas (Shari, por exemplo), um homem que vive de pau duro pode ser um presente dos céus, para mim não passa de uma inconveniência. Já cuidei da minha própria diversão, como a *Cosmo* aconselhou. A verdade é que não sei por mais quanto tempo agüento isso. Estou começando a ficar esfolada.

Ainda assim, é errado ficar pensando em si mesma quando a pessoa a seu lado está sofrendo tanta agonia e dor. Não posso nem imaginar como Andrew deve estar se sentindo.

Sentindo-me péssima por ele, dou-lhe um beijo e pergunto:

— Bom, tem alguma coisa que eu possa fazer para ajudar?

Logo fico sabendo que tem sim. Pelo menos pela maneira como Andrew começa a empurrar minha cabeça na direção do sul, para dar uma indicação.

O negócio é que nunca fiz isso antes. Nem tenho certeza se sei fazer... apesar de aquela menina do meu andar no alojamento, Brianna, ter tentado me ensinar uma vez, usando uma banana.

De qualquer forma, não foi desse jeito que eu imaginei nós dois consumando nossa relação.

E, ainda assim, existem certas coisas que se fazemos para as pessoas que amamos quando elas precisam.

Mas faço ele trocar de camisinha primeiro. Não amo ninguém TANTO assim; nem mesmo Andrew.

As cruzadas não se tratavam apenas de uma cultura tentando impor suas visões religiosas sobre outra. Tratavam também de moda. Os cruzados que voltavam para casa levavam consigo, além do ouro dos inimigos vencidos, também dicas de beleza das senhoras do Oriente, incluindo depilação dos pêlos púbicos (algo de que não se falava na maior parte da Europa desde o início da dominação do Império Romano).

Se as senhoras inglesas adotaram ou não esta prática devido a suas irmãs do Extremo Oriente fica a cargo da imaginação do leitor, mas sabemos, devido a retratos da época, que algumas delas levaram a questão um pouco longe demais, depilando e raspando todo o cabelo e os pêlos faciais — inclusive cílios e sobrancelhas. Como a maior parte delas não sabia ler nem escrever na época, não é de se estranhar nem um pouco que tenham entendido errado a mensagem.

História da Moda
MONOGRAFIA DE ELIZABETH NICHOLS

Guarde seus próprios segredos e espalhe os dos outros.

— *Philip Dormer Stanhope, quarto duque de Chesterfield*
(1694-1773), estadista britânico

A cordo com um sentimento de contentamento profundo e total, apesar de estar dormindo sozinha, já que Andrew foi para sua própria cama depois de tentarmos dormir juntos na cama estreita de MDF, sem conseguir, nem de longe, graças às pernas compridas dele e à minha tendência de dormir com as pernas coladas no peito.

Ainda assim, ele saiu agradecido e contente. Eu dei conta. Posso ser novata, mas aprendo rápido.

Enquanto me estico, vou repassando a noite anterior na cabeça. Andrew é um amor. Bem, não exatamente um amor, porque não dá para dizer que um cara é um amor. Mas é um doce. Toda aquela preocupação a respeito de ele achar que eu era gorda... Não acredito que perdi tanto tempo com uma coisa tão boba! Claro que ele nunca pensou que eu era gorda, nem disse

115

nada a respeito disso para a família. O irmão dele deve ter me confundido com alguma outra garota.

Não, Andrew é o namorado perfeito. E logo vou fazer com que ele se livre daquela jaqueta vermelha. Talvez, para recompensar, eu até compre uma nova para ele quando sairmos hoje para fazer compras (porque foi o que Andrew prometeu que faríamos hoje, durante nossa conversinha depois da transa ontem à noite). Vamos fazer compras e visitar os pontos turísticos da cidade (depois que ele fizer uma coisa que precisa fazer no centro).

Claro que o que mais me interessa ver (além de Andrew, é claro) são as lojas de roupas de segunda mão da Oxfam, onde dá para encontrar alguns tesouros escondidos, e talvez também um lugar chamado Topshop, que é tipo o equivalente britânico da T.J. Maxx, ou talvez a H&M, que, na verdade, não temos em Michigan, mas, pelo que ouvi falar, claro, é uma meca para quem gosta de moda.

Só que não digo isto para Andrew, porque é óbvio que quero parecer mais intelectual do que isso. Eu deveria estar interessada na história do país dele, que é incrivelmente rica e remonta a muitos milhares de anos... ou pelo menos a duzentos anos, que é até onde se estende a moda que interessa. Andrew é um doce. A família toda dele tem sido tão amável, sem contar a observação de que eu era gordinha... gostaria que houvesse algum jeito de eu demonstrar como aprecio toda a gentileza deles...

Então tenho uma idéia, enquanto estou me depilando na banheira, um pouco mais tarde. Andrew ainda não acordou e o restante da família parece ter ido fazer o que tem que fazer. Vou agradecer com comida! Isso mesmo! Hoje à noite, vou demonstrar meu agradecimento à família Marshall por toda sua hospitalidade com o famoso espaguete *due* da minha mãe! Tenho certeza de que provavelmente eles têm todos os ingredientes em casa: é só macarrão, alho, azeite, queijo parmesão e pimenta-vermelha em flocos, afinal de contas.

E se estiver faltando alguma coisa (como uma baguete bem gostosa e crocante, que realmente é necessária, para aproveitar toda a gordura deliciosa), Andrew e eu podemos dar uma parada no caminho de volta do nosso passeio e comprar!

Imagine como o senhor e a senhora Marshall vão ficar alegres e surpresos ao voltar para casa depois de um longo dia de trabalho e encontrar o jantar pronto!

Mais que animada com o meu plano, aplico a maquiagem e estou passando uma camada extra de óleo secante nas unhas dos pés (já que vou caminhar pela cidade de sandália e quero proteger meu esmalte à francesinha) quando Andrew finalmente desce a escada aos tropeções, esfregando os olhos, todo sonolento. Fazemos uma bela sessão de amor matutino na cama de MDF antes que eu coloque meu vestidinho divertido de Alex Colman da década de 1960 com estampa de folhagem (tenho um suéter de cashmere que combina... graças a Deus que peguei para trazer no último minuto; afinal, vou precisar) e peço a Andrew que se vista logo para darmos início às nossas muitas atividades do dia. Ainda preciso trocar dinheiro, e ele tem o compromisso no centro.

Meu primeiro dia de verdade em Londres (ontem não conta, porque eu estava com tanto sono que mal me lembro do que aconteceu) já começou bem (café-da-manhã sem tomate, um banho relaxante, sexo) que eu nem posso achar que vai ficar melhor, mas fica: o sol está brilhando e está quente demais para Andrew vestir sua jaqueta de dançar break!

Saímos da casa dos Marshall de mãos dadas; Geronimo fica olhando para nós com tristeza através do vidro ("Aquele cachorro gostou mesmo de você", Andrew observa. Oba! Conquistei o bicho de estimação da família ao dar-lhe comida de maneira sorrateira! Será que a família de fato seguirá em breve o exemplo do animal?) e vamos para o metrô. Vou andar no metrô de Londres pela primeira vez!

E nem temo que haja uma bomba porque, se deixarmos que esse tipo de medo tome conta da gente, é o mesmo que deixar os terroristas vencerem.

Ainda assim, fico de olho em rapazes (e moças... é tão errado ter preconceito em relação ao sexo quanto à raça) usando casacos volumosos em um dia assim tão lindo. Enquanto procuro por terroristas, não posso deixar de notar como todos em Londres se vestem melhor do que as pessoas de Ann Arbor. Isso é algo terrível de se dizer a respeito do próprio país, mas parece que os londrinos simplesmente se preocupam mais com o visual do que as pessoas da minha cidade. Não vi ninguém (tirando Alistair, que, afinal de contas, é adolescente) usando calça de moletom, nem mesmo calça com cintura de elástico.

118

Também é preciso dizer que ninguém aqui parece estar tão acima do peso quanto muitos nos Estados Unidos. Por que os londrinos são tão magros? Será que é por causa de tanto chá?

E os anúncios! Os anúncios nas paredes da estação de metrô! São tão... interessantes. Em muitos casos, nem consigo entender o que estão anunciando. Mas isso pode ser porque nunca vi mulheres de peito de fora vendendo suco de laranja antes.

Acho que Shari tem razão. Os britânicos são muito menos inibidos em relação ao próprio corpo (apesar de vesti-lo melhor) do que nós.

Quando finalmente chegamos à estação próxima ao lugar onde Andrew tem um compromisso (ele disse que tem um banco aqui perto, onde vou poder trocar dinheiro), saímos de novo para o sol... e fiquei sem fôlego.

Estou em Londres! No centro da cidade! No lugar onde tantos acontecimentos históricos importantes se passaram, inclusive o início do movimento punk (onde estaríamos hoje se Madonna não tivesse usado aquele primeiro bustiê, e se a Seditionaries de Kings Road não tivesse apresentado o mundo a Vivienne Westwood?) e onde a princesa Diana (que na época ainda era simplesmente lady Diana) usou aquele vestido preto de noite em sua festa de noivado?

Mas antes que eu consiga absorver toda aquela riqueza, Andrew me arrasta para dentro de um banco, onde fico na fila para trocar alguns dos meus cheques de viagem por libras esterlinas. Quando chego ao caixa, a atendente pede para ver meu passaporte e eu o entrego, e ela vê minha foto com desconfiança.

Bom, e por que não olharia? Eu pesava quinze quilos a mais quando aquela foto foi tirada.

Quando ela me devolve o passaporte, Andrew pede para ver e dá boas risadas com a foto.

— Não dá para acreditar que você era assim tão gorda. Olhe só para você agora! Parece uma modelo. Ela não parece modelo? — ele pergunta à atendente.

Ela responde:

— Bem... É — de maneira a não se comprometer.

Sempre é bem legal, claro, ouvir que você parece uma modelo. Mas não posso deixar de me perguntar: será que eu era assim tão feia antes? Quer dizer, quando Andrew me viu pela primeira vez, na noite do incêndio, eu estava com quinze quilos a mais do que agora, e mesmo assim ele ficou a fim de mim. Eu sei. Senti o pau dele ficar duro.

E, tudo bem, eu só estava usando uma toalha, porque os bombeiros não queriam nos deixar entrar no prédio. Mas, mesmo assim.

Estou distraída pensando em todas essas coisas quando a atendente finalmente me entrega meu dinheiro... e é tão bonito! Muito mais bonito do que o dinheiro americano, que é tão... verde. E ainda vem em vários tamanhos diferentes: a moeda de uma libra parece ouro na minha mão.

Estou completamente animada para sair e gastar um pouco do meu dinheiro britânico novo, então peço a Andrew que se apresse e acabe logo com seu compromisso para que possamos ir à Harrods (já comentei que este é o lugar aonde quero ir primeiro. Mas não quero comprar nada lá... só quero ver o altar que o dono, Mohamed Al Fayed, ergueu para o filho, que morreu no acidente de carro com a princesa Diana).

Andrew diz:

— Então, vamos.

E nós nos dirigimos para um prédio de escritórios com aparência muito tediosa, com Central de Empregos escrito na entrada, onde Andrew entra em uma fila comprida com muitas outras pessoas porque, ele explica, precisa "se inscrever" para o trabalho, ou algo assim.

Eu me interesso muito por tudo que é britânico, é claro, porque uma vez que Andrew e eu nos casemos, este pode vir a ser meu país adotado, da mesma maneira como Madonna fez, então presto atenção aos cartazes por que passamos enquanto a fila vai andando. Os cartazes dizem coisas como: "Pergunte-nos a respeito de novas oportunidades para quem procura emprego — Parte do departamento de trabalho e pensões" e "Já pensou em trabalhar na Europa? Pegue informações aqui".

E fico pensando em como é estranho o fato de, na Inglaterra, chamarem a Europa de Europa, como se eles não fizessem parte dela; só que nos Estados Unidos todo mundo pensa na Inglaterra como parte da Europa. Deve estar incorreto.

E o homem detrás do balcão está perguntando a Andrew se ele tem procurado emprego, e Andrew responde que procurou, mas não encontrou nada.

O quê? Do que ele está falando, que não encontrou trabalho? Essa é a única coisa que ele tem feito desde que cheguei aqui: trabalhar.

— Mas, Andrew — ouço a mim mesma exclamar. — E o seu trabalho de garçom?

Andrew fica pálido. O que é um feito e tanto para ele, já que tem a pele tão branca. De um jeito sexy... como Hugh Grant.

— Ah — Andrew diz para o homem detrás do balcão —, ela está brincando.

Brincando? Do que ele está falando?

— Você foi lá ontem — lembro a ele. — Das onze às onze.

— Liz — Andrew diz, com a voz nervosa. — Não fique fazendo piada com este homem simpático. Ele está ocupado com o trabalho dele, não percebe?

Claro que percebo. A pergunta é a seguinte: por que Andrew não percebe?

— Claro. Tipo, ontem você estava ocupado com o emprego de garçom que teve que arrumar porque aquele negócio na escola não pagava bem. Está lembrado?

Será que Andrew estava chapado? Como é que ele pode não se lembrar do fato de que, no dia em que cheguei para a minha primeira visita à Inglaterra, ele estava trabalhando?

Uma olhada no rosto dele, no entanto, revela que, além de se lembrar muito bem, ele não parece estar chapado. Não se o olhar que ele me lança (um olhar daquele tipo que é capaz de matar alguém) serve de indicação.

122

Bom. Está claro que fiz algo errado. Mas o quê? Só estou dizendo a verdade.

Então, pergunto a Andrew:

— Espere. O que está acontecendo aqui?

É aí que o homem detrás do balcão pega um telefone e diz:

— Senhor Williams, estou com um problema. Sim, pode vir aqui agora?

Então coloca uma plaquinha de fechado a sua frente e diz:

— Venham comigo, por favor, senhor Marshall, senhorita — enquanto ergue a divisão do balcão, para que possamos passar.

Então ele nos acompanha até uma salinha no fundo do escritório da Central de Empregos que está vazia: só tem uma mesa, algumas prateleiras sem nada em cima e uma cadeira.

A caminho de lá, dá para sentir o olhar de todo mundo em cima de nós (tanto do pessoal que está na fila quanto de quem trabalha lá), queimando a minha nuca. Algumas pessoas cochicham. Outras dão risada.

Isso dura uns bons cinco segundos, até que eu finalmente percebo por quê.

E, quando percebo, minhas bochechas ficam tão vermelhas quanto as de Andrew tinham ficado pálidas um minuto antes.

Porque então percebo que fiz de novo. É isso mesmo. Abri minha boca idiota e grande, quando deveria tê-la mantido bem fechada.

Mas como é que eu ia saber que uma Central de Empregos é onde os britânicos vão para receber o seguro-desemprego?

E, aliás, o que Andrew está fazendo, recebendo seguro-desemprego, se ele NÃO ESTÁ DESEMPREGADO?

Só que Andrew aparentemente não enxerga a coisa assim... sabe como é, como ilegal. Ele não pára de abrir a boca para soltar:

— Mas todo mundo faz isto!

Mas não é bem assim que as pessoas da Central de Emprego parecem pensar, se é que podemos considerar o olhar que o homem nos lança antes de ir chamar seu "superior" como indício.

— Olha, Liz — Andrew me diz no minuto em que o homem da Central de Emprego sai da sala. — Eu sei que não era a sua intenção, mas você ferrou completamente com tudo para mim. Mas vai ficar tudo bem se, quando o homem voltar, você simplesmente dizer que cometeu um erro. Que tivemos um pequeno desentendimento e que eu não estava trabalhando ontem. Certo?

Fico olhando para ele, confusa.

— Mas, Andrew... — Não acredito que isso está acontecendo. Tem que haver algum erro. Andrew, o MEU Andrew, que vai ensinar crianças a ler, não pode estar enganando o sistema da previdência social. Isso simplesmente não é possível.

— Você *estava* trabalhando ontem — digo. — Quer dizer... não estava? Foi o que você me disse. Foi por isso que me deixou sozinha com sua família o dia inteiro e boa parte da noite. Porque estava trabalhando de garçom. Certo?

— Certo — Andrew concorda. Reparo que está suando. Nunca vi Andrew suar antes. Mas há um brilho definitivo ao longo do couro cabeludo dele. Que, reparo, está recuando só um

124

pouquinho. Será que ele vai ficar tão careca quanto o pai algum dia? — É isso mesmo, Liz. Mas você precisa contar uma mentirinha para mim.

— Mentir para você? — digo, confusa. É como... percebo o que ele diz. Compreendo as palavras.

Só não acredito que Andrew, o MEU Andrew, está dizendo aquilo.

— É só uma mentirinha inofensiva — Andrew elabora. — Quer dizer, não é assim tão ruim quanto você está pensando, Liz. Garçons aqui ganham uma MERDA, não é igual aos Estados Unidos, onde eles têm garantida a gorjeta de quinze por cento. Juro para você que todos os garçons que conheço também recebem auxílio-desemprego...

— Mesmo assim — digo. Não acredito que isso está acontecendo. Simplesmente não consigo acreditar. — De qualquer maneira forma, não é certo. Quer dizer, continua sendo... meio que desonesto, Andrew. Você está tirando dinheiro de gente que realmente PRECISA.

Como é que ele não percebe isso? Ele quer ensinar crianças desprivilegiadas... as mesmas pessoas para quem o dinheiro da previdência social se destina, e ao qual ele parece achar ter tanto direito. Como é que ele pode não saber disso? A mãe dele é assistente social, pelo amor de Deus! Será que ela sabe como o filho arruma um dinheirinho extra?

— Preciso do dinheiro — Andrew insiste. Agora está suando mais, apesar de a temperatura do escritório estar bem agradável. — Sou uma dessas pessoas. Quer dizer, preciso viver, Liz. E não é fácil achar um trabalho com um salário decente quando todo mundo sabe que você vai mesmo embora dali a uns meses para estudar...

Bom... quanto a isso ele tem razão. Quer dizer, o único jeito por que consegui subir até subgerente da Vintage to Vavoom é porque moro na cidade o ano todo.

E também porque sou muito boa no que faço.

Mas, mesmo assim...

— E não fiz isso só por mim, sabe? Eu queria que você se divertisse enquanto estivesse aqui — ele prossegue, lançando um olhar nervoso para a porta aberta da sala. — Para levar você a lugares legais, comer bem. Talvez até levar você para... sei lá. Um passeio de barco ou algo assim.

— Ah, Andrew. — Meu coração incha de amor por ele.

Como é que eu posso ter pensado... bom, o que eu pensei a respeito dele? Ele pode ter feito as coisas do jeito errado, mas as intenções dele estavam no lugar certo.

— Mas, Andrew, tenho um montão de dinheiro guardado. Você não precisa fazer isso por mim... trabalhar tanto assim, e... eh... receber seguro-desemprego, ou sei lá o quê. Tenho bastante dinheiro. Para nós dois.

De repente, ele já não parece mais tão suado.

— Tem mesmo? Mais do que trocou hoje no banco?

— Claro — respondo. — Estou guardando o que recebo na loja há séculos. E fico feliz em compartilhar. — Digo isso de coração. Afinal de contas, sou feminista. Não tenho problemas em sustentar o homem que amo. Problema nenhum.

— Quanto? — Andrew se apressa em perguntar.

— Quanto tenho? — fico olhando fixo para ele. — Bom, uns dois mil...

— Sério? Maravilhosa! Então, posso pegar um pouco emprestado?

— Andrew, já te disse, fico mais do que feliz em pagar pelas coisas quando a gente sair...

— Não, quero saber se posso pegar um pouco emprestado adiantado — Andrew quer saber. Ele parou de suar, mas o rosto ficou meio tenso. Ele não pára de olhar para a porta onde o supervisor do atendente deve aparecer a qualquer momento. — Sabe, ainda nem paguei a minha taxa de matrícula da universidade...

— Taxa de matrícula? — repito.

— Pois é — agora ele está dando um sorriso meio acanhado, parecido com o de uma criança que é pega roubando biscoitos. — Sabe, eu me enrolei um pouco antes de você chegar aqui. Você já foi a alguma das sextas-feiras de pôquer no alojamento McCracken?

Minha cabeça está rodando. É sério.

— Sexta-feira de pôquer? Alojamento McCracken?

Do que ele está falando?

— É, tinha um grupo de residentes que jogava Texas Hold'em toda sexta-feira à noite. Eu costumava jogar com eles, e comecei a me dar bem...

O cara britânico, Chaz tinha falado sobre alguém... alguém que, agora percebo, era Andrew. Aquele que organizava partidas ilegais de pôquer no sétimo andar.

— Era você? — Estou olhando fixamente para ele. — Mas... mas você é Representante dos Alunos. Jogar a dinheiro nos dormitórios é ilegal.

Andrew lança um olhar incrédulo para mim.

— É, bem... talvez seja, mas todo mundo fazia...

Se todo mundo de repente começasse a usar ombreira, você também usaria? Faço menção de perguntar... então me detenho, bem a tempo.

Porque, é claro, já sei a resposta.

— Mas, bem — Andrew continua —, me envolvi em um jogo aqui, não faz muito tempo... bom, as apostas eram um pouco mais altas do que as com que eu estou acostumado, e os jogadores são um pouco mais experientes, e eu...

— Você perdeu — eu digo, na lata.

— Eu contei a você, estava um pouco confiante demais e achei que poderia ganhar direto o jogo em que entrei... mas, em vez disso, levei o maior pau e perdi o dinheiro da minha taxa de matrícula do próximo semestre. É por isso que estou trabalhando tanto, percebe? Não posso contar para os meus pais o que aconteceu com o dinheiro deles... eles são completamente contra o jogo, e provavelmente iriam me expulsar de casa... Eu mal tenho uma cama lá, como você bem sabe. Mas se você puder me emprestar... bom, daí fica tudo uma beleza, certo? Não vou ter que trabalhar, e daí podemos ficar juntos o dia inteiro. — Ele estica o braço, envolve a minha cintura e me puxa para perto dele. — E a noite inteira também — completa, com uma levantada sugestiva das sobrancelhas. — Não seria maravilhoso?

Minha cabeça continua rodando. Apesar de ele ter explicado, de algum modo, nada disso faz sentido... ou melhor, faz *sim*...

Mas acho que não estou gostando nada do sentido que está fazendo.

Fico olhando fixo para ele.

— Algumas centenas de dólares? Para pagar a sua taxa de matrícula?

— Umas duzentas libras, mais ou menos — Andrew responde. — O que dá... Quanto? Uns quinhentos dólares? Não é tanto assim se você pensar que é tudo para o meu futuro... o nosso futuro. E vou recompensar você. Mesmo que demore o resto da minha vida, vou recompensá-la. — Ele abaixa a cabeça e leva até o meu pescoço, para me acariciar. — Não que passar o resto da vida recompensando uma garota como você vá ser algum sacrifício — ele completa, no meio do meu cabelo.

— Bem — respondo —, acho que posso emprestar... — No entanto, dentro da minha cabeça tem uma voz que grita algo completamente diferente. — Nós podemos... enviar o dinheiro para a universidade assim que sairmos daqui.

— Certo — Andrew diz. — Mas, olha, a respeito disso... talvez seja melhor se você simplesmente me entregar o dinheiro e eu mandar. Tem um cara no trabalho que eu conheço que consegue mandar sem nenhuma taxa nem nada.

— Você quer que eu lhe dê dinheiro vivo? — repito.

— É — Andrew responde. — Vai sair mais barato do que se mandarmos o dinheiro aqui da cidade. As taxas são de matar...

— É aí que ouço passos no corredor que leva à salinha e ele diz, apressado: — Olhe, diga para este trouxa, quando ele entrar aqui, que você estava enganada a respeito de eu ter emprego. Que você não tinha entendido bem. Certo? Você pode fazer isto por mim, Liz?

— Lizzie — respondo, meio tonta.

Ele olha para mim sem entender nada.

— O quê?

— Lizzie. Não Liz. Você sempre me chama de Liz. Ninguém me chama assim. Meu nome é Lizzie.

— Certo — Andrew diz. — Tanto faz. Olha, ele está chegando. É só dizer para ele, pode ser? Diga que você se enganou.

— Ah, digo sim.

Mas o engano, percebo, não tem nada a ver com a situação empregatícia de Andy.

Apesar de o período elisabetano ser considerado pela maior parte dos historiadores uma época iluminada, que deu origem a gênios como Shakespeare e Sir Walter Raleigh (consulte: capa na lama etc.), não há dúvidas de que Elizabeth, já no fim de seu reinado, começou a agir de maneira imprevisível e caprichosa. Muitos acreditam que isto pode ser creditado às fartas quantidades de base branca que ela usava no rosto para ficar com a aparência que na época era considerada jovial. Infelizmente para a rainha Elizabeth, havia chumbo na maquiagem facial que utilizava, e isso pode ter causado envenenamento por chumbo e afetado o cérebro.

Elizabeth não foi a última a sofrer com a busca pela beleza (consulte: Jackson, Michael).

História da Moda
MONOGRAFIA DE ELIZABETH NICHOLS

8

A mulher fala porque tem vontade de falar, ao passo que o
homem fala apenas quando é levado a falar por algum fator
externo a si — como, por exemplo, quando não
consegue encontrar meias limpas.

— *Jean Kerr (1923-2003), escritora e dramaturga norte-americana*

Não sei o que me levou a fazer o que fiz.

Em um minuto, eu estava perguntando ao Sr. Williams (o
supervisor do homem que tinha nos acompanhado até a salinha)
se ele podia me dizer onde ficava o banheiro feminino (só que na
Inglaterra eles falam toalete, então demorou alguns segundos até
eu conseguir fazer as pessoas entenderem o que eu queria) e, no
minuto seguinte, eu já estava fugindo dali.

Isso mesmo. Fui embora. Fui embora da Central de Empregos e deixei Andrew para trás. Fingi que ia ao toalete feminino.

Mas, em vez disso, saí do prédio e comecei a correr pelas ruas
movimentadas de Londres, sem fazer a menor idéia de para onde
eu estava indo, isso sem falar que não faço a menor idéia de como
chegar em lugar algum.

Não sei por que fiz isso. Teria dito o que Andrew me pediu: que eu tinha me enganado a respeito de ele ter trabalho. Acho que, como Andrew recebe ilegalmente, o pessoal da Central de Empregos não tem como conferir se é verdade ou não. Então, até parece que o Sr. Williams pode fazer alguma coisa contra Andrew... como mandar prendê-lo.

Aliás, a única coisa que o Sr. Williams estava fazendo quando interrompi para perguntar onde era o banheiro era dar um sermão em Andrew a respeito de como é errado que pessoas que na realidade não precisam do sistema de previdência social recorram a ele.

Foi quando eu saí.

E nunca mais voltei.

E é por isso que estou vagando pelas ruas de Londres, sem fazer a menor idéia de onde estou. Não tenho guia, nem mapa, nem nada. Só tenho uma bolsa cheia de dinheiro britânico e uma sensação pesada de que Andrew não vai ficar lá muito contente de me ver quando eu retornar à casa dos pais dele (isso se algum dia eu conseguir descobrir como fazer para voltar até lá).

Talvez eu devesse ter ficado. Foi errado da minha parte sair daquele jeito. Andrew tem razão, realmente é difícil para quem estuda pagar todas as contas...

Mas usar todas as suas economias para jogar também não ajuda em nada.

E o dinheiro? Prometi a ele quinhentos dólares para pagar a taxa de matrícula, e daí simplesmente... fui embora. Como é que pude sair daquele jeito? Se Andrew não pagar a taxa de matrícula, não vai poder voltar para a universidade no início do ano letivo. Como é que pude simplesmente dar as costas a ele desta maneira?

Mas como é que eu poderia ter ficado lá?

Não é o dinheiro. Não é mesmo. Daria cada centavo que tenho a ele, e ficaria feliz com isso. Porque a verdade é que eu consigo suportar o fato de que ele me achava gorda.

E consigo suportar o fato de que ele parece ter reclamado da minha gordura para a família dele.

E consigo suportar a jogatina, e até mesmo o fato de que ele fingiu que não conseguiu gozar para eu dar uma chupada nele.

Mas fraudar os pobres? Porque isso é basicamente o que faz uma pessoa que recebe seguro-desemprego enquanto tem um emprego.

Isso eu não consigo tolerar.

E ele quer ser professor. PROFESSOR! Dá para imaginar um homem assim moldando a mente de jovens impressionáveis?

Eu sou a maior idiota. Não acredito que caí nesse papo todo de "quero ensinar crianças a ler". Obviamente, não passava de uma representação para ele conseguir tirar a minha calcinha (e, depois, ainda meter a mão na minha carteira). Por que eu não enxerguei os sinais? Quer dizer, que tipo de homem que quer ensinar crianças a ler (de verdade, com sinceridade) também manda e-mails com fotos da própria bunda para garotas americanas inocentes?

Eu sou tão idiota. Como é que pude ser tão cega?

Shari tem razão, é claro. Foi o sotaque dele. Tem que ter sido isso. Fiquei completamente encantada pelo sotaque dele. É simplesmente tão... charmoso.

Mas agora eu sei que, só porque um cara fala igual a James Bond, isso não quer dizer que vai AGIR como ele. Por acaso James Bond receberia seguro-desemprego enquanto tem trabalho? Claro que não.

Ai, meu Deus, e de pensar que eu queria me CASAR com ele!!! Queria casar com ele e apoiá-lo para o resto da vida. Queria ter filhos com ele (Andrew Jr., Henry, Stella e Beatrice). E um cachorro! Como era mesmo o nome do cachorro?

Ah, tanto faz.

Eu sou a maior idiota deste lado do Atlântico. Possivelmente dos dois lados. Meu Deus, eu gostaria de ter percebido tudo isto antes de dar aquela chupada nele. Não acredito que fiz isso.

Quer saber de uma coisa? Quero aquela chupada de volta. Andrew Marshall não é digno de receber uma chupada minha. Aquela chupada foi especial. Foi a minha primeira. E era para ter sido em um professor, não em um fraudador da previdência social!

Ou fraudador do seguro-desemprego. Ou sei lá qual é o nome desta coisa.

O que vou fazer agora? Só se passaram dois dias da minha visita ao meu namorado e já resolvi que nunca mais quero vê-lo. E estou hospedada na casa da *família* dele! Até parece que posso evitá-lo ali.

Ai, meu Deus. Quero ir para casa.

Mas não posso. Mesmo que tivesse dinheiro para isso (mesmo que eu pudesse ligar para casa agora mesmo e pedir para me comprarem uma passagem), ia ficar ouvindo falar sobre o assunto para o resto da vida. Sarah e Rose... a senhora Rajghatta... até a minha mãe... todo mundo. Nunca iriam me deixar esquecer. Todas me disseram (TODAS ELAS) que não era para eu fazer isso, que não era para me deslocar até a Inglaterra para visitar um cara que eu mal conhecia, um cara que, é, tudo bem, salvou a minha vida...

Mas é bem provável que eu não fosse morrer. Quer dizer, uma hora eu repararia na fumaça e teria saído de lá sozinha.

Nunca vão me deixar esquecer do fato de que elas tinham razão. Meu Deus! Elas tinham razão! Não dá para acreditar! Elas nunca tiveram razão a respeito de nada. Todas disseram que eu nunca iria me formar... Bem, me formei.

Bom, tudo bem, quase. Só preciso escrever uma monografia de nada.

E todas disseram que eu não perderia a gordura que carregava desde criança.

Bem, perdi. Tirando aqueles últimos dois quilos. Quase ninguém além de mim repara neles.

Disseram que eu nunca conseguiria emprego nem apartamento em Nova York... bem, vou mostrar que elas estão erradas a este respeito. Espero. Na verdade, nem posso pensar sobre isso agora, ou vou vomitar.

Só sei que não posso voltar para casa. Não posso permitir que elas pensem que estavam certas a respeito dessa história.

Mas também não posso ficar aqui! Não depois de sair daquele jeito: Andrew nunca vai me perdoar. Quer dizer, eu simplesmente fui embora. Foi como se meus pés tivessem desenvolvido pequenos cérebros próprios e simplesmente tivessem saído caminhando, tentando colocar a maior distância possível entre Andrew e eu.

A culpa não é dele. Não exatamente. Quer dizer, jogo é um vício! Se eu fosse uma pessoa decente, teria ficado para tentar ajudá-lo. Eu lhe daria o dinheiro para que pudesse voltar à universidade no início do ano letivo para começar tudo do zero... Eu lhe daria apoio. Juntos, poderíamos ter resolvido tudo...

Mas, em vez disso, eu simplesmente fui embora. Ah, belo trabalho, Lizzie. Mas que boa namorada você é.

Meu peito parece apertado. Acho que pode ser que eu esteja tendo um ataque de pânico. Isso nunca aconteceu comigo, mas Brianna Dunleavy, lá do alojamento, costumava tê-los o tempo todo e ia parar no centro de saúde estudantil, onde lhe davam uma licença para não fazer provas.

Não posso ter um ataque de pânico no meio da rua. Não posso! Estou de saia! Imagine se eu cair e todo mundo vir a minha calcinha? É verdade que é uma calcinha fofa, de bolinhas e com lacinho, da Target. Mas mesmo assim. Preciso me sentar. Preciso...

Ah uma livraria. Livrarias são ótimas para ataques de pânico. Pelo menos, espero que sejam, já que nunca sofri disso.

Passo rápido pelos lançamentos e pelo caixa e vou para o fundo da loja. Daí avisto uma poltrona de couro perto da seção de auto-ajuda (evidentemente, os britânicos não sentem muita necessidade de recorrer à auto-ajuda. O que é bem ruim porque alguns deles, especificamente Andrew Marshall, realmente estão precisando), afundo-me nela e coloco a cabeça entre os joelhos.

Então, respiro. Inspiro. Expiro. Inspiro. Expiro.

Isso. Não. Pode. Estar. Acontecendo. Não. Posso. Estar. Tendo. Um. Ataque. De. Pânico. Em. Um. País. Estrangeiro. Meu. Namorado. Não. Pode. Ter. Perdido. Todo. O. Dinheiro. Que. Tinha. Para. Pagar. A. Pós. Graduação. Jogando. Texas. Hold'em.

— Com licença, moça?

Ergo a cabeça. Ai, não! Um dos vendedores da livraria está olhando para mim, cheio de curiosidade.

— Oi.

— Olá — ele parece bem simpático. Está de jeans e com uma camiseta preta. Os dreadlocks são muito limpos. Não parece o tipo de pessoa que expulsaria uma mulher tendo um ataque de pânico de sua loja.

— Está tudo bem com você? — ele quer saber. Uma plaquinha na roupa dele informa que se chama Jamal.

— Está — solto um guincho. — Obrigada. É só que... não estou me sentindo muito bem.

— Você não parece bem — Jamal confirma. — Quer um copo de água?

Percebo então como estou morrendo de sede. Uma Diet

138

Coke. É disso que eu realmente preciso. Será que não existe Diet Coke neste país atrasado?

Mas respondo:

— Seria muito legal da sua parte.

Ele assente e se afasta, com expressão preocupada. Que rapaz simpático. Por que não namoro Jamal em vez de Andrew? Por que tive que me apaixonar por um cara que AFIRMA querer ensinar crianças a ler, e não por alguém que de fato o faz?

Mas, tudo bem, Jamal não trabalha no departamento de literatura infantil.

Mesmo assim. Aposto que já entraram crianças nesta loja que ele incentivou a ler.

Mas talvez eu só esteja fazendo uma projeção. De novo. Talvez só esteja acreditando no que quero acreditar a respeito de Jamal.

Da mesma maneira que eu queria acreditar que Andrew é de fato um Andrew e não um Andy. Quando, na verdade, ele é o maior Andy que já conheci.

Não que haja nada de errado com o nome Andy. É só que...

E, de repente, percebo exatamente do que eu preciso, e não é água.

Não quero. Realmente não quero. Mas percebo que preciso escutar a voz da minha mãe. Simplesmente *preciso*.

Com dedos trêmulos, disco o número da minha casa. Não vou contar nada sobre Andrew para ela, resolvo, nem como ele se revelou ser um Andy. Só preciso ouvir uma voz conhecida. Uma voz que me chame de Lizzie em vez de Liz. Uma voz...

— Mãe? — exclamo quando uma mulher atende o telefone na outra ponta da linha e diz alô.

— Que diabos você está fazendo, ligando assim tão cedo? — minha avó quer saber. — Não sabe que horas são aqui?

— Vovó — fecho os olhos. Meu peito continua apertado. — Mamãe está por aí?

— Que diabo, não — vovó responde. — Ela está no hospital. Você sabe que ela ajuda o padre Mack a dar a comunhão às terças.

Não discordo, apesar de não ser terça-feira.

— Bom, papai está, então? Ou Rose? Ou Sarah?

— Qual é o problema? Eu não sirvo para você?

— Não — respondo. — Você é ótima, mas é que...

— Parece que você está doente. Pegou uma daquelas gripes aviárias por aí?

— Não — respondo. — Vovó...

E é aí que eu começo a chorar.

Por quê? POR QUÊ??? Estou mesmo muito brava por estar chorando. Já disse isso a mim mesma!

— Para que tantas lágrimas? — Vovó quer saber. — Perdeu seu passaporte? Não se preocupe, mesmo assim vai poder voltar. Deixam qualquer um entrar aqui. Até mesmo as pessoas que querem nos explodir até o fim do mundo.

— Vovó, acho que... — É difícil sussurrar quando estou soluçando, mas tento. Não quero incomodar os clientes da livraria e ser chutada para a rua. Sei que Jamal vai voltar com a minha água a qualquer momento. — Acho que cometi um erro ao vir para cá. Andrew... ele não é a pessoa que eu achei que era.

— O que ele fez? — vovó quer saber.

— Ele... ele... disse à família dele que eu era gorda. E ele joga. E está fraudando o governo. E ele... ele... ele disse que eu gostava de tomate!

— Volte para casa. Volte para casa agora mesmo.

— Esse é o problema. N-não posso voltar para casa. Sarah e Rose... todo mundo... elas me disseram que isto iria acontecer. E agora aconteceu. Se eu voltar para casa, simplesmente vão ficar dizendo que me avisaram. Porque avisaram. Ah, vovó... — agora as lágrimas estão caindo ainda mais rápido. — Eu nunca vou conseguir ter namorado! Um namorado de verdade, quer dizer, que me ame por quem eu sou, e não por causa das minhas economias.

— Não diga besteira.

Surpresa, eu respondo:

— O-o quê?

— Você vai arrumar um namorado. Só que, ao contrário das suas irmãs, você quer escolher o homem certo. Não vai se casar com o primeiro idiota que aparecer para dizer que gosta de você e logo a engravida.

Este foi um resumo muito acalentador dos relacionamentos das minhas irmãs. Tem o efeito de secar minhas lágrimas imediatamente.

— Vovó, quer dizer, falando sério. Não está sendo um pouco severa demais?

— Então, esse aí se revelou um panaca — vovó prossegue.

— Que se dane. O que vai fazer? Ficar com ele de qualquer jeito, até seu avião partir?

— Não sei que escolha tenho. Quer dizer, não posso simplesmente... abandoná-lo.

— Onde ele está agora?

— Bem, ele está na Central de Emprego, acho.

Será que saiu para me procurar?

É, claro que sim. Estou com os quinhentos dólares dele.

— Então, você já o abandonou. Olha, não sei qual é o problema. Você está na Europa. É jovem. Jovens vão à Europa sem dinheiro nenhum no bolso há cem anos. Use a cabeça, pelo amor de Deus. E a sua amiga, Shari? Ela não está em algum lugar por aí?

Shari. Tinha me esquecido completamente dela. Shari, que está logo ali, do outro lado do canal da Mancha, na França. Shari, que de fato me convidou, na noite passada mesmo, para ficar com ela em... Como chama mesmo? Ah, certo: Mirac.

Mirac. A palavra me parece tão mágica neste momento que pode muito bem significar paraíso.

— Vovó — digo, saindo da poltrona. — Você acha mesmo... quer dizer... será que eu devo?

— Você disse que ele joga? — vovó pergunta.

— Parece que ele tem uma queda forte por Texas Hold'em.

Vovó suspira.

— Igualzinho ao seu tio Ted. Aliás, fique mesmo com ele se quiser passar o resto da vida tentando pagar as dívidas dele. Era o que a sua tia Olivia fazia. Mas se você for inteligente, e acho que é, vai sair daí agora mesmo, enquanto ainda pode.

— Vovó — digo, e engulo as lágrimas. — Acho... acho que vou aceitar o seu conselho. Obrigada.

— Bem — vovó diz, impassível —, esta realmente é uma bela ocasião. Uma de vocês realmente resolveu me dar ouvidos, para variar. Alguém precisa abrir uma garrafa de champanhe.

— Eu faço um brinde a você daqui, vovó. E, agora, é melhor eu ligar para Shari. Muito obrigada. E, não conte a ninguém a respeito desta conversa, está bem, vovó?

— E para quem eu contaria? — vovó resmunga e desliga o telefone.

Eu também desligo e, apressada, disco o número de Shari. Shari. Não acredito que não pensei em SHARI! Shari está na França. E ela disse que eu podia ir ficar com ela. O canal da Mancha. Ela não disse alguma coisa a respeito de pegar um trem e atravessar o canal da Mancha? Será que dá mesmo para eu fazer isto? Será que *devo* fazer isto?

Ah, não. Cai na caixa postal. Onde ela está? No vinhedo, esmagando uvas com os pés? Shari, cadê você? Preciso de você!

Deixo um recado: "Oi, Shar? Sou eu, a Lizzie. Preciso muito falar com você. É muito importante, de verdade. Acho... tenho bastante certeza de que Andrew e eu vamos terminar."

Penso na expressão que ele tinha no rosto enquanto me falava do amigo que consegue mandar dinheiro para os Estados Unidos sem pagar taxa nenhuma.

Meu coração se contorce.

Prossigo: "Bem, aliás, acho que terminamos com toda a certeza. Então, será que você pode me ligar? Porque provavelmente vou ter que aceitar a sua oferta de me receber na França. Então me ligue. Logo. Tchau."

Dizer as palavras em voz alta de repente faz tudo parecer bem mais real. Meu namorado e eu vamos terminar. Se eu tivesse simplesmente ficado de boca fechada a respeito do trabalho de garçom dele, nada disso teria acontecido. É tudo por minha causa. Por causa da minha boca grande.

Realmente, já pisei na bola na vida. Mas nunca tanto assim.

Por outro lado... se eu não tivesse dito nada, será que ele teria me contado? A respeito do jogo, quer dizer? Ou será que teria tentando guardar segredo de mim pelo resto da nossa vida juntos? Como parece que ele fez, com muito sucesso, durante os últimos três meses? Será que nós teríamos acabado como tio Ted e tia Olivia: amargos, divorciados, enterrados em dívidas e morando em Cleveland e Reno, respectivamente?

Não posso deixar que isso aconteça. Não permitirei que isso aconteça.

Não posso voltar à casa dos Marshall. Simples assim. Quer dizer, é óbvio que preciso voltar, para pegar as minhas coisas. Mas não posso dormir lá hoje à noite. Não na cama de MDF, a mesma cama em que fizemos amor... a cama em que dei aquela chupada nele.

A chupada que eu quero de volta.

E então percebo que não preciso dormir lá hoje à noite. Porque eu tenho, sim, lugar para ir.

Eu me levanto tão apressada que chego a ficar meio tonta. Estou cambaleando e segurando a cabeça quando Jamal volta com um copo de água para mim.

— Moça? — ele diz, todo preocupado.

— Ah! — exclamo, ao ver a água. Pego o copo da mão dele e viro todo o líquido de uma vez só. Minha intenção não é ser grosseira, mas minha cabeça lateja. — Muito obrigada — agradeço quando termino de beber. E entrego o copo de volta para ele. Já estou me sentindo melhor.

— Posso telefonar para alguém para você? — Jamal quer saber.

De verdade, ele é muito gentil. Tão atencioso! Quase parece que voltei a Ann Arbor. Tirando o sotaque inglês.

— Não — respondo. — Mas tem uma coisa com que você pode me ajudar. Preciso saber como atravessar o canal da Mancha.

PARTE DOIS

A Revolução Francesa, no final do século XVIII, não foi apenas um levante de pessoas comuns tentando derrubar a monarquia em favor da democracia e do republicanismo. Não! Também tinha a ver com moda: os abastados (que davam preferência a perucas empoladas, pintas falsas no rosto e saias armadas, às vezes com até quatro metros e meio de diâmetro) contra os depauperados (que usavam botas grosseiras, saias estreitas e tecidos simples). Neste levante específico, como a história mostra, os camponeses venceram.

Mas a moda saiu perdendo.

História da Moda
MONOGRAFIA DE ELIZABETH NICHOLS

Só se encontram bons conversadores em Paris.

— *François Vilion (1431-1463), poeta francês*

Estou puxando minha mala de rodinhas pelos corredores do trem Paris–Souillac, e tento não chorar.

Não por causa da mala. Bem, mais ou menos por causa da mala. Quer dizer, o corredor é muito estreito, e estou com a bolsa de mão pendurada no ombro, e meio que preciso andar de lado, igual a um caranguejo, para não bater na cabeça das pessoas com ela enquanto procuro (aparentemente sem sucesso) um assento virado para a frente na primeira classe do vagão de não-fumantes de um trem.

Se eu fumasse e não me importasse em ficar virada para trás, tudo estaria ótimo. Só que não fumo e tenho medo de vomitar se viajar virada para trás. Na verdade, tenho certeza de que vou vomitar, porque estou com ânsia de vômito desde que acordei em Paris, depois de apagar no meu assento confortável no trem de Londres, como acontece com vovó depois que

151

toma muito do conhaque que usamos para cozinhar, e me dei conta do que tinha feito.

O que é, em resumo, sair viajando pela Europa por conta própria, sem fazer a menor idéia se de fato vou encontrar o lugar, e muito menos a pessoa, que procuro. Principalmente porque Shari continua sem atender o telefone e sem me ligar de volta.

Claro que parte da razão por que estou com ânsia de vômito pode ser porque também estou morrendo de fome e mal consigo enxergar. Tudo que comi desde o café-da-manhã foi uma maçã que comprei na estação de Waterloo, já que foi o único alimento nutritivo sem tomate que consegui encontrar à venda ali. Se eu quisesse uma barra de chocolate Cadbury ou um sanduíche de ovo com tomate, estaria feita.

Mas como não queria, estava com azar.

Espero que haja um vagão-restaurante neste trem. Mas, antes que eu possa procurá-lo, preciso encontrar um lugar decente para deixar a minha bagagem.

E isto está se comprovando muito difícil. Minha mala é tão larga e desajeitada que fica batendo nos joelhos das pessoas quando passo e, apesar de eu estar pedindo desculpas feito uma louca ("*Pardonnez-moi*", digo, quando não é "*Excusez-moi*" que estou falando), parece que ninguém aprecia muito minhas desculpas. Talvez seja porque todo mundo é francês e sou americana, e parece que ninguém aqui gosta de americanos. Pelo menos, a julgar pela maneira como o garoto ao meu lado no assento virado para trás de um vagão de fumante que eu encontrei (mas que por conseqüência precisei abandonar) perguntou, com a voz cheia de nojo, quando me ouviu deixando mais um recado para Shari no celular.

— *Êtes-vous américaine?*

— Eh... — respondi — *Oui?*

E ele fez uma careta e pegou um iPod, enfiou os fones no ouvido e virou para a janela, para não ter que olhar de novo para mim.

Vamos a la playa, gritava a música que eu escutava claramente saindo do fone dele. *Vamos a la playa.*

Sei que esta música vai ficar grudada na minha cabeça o resto do dia. Ou da noite, devo dizer, porque já é de tarde e o meu trem ainda demora seis horas para chegar a Souillac.

Há ainda outra razão para que eu vá em busca de um novo assento. Como é que conseguirei passar seis horas ao lado de um garoto de dezessete anos com o nariz cheio de meleca e com uma camiseta do Eminem, que escuta europop, odeia americanos e *fuma*?

Claro que agora parece que aquele era o único assento vago no trem inteiro.

Será que vou agüentar durante seis horas? Porque, se agüentar, vai ser uma beleza. Tem lugar de sobra para mim e minha bagagem gigantesca nos espaços entre os vagões.

Como é que isso pode estar acontecendo comigo? Tudo pareceu tão simples quando Jamal, na livraria, explicou o que eu teria que fazer para chegar à França. Ele pareceu tão sabido e

153

gentil, parecia que ir de Londres ao lugar onde Shari estava seria superfácil.

Mas é claro que ele não comentou que, no minuto em que se abre a boca para falar com qualquer pessoa neste país e a pessoa percebe que você é americana por causa do seu sotaque, simplesmente também respondem em inglês.

E geralmente também não são muito simpáticas.

Mas, mesmo assim. Consegui seguir a maior parte das indicações na Gare du Nord. O bastante para conseguir minha passagem, pelo menos (que eu reservei pelo telefone), em uma das máquinas. O bastante para encontrar meu trem. O suficiente para entrar aos tropeções no primeiro vagão que encontrei e me largar na primeira poltrona livre.

Pena que não reparei na fumaça de cigarro (nem no fato de que eu estava virada para o lado errado) até que o trem realmente começou a se movimentar.

É difícil não ficar achando que essa coisa toda foi uma péssima idéia. Não o negócio de estar me mudando para um outro assento... ISSO já sei que foi má idéia. Mas o fato de vir para a França. Quer dizer, e se eu nunca conseguir encontrar Shari? E se o celular dela tiver caído na privada de novo, como aconteceu no alojamento, e ela não tiver dinheiro para comprar outro ou se não houver loja de celular por perto e ela simplesmente ficar sem telefone durante o restante da viagem? Como vou encontrá-la?

Acho que devo perguntar às pessoas, quando chegar a Souillac, se sabem onde fica o Château Mirac. Mas e se ninguém nunca tiver ouvido falar do Château Mirac? Shari não disse se o *château* fica longe da estação de trem. E se for muito, muito longe?

E, inclusive, até parece que eu posso ligar para os pais de Shari e perguntar se eles sabem onde ela está e como eu posso entrar em contato com ela. Porque então eles vão querer saber por que eu quero saber, e se eu contar, eles vão contar para a minha mãe e para o meu pai, e eles vão saber que as coisas não deram certo com Andrew (quer dizer, Andy) e vão contar para as minhas irmãs.

E então elas não vão parar de falar nisso nunca mais.

Ai, meu Deus, como é que fui me meter nisto? Talvez eu devesse simplesmente ter ficado na casa de Andy. Qual é a pior coisa que poderia ter acontecido? Eu poderia ir visitar a casa de Jane Austen sozinha e só usar a casa de Andy como uma espécie de base. Eu não precisava sair de lá. Poderia simplesmente ter dito algo como: "Ouça, Andy, não está dando certo entre nós, porque você não é quem eu pensava que fosse. Tenho uma monografia para escrever, então vamos simplesmente concordar em ignorar um ao outro durante todo o tempo que eu passar aqui; assim, faço as minhas coisas e você faz as suas."

Poderia simplesmente ter dito isso a ele. Claro que agora já é tarde demais. Não posso voltar. Não depois do bilhete que deixei para ele quando peguei aquele táxi até a casa dele (as melhores quinze libras que já gastei) para pegar minhas coisas. Graças a DEUS que não tinha ninguém em casa...

155

...e graças a Deus Andy teve a idéia de me dar uma chave pela manhã, antes de sairmos, que coloquei na caixa de correio dos Marshall quando fui embora.

Ai, meu Deus. Uma poltrona! Uma poltrona vazia! Virada para o lado certo! Em um vagão de não-fumantes! E ao lado de uma janela!

Certo, tenha calma. Pode estar ocupada e a pessoa só levantou para usar o banheiro ou algo assim... ai, meu Deus, bati na cabeça daquela senhora com a minha mala...

— *Je suis désolée, madame* — digo.

Isso significa "desculpe", certo? Ah, quem se importa? Uma poltrona! Uma poltrona!

Ai, meu Deus. Uma poltrona ao lado de um cara que parece ter mais ou menos a minha idade, com cabelo escuro encaracolado, grandes olhos castanhos e camisa social cinza enfiada na calça Levi's desbotada nos lugares certos. Que ele usa com um cinto de couro trançado.

É possível que eu tenha morrido. Que desmaiei no corredor do trem e morri de fome, desidratação e desgosto.

E que isto é o céu.

— *Pardonnez-moi* — digo para o cara totalmente gostoso. — *Mais est-ce que... est-ce que...*

O que quero perguntar é: "A poltrona ao seu lado está vazia?" Só que em francês, é óbvio. Só que não consigo me lembrar da palavra para poltrona. Nem para ocupada. Aliás, acho que nunca estudei esta frase nas aulas de francês dos cursos de verão da faculdade. Talvez tenha estudado, mas talvez eu estivesse tão ocupada sonhando acordada com Andrew (quer dizer, Andy) que não prestei atenção no dia.

Ou talvez seja só que este cara é tão lindo que eu não consigo pensar em mais nada.

— Quer sentar aqui?

É o que o cara na poltrona do lado do corredor pergunta, apontando para o assento vazio.

Em inglês perfeito. Em inglês AMERICANO perfeito.

— Ai, meu Deus! — solto. — Você é americano? A poltrona realmente não está ocupada? Posso sentar aí?

— A resposta é sim. — O americano abre um sorriso que revela dentes brancos perfeitos. Dentes brancos, perfeitos e AMERICANOS — para as três perguntas.

E ele se levanta para me deixar passar para o assento da janela.

Não só isso, mas ele também se inclina, pega minha mala gigantesca com rodinhas que acabou de estragar mil joelhos franceses durante sua longa trajetória arrastada por diversos vagões de trem e oferece:

— Deixe que eu ajudo.

E, aparentemente sem esforço, ergue a mala e coloca no maleiro acima das nossas cabeças.

Certo. Agora estou chorando.

Porque isto não é alucinação. Não estou morta. Isto realmente está acontecendo. Eu sei porque acabei de tirar minha bolsa de mão do ombro e coloquei embaixo do assento à minha frente, e todo o lado direito do meu corpo ficou dormente por causa do peso que não está mais lá. Se eu estivesse morta, por acaso ia sentir o ombro dormente?

Não.

Eu me afundo no assento (no assento macio e acolchoado) e simplesmente fico lá sentada, olhando fixamente para os prédios que passam a toda velocidade pela janela, completamente incapaz de acreditar na minha sorte. Como é que a minha sorte, que anda totalmente podre, deu uma reviravolta assim tão incrível para melhor? Isto não pode estar certo. Tem que haver uma pegadinha. Simplesmente, tem que haver.

— Quer água? — o cara ao meu lado pergunta, oferecendo uma garrafa plástica de Evian.

Mal consigo enxergá-lo por entre as lágrimas.

— Você... você está me dando a sua água?

— Bem... — ele diz. — Não. Vem uma garrafinha em cada poltrona, isto aqui é a primeira classe. Todo mundo ganha uma.

— Ah — respondo, sentindo-me uma idiota (e qual é a novidade?). Não tinha reparado na água na minha última poltrona. Aquele garoto francês provavelmente tinha pegado a minha. Ele tinha cara de quem roubaria a água de qualquer pessoa.

Pego a água do meu novo (e imensamente aprimorado) companheiro de poltrona.

— Obrigada — agradeço. — Sinto muito. É só que... este dia foi bem longo.

— Estou vendo. A menos que você sempre chore em trens.

— Não choro — balanço a cabeça e dou uma fungada. — De verdade.

— Bom, fico feliz em saber. Claro que já ouvi falar de medo de avião. Mas nunca soube que existia medo de trem.

— O meu dia foi péssimo. — Abro a água. — De verdade. Você não faz idéia. É tão bom ouvir um sotaque americano... Não dá para acreditar como todo mundo por aqui nos odeia.

— Ah — ele exibe mais uma vez os dentes perfeitos —, eles não são assim tão ruins. Se você visse como o turista americano típico age, você também se sentiria da mesma maneira que os franceses.

Engulo a maior parte da minha água. Estou começando a me sentir um pouco melhor... já não parece mais que estou morta, apesar de ter certeza de que a minha aparência deve estar igual à de um cadáver. O que é ótimo, já que agora posso ver ainda de mais perto o rosto do meu companheiro de poltrona, e percebo que ele não é apenas lindo. As feições dele são cheias de gentileza, inteligência, e bom humor também.

A menos que isto seja apenas uma miragem causada pela fome.

— Bem. — Ergo a mão para enxugar os olhos com o pulso. Fico imaginando se o meu rímel não está escorrendo pelas bochechas, deixando marcas escuras. Será que passei o que é à prova d'água? Nem consigo lembrar. — Vou acreditar no que você diz.

— É a sua primeira viagem à França? — ele pergunta, cheio de simpatia.

159

Até a voz dele é gostosa. Meio profunda e muito compreensiva.

— É a minha primeira viagem a qualquer lugar da Europa — respondo. — Menos Londres, onde eu estava hoje de manhã.

E então, como uma represa que se rompe, começo a chorar de novo.

Tento não chorar alto. Sabe como é, sem soluçar nem nada. Simplesmente não posso pensar em Londres (nem consegui ir à Top Shop) sem que meus olhos se encham de lágrimas.

O meu companheiro de poltrona cutuca o meu cotovelo com o dele. Quando abro meus olhos marejados, vejo que ele segura um saco plástico à minha frente.

— Quer amendoim caramelado? — ele pergunta.

Estou enlouquecida de fome. Sem dizer nada, enfio a mão no saquinho e tiro um punhado de amendoins, que coloco na boca. Não ligo que sejam caramelados e lotados de carboidratos. Estou faminta.

— Eles... também vêm em todas as poltronas? — pergunto entre fungadas.

— Não — ele responde. — São meus. Pode se servir de mais, se quiser.

Eu quero. Esta é a melhor coisa que já comi. E não é só porque faz um tempão que não como açúcar.

— Obrigada — digo. — Eu... eu sinto muito.

— Por quê? — meu companheiro de poltrona pergunta.

— Por f-ficar aqui sentada chorando deste jeito. Geralmente não sou assim. Juro.

— Viagens podem ser muito estressantes. Principalmente hoje em dia.

— É verdade — pego mais alguns amendoins. — Nunca dá para saber. Quer dizer, a gente conhece pessoas que parecem perfeitamente ótimas. E então descobre que elas só ficaram mentindo para você o tempo todo, para que você pagasse a taxa de matrícula delas porque perderam todo o dinheiro em uma partida de Texas Hold'em.

— Na verdade, eu estava me referindo aos alertas terroristas — meu companheiro de poltrona diz, um tanto seco. — Mas acho que, eh... isso que você mencionou também pode ser bem chato.

— Ah, é sim — garanto a ele por entre as lágrimas. — Você nem faz idéia. Quer dizer, ele simplesmente mentiu para mim... dizendo que me amava e tudo o mais... quando na verdade só queria me usar. Quer dizer, Andy, que é o nome do cara que eu abandonei lá em Londres, parecia ser tão legal, sabe? Ele ia ser professor. Disse que ia dedicar a vida a ensinar criancinhas a ler. Já ouviu falar de alguma coisa mais nobre?

— Eh... — meu companheiro de poltrona responde. — Não?

— Não. Porque, quem é que faz uma coisa dessas hoje em dia? As pessoas da nossa idade... Quantos anos você tem?

— Vinte e cinco — meu companheiro de poltrona responde, com um sorrisinho nos lábios.

— Certo. — Abro a bolsa e remexo lá dentro, em busca de lenços de papel. — Bem, você já reparou que o pessoal da nossa idade... parece que todo mundo só pensa em ganhar dinheiro? Tudo bem, nem todo mundo, mas muita gente. Ninguém mais quer ser professor, nem mesmo médico... não com essa coisa dos planos de saúde e tudo o mais. Ninguém mais ganha tanto dinheiro assim nesta área. Todo mundo quer ser investidor do mercado financeiro, ou *head hunter* corporativo, ou advogado... porque é assim que se ganha dinheiro. Eles não ligam se não fazem nada de positivo para a humanidade. Só querem ter uma McMansão e um BMW. É sério.

— Ou pagar os empréstimos que fizeram para financiar a faculdade — acrescenta meu companheiro de poltrona.

— Pois é. Mas, por exemplo, você não precisa estudar na faculdade mais cara do mundo para ter uma boa educação. — Consegui localizar um pedaço amassado de lenço de papel no fundo da minha bolsa. Uso-o para absorver minhas lágrimas. — A educação é o que você *faz* dela.

— Realmente nunca pensei na questão dessa maneira — comenta meu companheiro de poltrona. — Mas pode ser que você tenha razão.

— Acho que tenho — digo. Os prédios que passavam a toda pela minha janela se transformaram em campos abertos. O céu é de um vermelho dourado e o sol começa a se afundar no horizonte a oeste. — Quer dizer, sei do que estou falando. Vi isso pessoalmente. Se você estuda algo como... sei lá. História da

162

Moda ou algo assim... as pessoas acham que você é louca. Ninguém mais quer ter nenhuma carreira criativa, porque é arriscado demais. Pode até ser que não recebam o retorno do investimento financeiro que fizeram na educação, que acreditam que deveriam receber. Então todo mundo vai ser administrador ou advogado ou... procuram alguma garota americana para casar para poderem ser sustentados por ela.

— Parece mesmo que você está falando a partir de experiência pessoal — meu companheiro de poltrona observa.

— Bem, e o que mais posso pensar? — Estou falando sem parar. Sei que estou divagando, mas parece que não consigo me conter. Da mesma maneira que não consigo fazer parar as lágrimas que escorrem pelas minhas bochechas. — Quer dizer, que tipo de pessoa... sabe como é, que quer ser professor... trabalha como garçom e TAMBÉM recebe seguro-desemprego?

Meu companheiro de poltrona parece refletir sobre o assunto.

— Alguém que está precisando de dinheiro?

— É o que pensaríamos — respondo, fungando no lenço de papel. — Mas e se eu dissesse a você que essa mesma pessoa perdeu todo o dinheiro que tinha jogando Texas Hold'em, e depois pediu à namorada que pagasse sua taxa de matrícula, e depois, como se já não fosse o bastante, disse para a família inteira que... ela... quer dizer, que eu sou... uma gordinha?

— Você? — Meu companheiro de poltrona parece adequadamente surpreso. — Mas você não é. Gorda, quer dizer.

— Não sou mais — solto um pequeno soluço. — Mas eu era. Quando nós nos conhecemos. Mas perdi quinze quilos desde a última vez que nos vimos. Mas, apesar de eu ter sido gorda... ele não tinha nada que andar por aí dizendo isso às pessoas! Não se ele me amava de verdade. Certo? Se ele realmente me amasse, não ia ter *reparado* que eu era gorda. Ou até teria reparado, mas não faria diferença. Não tanto a ponto de contar para a família dele.

— É verdade — meu companheiro de poltrona concorda.

— Mas ele contou. Disse para todo mundo que eu era gorda. — Novas lágrimas jorram. — E quando cheguei lá, todo mundo ficou, tipo: "Você não é gorda!" E foi por isso que eu soube que ele tinha feito o comentário. E então ele perde no jogo o dinheiro que os pais dele, que trabalham tanto, lhe deram para pagar a universidade! Quer dizer, a mãe dele... a coitada da mãe dele! Você tinha que ver. Ela é assistente social, e ela fez um café-da-manhã gigantesco para mim e tudo o mais. Apesar de eu não gostar de tomate, e tudo que ela fez tinha tomate. O que é outro sinal de que Andy nunca me amou nem um pouco... eu disse especificamente a ele que não gostava de tomate, e ele não prestou a mínima atenção. Era como se não me conhecesse nem um pouco. Quer dizer, ele me mandou um e-mail com a foto da bunda pelada dele. O que faria um cara pensar que uma garota ia QUERER ver a foto da bunda pelada dele? Quer dizer, falando sério? Por que ele acharia que isso é algo normal de se fazer?

— Realmente não sei dizer — meu companheiro de poltrona responde.

Assôo o nariz.

— Mas, sabe, isso é típico do jeito sem noção de Andy. E o mais assustador de tudo é que tenho pena dele. Sério. Não sabia que ele fraudava o seguro-desemprego nem que andava por aí me chamando de gorda nem que só queria me usar para pagar as dívidas de jogo dele. E o pior de tudo é que... Ai, meu Deus, isso não pode ter acontecido só comigo, não é mesmo? Quer dizer, você algum dia já achou que amava alguém e fez coisas de que se arrependeu com aquela pessoa? E gostaria de poder voltar atrás, mas não pode? Quer dizer, isso já não aconteceu com você?

— De que tipo de coisa estamos falando? — meu companheiro de poltrona quer saber.

— Ah!

É surpreendente, mas estou começando a me sentir um pouco melhor. Talvez seja o assento confortável, ou o brilho dourado que invade o vagão do trem enquanto a paisagem interiorana tranqüila passa lá fora. Talvez seja o fato de que finalmente ingeri um pouco de líquido. Ou açúcar dos amendoins.

Ou talvez, apenas talvez, seja o fato de que dizer tudo isso em voz alta esteja servindo para recuperar minha autoconfiança. Quer dizer, qualquer um poderia ter sido enganado por uma pessoa tão sorrateira quanto Andrew... quer dizer, Andy. QUALQUER PESSOA. Talvez não meu companheiro de poltrona, já que ele é homem. Mas qualquer garota. QUALQUER garota.

— Você sabe de que tipo de coisa estou falando — respondo.

Olho ao redor, para me assegurar de que ninguém está escutando. Todos os outros passageiros parecem estar cochilando ou ouvindo coisas em fones de ouvido, ou são franceses demais para me entender, de todo modo. Mesmo assim, abaixo a voz.

— Uma *chupada* — digo, sem emitir som nenhum, só movimentando os lábios.

— Ah — meu companheiro de poltrona ergue as duas sobrancelhas —, esse tipo de coisa.

O negócio é que ele é americano. E tem a minha idade. E é tão legal. Eu me sinto completamente à vontade para falar sobre isso com ele, porque sei que não vai me julgar.

Além do mais, nunca mais vou vê-lo.

— Falando sério — digo. — Os caras não fazem a menor idéia. Ah, espere. Talvez você faça. Você é gay?

Ele quase engasga com a água que está bebendo.

— Não! Eu pareço gay?

— Não. Mas, bem, o meu gayzômetro não é dos melhores. Meu último relacionamento antes de Andy foi com um cara que me trocou pelo colega de quarto dele. O colega de quarto HOMEM dele.

— Bom, eu não sou gay.

— Ah. Bem, o negócio é que, a menos que você tenha dado uma, não pode saber. É uma coisa e tanto.

— O que é uma coisa e tanto?

— Dar uma *chupada* — sussurro de novo.

— Ah — ele responde —, certo.

166

— Quer dizer, sei que vocês, homens, sempre querem uma, mas não é nada fácil. E o negócio é o seguinte: por acaso ele tentou me dar alguma coisa em troca? Não! Claro que não! Não que eu não tenha dado conta do recado, sabe como é. Eu me assegurei de que aproveitei bem. Mas, mesmo assim. Simplesmente é falta de educação, em especial porque só fiz aquilo por pena dele.

— Uma... chupada por pena? — Meu companheiro de poltrona está com a expressão mais estranha do mundo no rosto. Mais ou menos como se estivesse tentando não dar risada. Ou como se não estivesse acreditando que está tendo esta conversa. Ou talvez uma combinação das duas hipóteses.

Ah, beleza. Agora ele vai ter uma história engraçada para contar à família quando voltar para casa. Se é que a família dele é daquelas que não vêem problema em ficar falando de chupadas. O que não é o caso da minha família, de jeito nenhum. Bem, talvez à exceção de vovó.

— Pois é, fiz por pena dele, porque ele não conseguia gozar. Mas agora percebo que foi tudo fingimento. Que ele apenas fingiu que não estava conseguindo gozar. Estava fingindo! Para eu dar uma chupada nele! Eu me sinto tão usada. Vou dizer... quero isso de volta.

— A... chupada? — ele pergunta.

— Exatamente. Se pelo menos existisse uma maneira de eu tê-la de volta...

— Bem — diz meu companheiro de poltrona —, parece que você conseguiu. Você foi embora. Se isso não é tomar uma chupada de volta, não sei o que pode ser.

— Não é a mesma coisa — retruco em tom de desprezo.

— *Billets.* — Vejo uma pessoa de uniforme parada no corredor. — *Billets, s'il vous plaît.*

— Você está com a sua passagem? — meu companheiro de poltrona pergunta.

Concordo com a cabeça e abro a bolsa. Consigo localizar minha passagem, e o sujeito ali ao lado a pega. Um segundo depois, o condutor avança e meu companheiro de poltrona diz:

— Vi que você está indo para Souillac. Tem algum motivo especial? Conhece alguém lá?

— A minha melhor amiga, Shari. Ela supostamente vai me encontrar lá. Na estação. Se receber meu recado. Que nem sei se ela recebeu, já que parece que ela não está atendendo o telefone. Que ela provavelmente derrubou dentro da privada de novo. Porque ela sempre faz coisas assim.

— Então... Shari nem sabe que você está chegando?

— Não. Quer dizer, ela me convidou. Mas eu disse que não. Porque na época achei que ia dar tudo certo com Andy. Mas acontece que não deu.

— Bem, mas a culpa não foi nem um pouco sua.

É então que eu olho para ele. O sol, que desliza para dentro do vagão, tingiu de dourado o perfil dele. Reparo que ele realmente têm cílios compridos. Mais ou menos como uma garota. E também que os lábios dele são bem cheios e têm aparência macia. Parecem deliciosos.

— Você é realmente muito simpático. — Agora minhas lágrimas secaram totalmente. É surpreendente como é terapêutico contar todos os seus problemas para um completo desconhecido. Não é de se estranhar que tanta gente que conheço faça terapia. — Obrigada por me ouvir. Mas devo ter parecido uma psicótica completa para você. Aposto que está aí pensando o que fez para merecer uma louca como eu sentada ao seu lado.

— Acho que você simplesmente passou por um momento muito difícil — meu companheiro de poltrona abre um sorriso. — E tem todo o direito de parecer psicótica. Mas não acho que você seja louca. Pelo menos, não totalmente.

— É mesmo?

Além dos cílios e dos lábios adoráveis, as mãos dele também são muito bonitas. Fortes e limpas, e também bronzeadas, com só um pouquinho de pêlos escuros na parte de cima.

— Só não quero que você fique pensando que saio por aí chupando todos os caras de quem sinto pena. Realmente, não faço isso. Foi a minha primeira vez. Na vida.

— Não sai? Que pena. Eu ia contar como fui criado em um orfanato na Romênia.

Fico olhando para ele sem entender nada.

— Você é romeno?

— Foi uma piada. Para você ficar com pena de mim. Para você...

169

— Entendi. Engraçado.

— Não muito — ele suspira. — Sou péssimo para fazer piada. Sempre fui. Ei, escute. Está com fome? Quer ir até o vagão-restaurante? Ainda falta muito para chegar a Souillac, e você comeu todos os meus amendoins.

Olho para o saquinho de plástico vazio no meu colo.

— Ai, meu Deus. Desculpe! Sinto muito mesmo! Eu estava morrendo de fome... É, vamos até o vagão-restaurante. Eu pago o jantar para você. Para recompensar os amendoins. E o choro. E o negócio da chupada. Sinto muito mesmo por tudo isso.

— Eu a convido para jantar — ele diz, todo galante. — Para recompensar suas recentes desventuras nas mãos do meu gênero sexual. Que tal?

— Eh... Tudo bem. Mas... nem sei o seu nome. O meu é Lizzie Nichols.

— O meu é Jean-Luc de Villiers — ele estende a mão direita. — E acho que você precisa saber que trabalho com investimentos. Mas não tenho nenhuma McMansão nem nenhum BMW. Juro.

Pego a mão dele automaticamente mas, em vez de apertá-la, só fico olhando para ele, momentaneamente aturdida.

— Ah, sinto muito. Não foi minha intenção... Tenho certeza de que nem todas as pessoas que trabalham com investimento são ruins...

— Tudo bem. — Jean-Luc aperta minha mão. — A maior parte é. Só que não sou. Agora, venha. Vamos comer.

170

Os dedos dele são quentes e só um pouquinho ásperos. Fico olhando para ele, perguntando a mim mesma se o brilho rosado ao seu redor é apenas causado pelo sol poente ou se ele é, de algum modo, um anjo enviado para me salvar.

Ei. Nunca se sabe. Até mesmo uma pessoa que trabalha no mercado financeiro pode ser um anjo. Deus escreve certo por linhas tortas.

A "cintura império" — que começa logo abaixo do busto — popularizou-se por meio da esposa de Napoleão Bonaparte, Josefina, que, durante o período do marido como imperador, que começou em 1804, deu preferência ao visual "clássico" da arte grega e emulou as vestes assemelhadas às togas usadas pelas figuras que adornam peças de cerâmica da época.

Para simular melhor o visual das figuras das peças de cerâmica, muitas mulheres molhavam a saia para que as pernas, por baixo do tecido encharcado, ficassem mais aparentes. Acredita-se que o "concurso de camiseta molhada" da atualidade derive desta prática.

História da Moda
MONOGRAFIA DE ELIZABETH NICHOLS

10

A maneira de fazer com que um homem se interesse e
mantenha seu interesse é falar sobre ele e então,
gradualmente, ir levando a conversa para
você mesma — e mantê-la por ali.

— *Margaret Mitchell (1900-1949), escritora norte-americana*

Ele não é anjo nenhum. Pelo menos, não se anjos forem nascidos e criados em Houston, que é de onde ele vem.

Além do mais, anjos não são formados pela Universidade da Pensilvânia, como Jean-Luc é.

Além do mais, anjos não têm pais que estão passando por um divórcio terrível, como os de Jean-Luc estão, de modo que quando querem visitar o pai, precisam viajar até a França, já que é onde o pai de Jean-Luc, que é francês, mora (ele tirou algumas semanas de férias da empresa de investimentos em que trabalha, a Lazard Frères, para poder viajar).

Além do mais, anjos são melhores para contar piadas. Ele não estava brincando a respeito do negócio da piada. Ele é realmente péssimo com isso.

Mas tudo bem. Porque prefiro estar com um cara que não sabe contar piada e que se lembra de que não gosto de tomate a um fraudador do seguro-desemprego que joga e que não se lembra disso.

Porque Jean-Luc se lembra dos tomates. Quando volto do banheiro (que nos trens franceses é indicado com a palavra "*toilette*"), aonde fui para reparar os danos causados ao meu rosto pelas lágrimas (felizmente, nada que uma nova aplicação de lápis corretivo embaixo dos olhos, batom e pó não pudesse resolver, juntamente com uma penteada no cabelo), já encontro o garçom na nossa mesa, anotando o pedido. É só Jean-Luc que fala, porque, por ser meio francês, ele fala a língua com fluência. E com rapidez. Não entendo tudo que ele fala, mas ouço "*pas de tomates*" várias vezes.

Que até eu, com o meu francês de curso de verão, sei que significa "sem tomates".

Mal consigo me segurar para não me desmanchar em lágrimas de novo. Porque Jean-Luc renovou a minha fé nos homens. Existem caras legais, engraçados e totalmente lindos por aí. É só saber onde procurar... e, aparentemente, onde NÃO procurar. Que é no banheiro feminino do seu alojamento da faculdade.

Claro, encontrei este aqui em um trem... e isso significa que, assim que eu descer, provavelmente nunca mais o verei.

Mas tudo bem. Está ótimo. Quer dizer, o que eu esperava? Sair direto de um relacionamento e entrar em outro? Certo. Como se isso fosse saudável. Como se, assim, a coisa tivesse oportunidade de durar, já que eu obviamente ainda estou me recuperando de Andy.

Além do mais, sabe como é. Não dá para pegar dois bondes na mesma noite.

Ah, e ainda tem o fato de que contei a ele a respeito da chupada. (POR QUÊ? POR QUE EU FIZ ISSO??? POR QUE EU TENHO QUE TER A MAIOR BOCA DO UNIVERSO INTEIRO???)

Mesmo assim. É que ele é tão... fofo. E não é casado (não usa aliança). Talvez ele tenha namorada (na verdade, um cara fofo desse jeito não pode *não* ter namorada), mas se tiver, com toda a certeza não está falando dela.

O que é bom. Porque, afinal, eu não ia querer ficar aqui sentada ouvindo este superfofo falar da namorada. Quer dizer, obviamente, se ele falasse dela, eu ia ouvir, porque ele escutou com toda a paciência quando fiquei falando de Andy.

Mas, sabe como é. Ainda bem que ele não está falando.

Ele pede vinho para tomarmos com o jantar, e quando a garrafa chega e nos serve, Jean-Luc ergue o copo e faz um brinde:

— Às chupadas.

Quase engasgo com o pão que estou engolindo. Porque, apesar de estarmos em um trem, estamos em um trem na França, então a comida é incrível. Pelo menos o pão é. Tão incrível que não tem como eu resistir depois de dar uma mordidinha em um pãozinho de uma cesta na mesa. A casca é perfeitamente crocante e o miolo é macio e quentinho. Como posso me abster?

175

Claro, depois vou me arrepender, quando não conseguir fechar o zíper do meu jeans.

Mas, por enquanto, continuo no céu. Porque, para uma pessoa que conta piadas tão mal, Jean-Luc é um cara bem engraçado.

E eu estava com saudade de comer pão. Estava com muita, com muita saudade.

— Às chupadas que queremos *de volta* — eu o corrijo.

— Só posso rezar — Jean-Luc diz — para que não haja nenhuma mulher por aí querendo de volta uma chupada que tenha dado em mim.

— Ah — coloco com cuidado uma camada de manteiga com sal em cima do meio do meu pão e observo enquanto ela derrete —, tenho certeza de que não há. Quer dizer, você não parece ser alguém que usa os outros.

— É, mas você tinha achado a mesma coisa de... como é mesmo o nome dele? O garoto da chupada?

— Andy — respondo, corando. Meu Deus, por que fui abrir minha boca grande para falar desse assunto? — Eu me enganei completamente a respeito dele. Por causa do sotaque. E do guarda-roupa dele. Se ele fosse americano, nunca teria me apaixonado por ele. Ou pelas mentiras dele.

— O guarda-roupa dele? — Jean-Luc pergunta quando garçom traz meu medalhão de porco grelhado e o salmão no vapor dele.

— Claro. — Dá para saber muito sobre um cara só de olhar o que ele veste. Mas Andy era britânico, então isso atrapalhou tudo um pouco. Quer dizer, até chegar na Inglaterra, eu simplesmente achei que todo mundo por lá usasse camisetas do Aerosmith, como Andy estava usando na noite em que nos conhecemos.

As sobrancelhas escuras de Jean-Luc se erguem:

— Do Aerosmith?

— É isso mesmo. Obviamente, achei que ele estava sendo irônico, ou que talvez todas as roupas dele estivessem sujas. Mas então fui para Londres e vi que ele realmente se veste assim. Não tinha nenhuma ironia na escolha da camiseta. Se as coisas tivessem dado certo entre nós, no fim eu acabaria fazendo com que ele se vestisse direito. Mas... — dou de ombros, o que é uma coisa muito francesa de se fazer, reparei. Todas as outras mulheres do vagão-restaurante também estão dando de ombros e dizendo *"ouais"*, que é a gíria francesa para *oui*, ou pelo menos é o que diz o exemplar do guia *Let's Go: France*, que comprei com Jamal e em que dei uma olhada antes de atravessar o canal da Mancha.

— Então, você está dizendo que é capaz de saber como as pessoas são só pelas roupas que usam?

— Ah, com certeza. — Mando ver no meu lombo de porco, que, devo dizer, está totalmente delicioso, até mesmo para os padrões de comida servida fora de trens. — O que as pessoas vestem revela muito sobre elas. Como você, por exemplo.

Jean-Luc sorri.

— Tudo bem, pode me detonar.

Aperto os olhos para ele.

— Tem certeza?

— Eu agüento — Jean-Luc me garante.

— Bom... então, tudo bem — eu o examino. — Pelo fato de que você enfia a camisa para dentro do jeans... que é Levi's, e duvido que você tenha outros de marca diferente... entendo que você se sente seguro a respeito do seu corpo e que também se preocupa com o visual, mas não é vaidoso. Você provavelmente não pensa muito sobre a sua aparência, mas dá uma olhada no espelho toda manhã para se barbear e talvez para conferir se não sobrou nenhuma parte malfeita. O seu cinto de couro trançado é esporte e simples, mas aposto que custou bem caro, e isso significa que você está disposto a gastar dinheiro com qualidade, mas não quer parecer exibido. A sua camisa é Hugo, não Hugo Boss, e isso significa que você se importa, só um pouquinho, em não ser igual a todo mundo, e você usa mocassins Cole Haan sem meia, e isso significa que você gosta de conforto, não fica impaciente quando precisa esperar em uma fila, não se importa se garotas esquisitas que você nunca viu antes se sentem ao seu lado e chorem, e que você não sofre de nenhum tipo de problema glandular odorífero nos pés. Ah, e você está usando um relógio Fossil, e isso significa que é atlético... aposto que corre para manter a forma... e que gosta de cozinhar.

Tive que largar o garfo para olhar para ele.

— Como me saí? Acertei?

Ele fica olhando para mim por cima da cestinha de pão.

— Você concluiu tudo isso — Jean-Luc diz, incrédulo — só por causa das minhas roupas?

— Bem — tomo um golinho no vinho —, tudo isso e ainda que você não sofre com sentimentos de inadequação sexual, por que não está usando perfume.

— Paguei duzentos dólares no meu cinto, Hugo Boss não cai bem em mim, meias deixam meus pés quentes, corro cinco quilômetros por dia, odeio perfume e faço a melhor omelete de queijo e alho-poró que você já comeu na vida.

— Não tenho nada a acrescentar. — Ataco a salada de folhas sortidas que o garçom acabou de trazer. Está lotada de queijo roquefort e de amêndoas carameladas.

Humm, amêndoas carameladas.

— Mas, falando sério, como foi que você fez isso?

— É um talento — respondo, cheia de modéstia. — É algo que sempre fui capaz de fazer. Só que, obviamente, nem sempre dá certo. Aliás, parece que sempre falha quando eu mais preciso... se um cara é ambivalente em relação a sua orientação sexual, não sei dizer, de jeito nenhum, pela roupa. A menos, sabe como é, que esteja usando algo meu. Mas, como contei para você, Andy era estrangeiro. Isso me confundiu. Da próxima vez, não vou cometer o mesmo engano.

— Com o próximo cara britânico? — Jean-Luc pergunta, erguendo as sobrancelhas mais uma vez.

— Ah, não. Não vai mais ter mais cara britânico nenhum. A menos que seja integrante da família real, é claro.

— É uma estratégia prudente.

Ele me serve de mais um pouco de vinho e pergunta o que tenho planejado para quando voltar aos Estados Unidos. Digo a ele que planejava ficar em Ann Arbor e esperar Andy se formar. Mas, agora...

Não sei o que vou fazer.

Então me vejo contando a ele — a este estranho que me convidou para jantar — minhas preocupações em relação a ir para Nova York com Shari para depois ela me dispensar para ir morar com o namorado, já que Chaz vai para a NYU para fazer doutorado em filosofia, e então vou ter que dividir apartamento com pessoas totalmente desconhecidas. E também que, na verdade, ainda não me formei, porque não terminei (aliás, nem comecei) a minha monografia, então provavelmente nem vou conseguir um emprego no campo que escolhi, se é que existe algum emprego para uma pessoa formada em história da moda, e provavelmente vou acabar trabalhando na Gap, minha idéia pessoal de inferno na terra. Todas aquelas camisetas com manguinhas soltas, cada uma exatamente igual à outra, e as pessoas misturando as lavagens dos jeans. Realmente, isto pode me matar.

— De algum modo, não consigo imaginar você trabalhando na Gap.

Olho para o meu vestidinho Alex Colman:

— Não. Você tem razão. Acha que sou louca?

— Não, gostei desse vestido. Ele é meio... retrô.

— Não. Estava falando de como eu estava planejando ficar em Ann Arbor até Andy terminar o mestrado e ficar morando na casa dos meus pais. Shari diz que estou comprometendo meus princípios feministas ao fazer isso.

— Não acho que querer ficar perto de uma pessoa que você ama de verdade seja comprometer seus princípios feministas.

— Tudo bem, mas o que vou fazer agora? Quer dizer, é uma loucura me mudar para Nova York sem ter trabalho nem lugar para morar primeiro.

— Ah, não. Não é loucura. É corajoso. Mas, bem, você até que parece ser uma garota bastante corajosa.

Corajosa? Quase engasgo com o meu gole de vinho. Ninguém nunca me chamou de bastante corajosa antes.

E, do lado de fora do vagão-restaurante, o sol continua se pondo (o céu fica claro até tão tarde na França durante o verão!), transformando o céu além das colinas e dos bosques verdejantes por que passamos a toda velocidade em um cor-de-rosa envolvente e exuberante. Ao nosso redor, os garçons passam com pratos de queijos sortidos, trufas de chocolate e copinhos de digestivos, e na área dos fumantes nossos companheiros acenderam seus cigarros e estão se deleitando com uma fumada pós-refeição, sendo que esta fumaça de segunda mão, neste cenário romântico, não cheira nem de longe tão mal quando cheiraria se estivesse saindo, digamos, das narinas do meu ex-namorado.

E me sinto como se estivesse em um filme. Esta aqui não é Lizzie Nichols, a filha mais nova do professor Harry Nichols, recém não-formada na faculdade, que passou a vida toda em Ann Arbor, no Michigan, e que só saiu com três caras na vida (quatro se contar Andy).

Esta é Elizabeth Nichols, bem corajosa (!), viajante mundial, cosmopolita e sofisticada, jantando no vagão-restaurante de um trem com um cara que me é perfeitamente desconhecido (e que também, por acaso, é perfeito!), comendo um prato de queijos sortidos (queijos!) e bebendo uma coisa chamada Pernod enquanto o sol se põe sobre a paisagem francesa que passa a toda pela janela... E, de repente, no meio da descrição de Jean-Luc sobre a monografia dele, que tem a ver com a rota de navios mercantes (estou tentando não bocejar... mas também, é provável que história da moda também não fosse deixá-lo nada animado), meu celular toca.

Pego bem rápido, achando que deve ser Shari, finalmente.

Mas o identificador de chamada diz Número Desconhecido. O que é estranho, porque nenhum Desconhecido *tem* o meu celular.

— Um momento, por favor — digo a Jean-Luc. Então abaixo a cabeça e atendo. — Alô?

— Liz?

A estática estala. A ligação está horrível.

Mas, sem dúvida nenhuma, é a última pessoa no mundo com quem quero falar.

Não sei o que fazer. Por que ele está me ligando? Que horror. Não quero falar com ele! Não tenho nada a dizer para ele. Ai, meu Deus.

— Só um minuto — digo a Jean-Luc e saio da mesa para falar na área aberta ao lado da porta de correr para o próximo vagão de trem, onde não vou incomodar o resto dos passageiros.

— Andy? — digo para o celular.

— Ah, encontrei você! — Andy parece aliviado. — Não sabe como estou feliz de escutar a sua voz. Não recebeu minhas ligações? Passei o dia inteiro ligando para o seu celular. Por que você não atendeu?

— Desculpe, você ligou? O telefone não tocou nem uma única vez. — É verdade. Telefones não funcionam no canal da Mancha.

— Você não faz idéia do que passei quando saí daquele lugar horroroso e não encontrei mais você — Andy prossegue. — Durante todo o caminho de volta para casa, só ficava pensando: e se ela não estiver lá? E se aconteceu alguma coisa com ela? Vou dizer, devo amar você de verdade, não é? Por que, se fiquei assim com tanto medo de ter acontecido alguma coisa!

Dou uma risada fraca. Apesar de não estar com vontade de rir.

— É, vai ver que sim.

— Caramba, Liz — Andy continua. Agora ele parece... tenso. — Em que porra de lugar você se enfiou? Quando vai voltar para casa?

Ergo os olhos e vejo o que parece ser, com os raios inclinados do sol, um castelo na encosta de uma colina. Mas isso, é claro, é impossível. Castelos não ficam no meio do nada. Nem mesmo na França.

— Como assim, quando eu vou voltar para casa? — pergunto a ele. — Você não pegou o meu bilhete? — Deixei um para a senhora Marshall e o restante da família de Andy, agradecendo pela hospitalidade, e outro separado para Andy, explicando que eu sentia muito, mas tinha recebido um chamado inesperado e não o veria mais.

— Claro que peguei o bilhete. Só que não entendi nada.

— Ah — digo, surpresa. Escrevo muito bem. Mas estava chorando tanto que talvez minha letra tenha ficado mais trêmula do que pensei. — Bem... como eu disse no bilhete, Andy, realmente sinto muito, mas precisei ir embora. Realmente sinto...

— Olha, Liz. Sei que o que aconteceu hoje de manhã na Central de Emprego deixou você chateada. Mas você não ia ter precisado mentir se, para começo de conversa, tivesse ficado de boca fechada.

— Isso eu sei — respondo. Ai, meu Deus, isto é um horror. Não quero fazer isto. Não agora. E certamente não aqui. — Sei que a culpa é toda minha, Andy. Espero que não tenha se encrencado com o senhor Williams.

— Bem, não vou mentir, Liz. Foi por pouco. Por muito pouco. Mas... Espere um segundo. Por que está me chamando de Andy?

— Porque é o seu nome — respondo, saindo da frente para dar espaço para algumas pessoas que acabaram de chegar de outro vagão e estão procurando uma mesa vaga.

— Mas você nunca me chama de Andy. Você sempre me chamou de Andrew.

— Ah... Bem, sei lá. Agora você está com mais cara de Andy para mim.

— Não sei se estou gostando muito desta conversa — Andy diz em tom arrasado. — Olha, Liz, sei que fodi com tudo... Mas você não precisava ir embora. Posso consertar, Liz. De verdade. As coisas entre a gente não começaram com o pé direito, mas todo mundo está arrasado com isso, principalmente eu. Não vou mais jogar Texas Hold'em... juro. E Alex abriu mão do quarto dele. Disse que nós podemos ficar lá juntos. Ou, se você quiser, podemos ir para outro lugar... algum lugar onde possamos ficar sozinhos. Aonde mesmo você queria ir? À casa de Charlotte Brontë?

— Jane Austen — eu o corrijo.

— Certo, à casa de Jane Austen. Podemos sair agora mesmo. É só me dizer onde você está e vou buscá-la. Vamos nos acertar. Vou recompensar você... por tudo... juro.

— Ah, Andy. — Sinto-me tomada pela culpa. Jean-Luc, lá na nossa mesa, está pagando a conta para abrir lugar para os passageiros que acabaram de chegar. — É só que... quer dizer, não vai dar para você vir me buscar. Porque estou na França.

— Você O QUÊ? — Andy parece um pouco mais surpreso do que seria necessariamente lisonjeiro. Acho que ele nem me considera corajosa, ao contrário de Jean-Luc. Pelo menos, não corajosa o bastante para ir para a França sozinha. — Como foi que você chegou aí? Onde você está? Vou até aí.

— Andy — Que horror. Detesto confrontos. É tão mais fácil simplesmente ir embora, em vez de ter que explicar para alguém que você nunca mais quer vê-lo. — Eu quero... eu preciso ficar sozinha um pouco. Preciso de um tempo para pensar.

— Mas, pelo amor de Deus, Liz, você nunca esteve na Europa. Você não faz a mínima idéia do que está fazendo. Isto não é engraçado, sabia? Estou preocupado de verdade. Diga onde está, e eu vou...

— Não, Andy — digo baixinho. Jean-Luc está vindo na minha direção, com ar preocupado. — Olhe, não posso falar agora. Preciso desligar, mesmo. Sinto muito, Andy, mas... como você disse, cometi um erro.

— Eu perdôo você! — Andy diz. — Lizzie! Perdôo você. Só... escute. E o dinheiro?

— O... o quê? — Fico tão atordoada que quase derrubo o telefone.

— O dinheiro — Andy diz, com urgência na voz. — Você ainda pode me mandar o dinheiro?

— Não posso falar sobre isto agora. — Jean-Luc está bem ao meu lado. Reparo que ele é bem alto... ainda mais alto do que Andy. — Sinto muito mesmo. Tchau.

Desligo e, por um segundo ou dois, minha visão fica embaçada. Não achei que fosse possível ter sobrado alguma lágrima. Mas parece que sobrou.

— Está tudo bem? — escuto (já que não consigo enxergar) Jean-Luc perguntar com gentileza.

186

— Vai ficar — garanto a ele, com mais segurança do que realmente sinto.

— Era ele? — Jean-Luc quer saber.

Assinto. Está ficando um pouco difícil respirar. Não sei se é por causa das lágrimas que mal consegui segurar ou se é pela proximidade de Jean-Luc... que, levando em conta como o balanço do trem faz o braço dele roçar no meu, é considerável.

— Você disse a ele que estava aqui com o seu advogado — Jean-Luc quer saber — e que ele estava ocupado redigindo seu pedido formal de devolução da chupada?

Fico tão chocada com isso que até esqueço que não consigo respirar. Em vez disso, me pego sorrindo... e as lágrimas secam misteriosamente dos meus olhos.

— Você informou a esse cara que, se ele não se achar capaz de devolver a sua chupada imediatamente, você não terá outra escolha além de processá-lo?

Agora, as lágrimas nos meus olhos são de tanto rir.

— Você disse que não sabia contar piada — digo em tom de acusação, quando consigo parar de rir e recuperar o fôlego.

— Não sei — Jean-Luc diz com ar grave. — Esta piada foi horrível. Não acredito que você deu risada.

Continuo rindo quando me jogo na poltrona ao lado dele, sentindo-me agradavelmente satisfeita e mais do que um pouco sonolenta. No entanto, me esforço para ficar acordada, olhando para a janela na outra ponta do vagão. Bem atrás da cabeça de Jean-Luc, onde o sol (que ainda não desapareceu completamente) parece estar delineando mais um castelo. Aponto para ele e digo:

— Sabe, é muito estranho, mas parece que tem um castelo ali.

Jean-Luc vira a cabeça.

— É porque é um castelo.

— Não é — respondo, sonolenta.

— Claro que é — Jean-Luc diz com uma risada. — Você está na França, Lizzie. O que esperava?

Não estes castelos à vista, para qualquer um que passa de trem ver. Não este pôr-do-sol de tirar o fôlego, enchendo nosso vagão com sua luz rosada. Não este homem perfeitamente gentil, perfeitamente adorável, sentado aqui ao meu lado.

— Não isso — murmuro. — Não isso.

E então fecho os olhos.

Os chamados vestidos império, usados pelas mulheres no início do século XIX, com freqüência eram tão transparentes quanto as camisolas de hoje em dia. Para se aquecer, as mulheres usavam espécies de ceroulas da cor da pele, feitas de algodão com a trama bem fechada, que podiam ir até os tornozelos ou só até abaixo dos joelhos. É por isso que, ao vermos pinturas da época, as mulheres de vestido império geralmente parecem não estar usando roupas de baixo — a idéia de sair assim, ao natural, digamos, só iria ocorrer às pessoas cerca de dois séculos mais tarde.

História da Moda
MONOGRAFIA DE ELIZABETH NICHOLS

Nós nos sentimos mais seguros com um louco que fala
do que com um que não consegue abrir a boca.

— E. M. Cioran (1911-1995), *filósofo francês de origem romena*

Acordo com alguém dizendo o meu nome e me sacudindo
com delicadeza.

— Lizzie. Lizzie, acorde. Chegamos à nossa estação.

Abro os olhos sobressaltada. Estava sonhando com Nova
York: eu e Shari tínhamos nos mudado para lá e não tínhamos
encontrado nenhum lugar melhor para morar a não ser uma caixa de papelão de geladeira em algum tipo de pista expressa, e tive
que arrumar um emprego dobrando camisetas (quilômetros e
quilômetros de camisetas com mangas soltinhas) na Gap.

Fico assustada ao perceber que não estou em Nova York, mas
sim em um trem. Na França. Que parou na minha estação. Pelo
menos se a placa do lado de fora da janela, que se delineia contra
o céu noturno (quando é que ficou tão escuro lá fora?), em que
se lê Souillac, servir de indicação.

— Ai não — exclamo, apressando-me para levantar. — Ai. Não.

— Está tudo certo — Jean-Luc diz com a voz suave. — Já peguei as suas malas.

E pegou mesmo. Minha mala de rodinhas já está baixada do maleiro suspenso e ele me entrega a alça, junto com minha bagagem de mão e minha bolsa.

— Está tudo certo — ele dá uma risada por causa do meu pânico. — Não vão deixar você a bordo.

— Ah — minha boca está com um gosto horrível, por causa do vinho. Não acredito que caí no sono. Será que fiquei respirando em cima dele? Será que ele sentiu meu bafo horrível de vinho? — Sinto muito. Foi muito bom conhecer você. Muito obrigada por tudo. Você é tão legal. Espero vê-lo de novo algum dia. Obrigada de novo...

Então saio apressada do trem, dizendo "*Pardon, pardon*", com meu melhor sotaque francês possível para todo mundo em que esbarro a caminho da saída.

E daí estou lá parada na plataforma. Que parece ser no meio do nada. No meio da noite.

A única coisa que escuto são grilos. Há um leve cheiro de lenha queimada no ar.

Ao meu redor, outros passageiros que desceram ao mesmo tempo que eu estão sendo cumprimentados por parentes animados e acompanhados até carros que os esperam. Há um ônibus

191

roncando ali perto e outros passageiros entram nele. A plaquinha no pára-brisa do ônibus diz Sarlat.

Não faço idéia do que é Sarlat. Só sei que a cidade de Souillac não é bem uma cidade. Parece, aliás, ser apenas uma estação de trem.

Que no momento está fechada, se a porta trancada e as janelas escuras servirem de indicação.

Isto não é bom. Porque, apesar das diversas mensagens que deixei informando-a a respeito do meu horário de chegada, Shari não está aqui para me pegar. Estou encalhada em uma plataforma de trem no meio do interior da França.

Completamente sozinha. Completamente sozinha, a não ser por... Alguém ao meu lado limpa a garganta. Viro para trás e dou de cara (quase literalmente) com Jean-Luc. Que está parado atrás de mim. Com um enorme sorriso no rosto.

— Oi de novo — ele diz.

— O quê... — fico olhando para ele. Será que é uma fantasia da minha mente? Será que os coágulos que se formam em nossas pernas quando viajamos de trem por muitas horas vão parar no cérebro? Tenho quase certeza de que não. Eles só se formam em aviões, por causa da pressão, certo?

Então, ele realmente está aqui. Parado na minha frente. Com um porta-roupa cinza e extremamente comprido nas mãos. Enquanto o trem se afasta.

— O que você está fazendo aqui? — solto um berro estridente. — Esta aqui não é a sua estação!

— Como é que você sabe? Você nem perguntou para onde eu ia.

Isso é bem verdade, percebo, estupefata.

— Mas... mas... — gaguejo. — Você viu a minha passagem. Sabia que eu desceria em Souillac. E não disse que você também ia descer aqui.

— Não — Jean-Luc responde. — Não disse.

— Mas... por quê? — de repente sou tomada por um pensamento terrível. E se o encantador e belíssimo Jean-Luc for algum tipo de *serial killer*? Que caça americanas vulneráveis em trens estrangeiros, transmite a elas uma falsa noção de segurança e então as mata quando chegam a seu destino? E se ele tiver algum tipo de foice ou de garrote naquele porta-roupa? Pode ter, totalmente. O troço parece terrivelmente volumoso. Volumoso demais para conter um terno formal ou uma calça social.

Olho ao redor e percebo que o último carro do estacionamento está se afastando, junto com o ônibus para Sarlat, e assim ficamos sozinhos na plataforma. Totalmente sozinhos.

— Eu queria dizer a você que eu desembarcaria em Souillac — Jean-Luc está dizendo quando consigo me concentrar nele, e não no fato de que, se ele começar a me matar, não vou poder contar com absolutamente recurso algum —, mas achei que daí você poderia ficar envergonhada.

— Envergonhada com o quê? — pergunto.

— Bem — Jean-Luc está começando a parecer um pouco acanhado sob a luz forte que vem da lâmpada do poste, ao redor da qual mariposas se lançam, fazendo tanto barulho quanto os grilos que cricrilam. Por que ele parece acanhado? Porque percebeu que precisa me matar agora e que isso não vai ser nada agradável? — Na verdade, não fui muito sincero com você... Quer dizer, você simplesmente achou que eu era um desconhecido qualquer em um trem, para quem você podia contar todos os seus problemas...

— Realmente, sinto muito por isso — digo. Meu Deus, que tipo de pessoa mataria outra só porque ela contou a história de sua vida a ele em um trem? Isto é totalmente impensável. Ele só precisava pegar um livro e fingir que estava lendo ou algo assim, e eu teria ficado quieta. Provavelmente. — Eu estava muito aborrecida...

— Mas foi muito interessante — Jean-Luc dá de ombros.
— Preciso dizer uma coisa. Nunca aconteceu de uma garota se sentar ao meu lado e começar a falar sobre... bem, sobre o que você falou. Nunca.

Isto não pode estar acontecendo. Por que eu fui contar tanto a respeito da minha vida pessoal a um desconhecido completo? Até mesmo para um cara assim tão fofo, com camisa Hugo?

— Acho que você está enganado ao meu respeito — afasto-me lentamente na direção da escada da plataforma do trem. — Não sou esse tipo de garota. Quer dizer, de jeito nenhum.

— Lizzie — Jean-Luc dá um passo na minha direção. Ele não vai me deixar recuar na direção da escada. — A razão pela qual não contei a você que eu desembarcaria em Souillac... além

194

do fato de você não ter perguntado... é porque não sou um desconhecido qualquer que você conheceu em um trem.

Ah, maravilha. Esta é a parte em que ele começa a me contar alguma história psicótica a respeito de como nos conhecemos em outra vida. É igual a uma repetição exata de T.J., do meu primeiro ano de faculdade. Por que sou um ímã de esquisitões? POR QUÊ?

E ele parecia tão maravilhoso no trem! Mesmo! Ele disse que eu era bastante corajosa! Ele restaurou totalmente a minha fé nos homens! Por que ele tinha que se revelar um psicopata assassino? POR QUÊ?

— Falando sério — digo. Isto é tudo culpa de Shari, é claro. Se ela atendesse a porcaria do celular de vez em quando, nada disso estaria acontecendo. — O que você quer dizer?

— Quero dizer que, na verdade, sou o seu anfitrião. Jean-Luc de Villiers? A sua amiga Shari está hospedada na casa do meu pai, Mirac.

Paro de recuar. Paro de olhar para o porta-roupa. Paro de pensar sobre minha morte iminente.

Mirac. Ele disse Mirac.

— Eu nunca disse para você que o lugar para onde eu ia se chamava Mirac — digo. Porque, apesar de ser verdade que praticamente não parei de falar durante o tempo que fiquei com ele, não me lembro de ter mencionado a palavra *Mirac* nenhuma vez. E tinha me esquecido disso até aquele exato momento.

— Não, não disse — Jean-Luc responde. — Mas é onde sua amiga Shari está hospedada, não é? Com o namorado dela, Charles Pendergast?

Charles Pendergast? Ele sabe o nome completo do Chaz! Eu *sei* que nunca disse isso a ele. Ninguém nunca usa o nome completo de Chaz, porque ele não costuma contar isso às pessoas.

Quem poderia saber o nome completo de Chaz? Só alguém que o conhecesse. E bem.

— Espere — digo, com a mente procurando por uma explicação... qualquer uma que seja razoável para o que está acontecendo. — Você é... Luke? Luke, o amigo de Chaz? Mas... você disse que seu nome era Jean-Luc.

— Bem — Luke... ou Luc... ou Jean-Luc... ou-sei-lá-qual-é-o-nome dele diz, ainda com expressão de acanhamento —, este é o meu nome completo. Jean-Luc de Villiers. Mas Chaz sempre me chamou de Luke.

— Mas.... mas você não devia estar em Mirac com Chaz e Shari?

Ele tira o porta-roupa de cima do ombro.

— Precisei ir a Paris para pegar o vestido de casamento da minha prima. Ela não confiava na loja para mandar para cá e chegar inteiro. Está vendo?

Ele abre um pouco o zíper do porta-roupa e uma enormidade de renda branca volumosa (indubitavelmente de um vestido de noiva) aparece. Ele coloca o tecido para dentro de novo e fecha o zíper.

— Nunca pensei, em um milhão de anos, quando você se sentou ao meu lado, que era a Lizzie de quem tanto ouvi falar de

Shari e Chaz. Mas quando você disse o nome de Shari, percebi na hora. Mas, àquela altura você já tinha falado... sabe como é — ele parece mais envergonhado do que acanhado. — E eu sabia que você só fez aquilo porque achava que nunca mais me veria...

— Ah — meu estômago de repente parece revirado. Já que era exatamente o que eu TINHA pensado comigo mesma. — Meu. Deus.

— É — Luke diz com um dar de ombros bem francês. Para um americano. O que faz sentido. Já que ele é meio francês. — Sinto muito por isso. Mas você precisa reconhecer... é meio engraçado.

— Não realmente, não é.

— É — ele suspira, agora sem sorrir. — Eu cheguei a achar que esta seria a sua opinião. Foi por isso que não contei.

— Então, você sabia — sinto minhas bochechas esquentarem. — Você sabia, o tempo todo, que nós iríamos voltar a nos ver. E nem tentou me fazer parar de falar. Simplesmente me deixou matraquear daquela maneira. Como uma imbecil.

— Não, não como uma imbecil — ele diz, desta vez realmente sem sorrir. Na verdade, parece um pouco preocupado. — Não é nada disso. Achei você realmente muito encantadora. E engraçada. Foi por isso que não tentei fazer com que parasse. Quer dizer, em primeiro lugar, não sabia quem você era até já ter quase terminado o seu... eh... desabafo. Simplesmente vi que você precisava desabafar, então deixei, porque, na verdade, gostei. Achei você um doce.

— Ai, meu Deus! — estou com vontade de jogar o porta-roupa dele em cima da minha cabeça para me esconder. — Um doce? Falando sobre como dei uma chupada no meu namorado?

— Você falou de um jeito muito doce — Luke me assegura.

— Vou me matar — digo por entre os dedos, já que enfiei o rosto nas mãos.

— Ei.

Ouço passos, então sinto mãos pegando nos meus pulsos. Ergo os olhos, assustada, e descubro que Luke colocou o porta-roupa por cima da minha mala e está parado muito, mas muito perto de mim mesmo, olhando para o meu rosto enquanto afasta minhas mãos da frente dos olhos com gentileza.

— Ei — ele diz novamente. A voz dele é tão suave quanto seu toque. — Desculpe. Eu não estava pensando direito. Eu não... não sabia o que fazer. Queria contar para você, mas daí, pensei... bem, pensei que seria uma piada engraçada. Mas, como eu já disse... não sou bom de piada.

Estou intensamente ciente de quão escuros os olhos dele são... tão escuros quanto os galhos da árvore cujo contorno se destaca contra o céu azul-marinho... e como seus lábios são beijáveis. Principalmente porque estão apenas a alguns centímetros de distância dos meus.

— Se você contar para alguém — ouço a mim mesma dizer, em uma voz que ficou estranhamente rouca — o que falei para você no trem... principalmente Chaz... mato você. Sobre eu não ter terminado a minha monografia. E a outra coisa. Você sabe do

198

que estou falando. Não pode contar para ninguém. Entendeu? Eu mato você se contar.

— Compreendo totalmente — Luke segura meus pulsos ainda com mais firmeza, já que tirei as mãos da frente do rosto. Ele essencialmente os segura com suas mãos grandes e quentes. E é gostoso. Bem gostoso. — Dou a minha palavra completa e total. Não vou dizer nada. Sua chupada está totalmente segura comigo.

— Caramba! — exclamo. — Estou falando sério! Nunca mais mencione essa palavra!

— Que palavra? — ele pergunta. Agora os olhos escuros estão iluminados como o monte de estrelas que vejo piscando para nós, como lantejoulas em um twin-set de cashmere. — Chupada?

— Pare — deixo meu corpo se aproximar do dele.

Só para o caso, sabe como é, de ele querer me beijar.

Porque estou começando a perceber que o fato de Luke ser Jean-Luc não é, nem de longe, o que se pode classificar como má notícia. Levando em conta o fato de que agora não preciso me preocupar sobre falar com Shari. Nem sobre onde vou passar a noite.

Isso sem comentar que ele é o cara mais legal e mais gostoso que conheci depois de muito tempo. Que não é viciado em Texas Hold'em... não que eu saiba, pelo menos.

E parece que ele gostou de mim.

E eu vou passar o resto do verão com ele.

E que ele está segurando as minhas mãos.

De repente, as perspectivas são otimistas. Muito otimistas.

— Então — Luke diz —, estou perdoado?

— Está perdoado. — Não posso evitar de sorrir para ele como a imbecil que ele afirma que não sou. Ele é tão... fofo.

E, também, não é apenas fofo. Também é legal. Quer dizer, ele me convidou para jantar.

E foi totalmente solidário quando eu estava chorando como uma maníaca.

Além do mais, trabalha no mercado de investimentos. Está trabalhando duro para... proteger o dinheiro das pessoas ricas. Ou algo assim.

E ele me fez rir ao invés de chorar depois que terminei de falar ao telefone com Andy.

E vou ficar na companhia dele. O verão todo. Inteiro...

— Que bom — Luke diz. — Porque eu detestaria que você pensasse que estava errada. Sabe como é, em relação à avaliação de caráter que fez de mim. Aquela, com base nas minhas roupas.

— Não acho que eu esteja errada — abaixo o olhar para o lugar onde a camisa dele se abre, onde enxergo alguns promisso-res pêlos peitorais fujões.

— Que bom — ele repete. — Acho que você vai realmente gostar de Mirac.

Eu *sei* que vou gostar, penso... mas, pelo menos desta vez, me seguro e não digo em voz alta... já que *você* vai estar lá, Luke.

— Obrigada — eu digo. E fico imaginando se agora ele vai me beijar.

Então nós dois ouvimos um carro chegando e Luke diz:

— Que ótimo, é a nossa carona.

E larga meus pulsos de maneira abrupta.

E um Mercedes conversível antigo de cor amarelo-manteiga entra no estacionamento, dirigido por uma loira de cabelos cor de mel que diz, com sotaque francês:

— Desculpe por ter atrasado, *chéri*!

E mesmo antes de ele se apressar para dar um beijo nela, já percebo quem é.

A namorada dele.

Óbvio.

As mulheres não eram as únicas interessadas em exibir a silhueta no início do século XIX. Este período registrou a introdução dos "dândis", seguidores do ícone da moda George "Beau" Brummell, um cavalheiro que fazia questão de que suas calças fossem justíssimas, como uma segunda pele, e que não tolerava nem uma única ruga em seu colete. O adereço de pescoço dos dândis consistia em uma gola tão alta que eles nem podiam virar a cabeça de um lado para o outro.

Não se sabe ao certo o número de cavalheiros que encontrou a morte por atravessar a rua na frente de uma carruagem que passava e que não foram capazes de ver.

História da Moda
MONOGRAFIA DE ELIZABETH NICHOLS

A fofoca é o ópio dos oprimidos.

— *Erica Jong (1942-), educadora e escritora norte-americana*

Porque é óbvio que ele tem namorada. Ele é fabuloso demais para não ter... tirando o pequeno detalhe de não ter me dito logo quem era na realidade.

O negócio é que ela realmente parece ser legal. Sem sombra de dúvida é linda, com todo aquele cabelo, os ombros magros bronzeados e pernas compridas igualmente bronzeadas. Ela usa uma camiseta regata preta bem simples e uma saia tipo hippie mais para comprida (nova, não vintage, que também parece cara) com chinelos de dedo incrustados de pedrarias. Com toda a certeza está em clima de férias.

Mas é possível que meu radar de moda esteja meio fraco, porque Dominique Desautels (que é o nome dela), assim como Andy, é estrangeira. Ela é canadense. Franco-canadense. Trabalha na mesma empresa de investimento que Luke, em Houston.

E os dois estão juntos há seis meses.

Pelo menos é o que consegui levantar depois do questionamento cuidadoso que fiz com os dois do banco de trás do Mercedes, antes da minha voz morrer.

Porque é muito difícil se concentrar em juntar informação sobre os dois quando estamos passando por paisagens tão lindas. O sol já se pôs, mas a lua nasceu. Então dá para ver os carvalhos enormes, com galhos retorcidos na direção da estrada, formando uma espécie de dossel de folhas por cima de nós. Estamos seguindo por uma estradinha interiorana de mão dupla cheia de curvas que acompanha um rio largo e borbulhante. É difícil saber, a julgar pelo cenário, onde estamos exatamente.

Nem *quando* estamos. A julgar pela ausência de postes telefônicos e de iluminação pública, poderíamos estar em *qualquer* século. Não só no XXI. Até passamos por um moinho antigo... Um moinho! Com uma daquelas enormes rodas de pás do lado! Com telhado de sapê e um jardim lindo.

Mas há luzes elétricas nas janelas do moinho, indicando que não estamos no século XIX.

Vejo até, vejo uma família lá dentro, sentada à mesa para jantar. Na casa de um moinho!

Passando por paisagens tão pitorescas, é muito difícil me lembrar de que estou deprimida porque o meu namorado revelou ter um problema com jogo.

Então saímos debaixo do dossel de folhas e vejo penhascos enormes avultando-se sobre nós, com castelos no topo, e Luke explica que esta região da França (conhecida como Dordonha, por causa do rio) é famosa por seus castelos, já que tem mais de mil deles, além de suas cavernas, sendo que nas paredes de algumas há pinturas que remontam ao ano 15.000 a.C.

Então, Dominique completa que o Périgord, que é a parte da Dordonha em que estamos, também é conhecido pelas trufas negras e pelo *foie gras*. Mas eu mal estou escutando. É difícil não me distrair com a visão de altos muros fortificados: Luke explicou que pertencem ao antigo vilarejo medieval de Sarlat, e que podemos ir até lá fazer compras se eu quiser.

Compras! Acho que vai ser bem difícil terem brechós por aqui. Mas quem sabe exista alguma loja de roupas de segunda mão... Meu Deus, imagine só os tesouros que devem estar à espera de alguém como eu! Givenchy, Dior, Chanel... vai SABER!

Então saímos da estrada e entramos no que parece ser uma trilha que serpenteia por uma montanha, muito íngreme e coberta de cascalho, tão estreita que mal dá para o carro passar. Aliás, os galhos batem nas laterais do veículo (e quase batem em mim também, até eu me acomodar no meio do assento traseiro).

Dominique repara quando eu me ajeito e diz:

— Você precisa mandar os empregados podarem as árvores antes de a sua mãe chegar, Jean-Luc. Você sabe como ela é.

— Eu sei, eu sei — Luke vira então para mim e pergunta: — Está tudo bem aí atrás?

— Tudo certo. — Agarro a parte de trás dos assentos à minha frente. Estou sendo bastante jogada de um lado para o outro.

A estradinha (se é que pode ser chamada assim) precisa de manutenção.

E, então, quando o carro que anda aos solavancos parece que não irá agüentar mais (e eu começo a imaginar se algum dia vamos chegar ao topo desta colina ou se os galhos das árvores vão arrancar nossas cabeças primeiro), atravessamos as últimas árvores e entramos em um platô amplo, coberto de grama, com vista para o vale lá embaixo. Tochas acesas ladeiam a entrada, conduzindo ao que parece ser (se meus olhos não me enganam) a mesma casa em que Mr. Darcy morava na versão de *Orgulho e Preconceito do* A&E.

Só que esta mansão é maior. E tem aparência mais elegante. Com mais construções ao redor.

E tem luz elétrica, que faz as aparentemente centenas de janelas brilharem forte em contraste com o céu azul acetinado. Além da entrada circular para carros, há um gramado extenso, salpicado de carvalhos enormes e elegantes, uma piscina imensa (toda iluminada, brilhando como uma safira no meio da noite) e várias peças de mobília externa branca em ferro batido.

É o lugar mais perfeito para um casamento que já vi. Todo o gramado bem cuidado é rodeado por um muro baixo de pedra. Além do muro, que parece acabar no ar rarefeito, só consigo enxergar uma enorme extensão de árvores iluminadas pelo luar, bem lá embaixo, e depois, à distância, mais uma encosta como esta em que estamos, coroada com um *château* bem no topo que poderia ser irmão deste aqui, com suas próprias luzes queimando no céu noturno.

É de tirar o fôlego. Literalmente. Percebo que parei de respirar ao olhar tudo isso.

Luke entra com o carro no caminho circular e desliga o motor. Só escuto os grilos.

— E aí? — ele pergunta, e se vira para trás. — O que você achou?

Estou, pela primeira vez na vida, sem palavras. Esta é uma ocasião histórica, mas Luke nem faz idéia.

Os grilos soam muito altos no silêncio que se segue à pergunta. Continuo sem conseguir respirar.

— É isso mesmo — Dominique sai do carro e se dirige para as enormes portas de carvalho do château, carregando o porta-roupa nos braços. — Este é o efeito que este lugar geralmente causa nas pessoas. É lindo, não é?

Lindo? Lindo? Isto é a mesma coisa que dizer que o Grand Canyon é grande.

— É o lugar mais lindo que já vi na vida — digo, quando finalmente retomo a voz, depois que Dominique já entrou e Luke está me ajudando a tirar minhas malas do carro.

— É mesmo? — Luke abaixa os olhos escuros envolvidos pelo luar para mim. — Você acha?

Ele fica dizendo que não sabe contar piada. Mas tem que estar de brincadeira comigo. Não pode existir um lugar mais bonito do que este em todo o planeta.

— Totalmente — digo, mas isso parece não estar à altura do que vejo.

E, então, ouço vozes conhecidas vindas do terraço que dá vista para o vale.

— Será Monsieur de Villiers, retornando de Paris? — Chaz, saindo das sombras de uma das enormes árvores, quer saber. — Ah, mas é sim. E quem o acompanha?

Então, no meio do caminho, Chaz pára ao me reconhecer. É difícil saber, com a lua nas costas dele (e com a aba do boné da Universidade de Michigan por cima dos olhos, como sempre), mas acho que ele está sorrindo.

— Muito bem, muito bem — ele diz, de um jeito simpático. — Olhe só quem apareceu.

— O quê? — e Shari surge atrás dele. — Ah, oi, Luke. Você recebeu o...

Daí, a voz dela desaparece. E, um segundo depois, ela solta um berro estridente.

— LIZZIE? É VOCÊ?

Então, já está pulando pelo caminho de cascalho para cima de mim, e berra:

— Você veio! Você veio! Não acredito que você veio! Como foi que chegou aqui? Luke, onde a encontrou?

— No trem — Luke sorri para o olhar de pânico que eu lanço por cima do ombro de Shari enquanto ela me abraça. Mas ele não o faz. Bem como eu pedi.

— Mas isso é fantástico — Shari exclama. — Quer dizer, que vocês dois, entre todas aquelas pessoas, se cruzassem...

— Não exatamente — Chaz diz, sem se impressionar. —

208

Quer dizer, levando em conta que eles eram provavelmente os dois únicos americanos vindo para Souillac...

— Ah, não me venha com mais um de seus discursos filosóficos a respeito da natureza da aleatoriedade — Shari diz a Chaz. — POR FAVOR. — Para mim, ela exclama: — Mas por que você não ligou? Nós teríamos ido ir buscar você na estação.

— Eu liguei. Umas cem vezes. Mas só caía na caixa postal.

— É impossível — Shari tira o celular do bolso do short. — Estou com o meu... Ah. — Ela aperta os olhos para enxergar a tela ao luar. — Eu me esqueci de ligar hoje de manhã.

— Achei que você tivesse derrubado na privada — digo.

— Desta vez, não — Chaz coloca o braço em volta dos meus ombros para me dar as boas-vindas. Ao fazê-lo, ele sussurra: — Tem alguém lá na Inglaterra que precisa levar uma surra? Porque, com Deus como testemunha, vou até lá e chuto a bunda pelada magrela dele para você. É só me dar o sinal verde.

— Não — garanto a ele, dando uma risada um pouquinho magoada —, está tudo bem. Mesmo. A culpa é tanto minha quanto dele. Eu deveria ter escutado você. Tinha razão. Sempre tem razão.

— Nem sempre — Chaz deixa o braço cair. — Só que as vezes em que erro não ficam registradas na sua mente com tanta clareza quanto as que acerto. Ainda assim, pode pensar que sempre tenho razão, se quiser.

— Pare já com isso, Chaz — Shari diz. — Além do mais, quem se importa com o que aconteceu na Inglaterra? Agora ela está aqui. Tudo bem se ela ficar, certo, Luke?

— Não sei — Luke diz, em tom de piada. — Ela é uma garota esforçada? Não precisamos de mais nenhum folgado por aqui. Já temos este aqui. — Ele dá um tapinha no ombro de Chaz.

— Ei — Chaz retruca —, estou ajudando. Estou testando todas as bebidas alcoólicas para conferir a pureza antes de a mãe de Luke chegar.

Shari balança a cabeça para o namorado:

— Você é impossível. Para Luke, diz: — Lizzie é ótima. Bem, com uma agulha. Se você tiver algum trabalho para uma costureira...

Luke parece surpreso de saber que sei costurar. A maior parte das pessoas se surpreende. Hoje em dia, existe pouca gente que sabe fazer isto.

— Pode ser que tenha — ele responde. — Vou conferir com, bem... minha mãe, quando ela chegar, amanhã. Mas, neste momento, acho que temos preocupações mais urgentes... Precisamos ajudar Chaz a testar o álcool.

— Por aqui, senhoritas e cavalheiro — Chaz indica, com uma reverência cortês, o caminho até o bar externo que ele aparentemente montou.

Shari e eu seguimos os rapazes pela grama fresca e levemente úmida. Ao nos aproximarmos do muro baixo de pedra, dou uma olhada na paisagem que se estende lá embaixo, no rio (bem como Chaz prometeu) que reluz ao luar como uma longa cobra de prata. É tão lindo que sinto um nó na garganta. Sinto-me como se estivesse atordoada. Ou sonhando.

E não sou só eu.

— Não dá para acreditar nisto — Shari sussurra, ainda pendurada no meu braço. — O que aconteceu? Sei que estava bem bêbada da última vez que falei com você, mas achei que tivesse dito que ia tentar resolver as coisas com Andy.

— É — sussurro em resposta. — Bem, tentei. Mas então descobri... ah, é uma longa história. Conto depois, quando — faço um sinal com a cabeça na direção de Luke e Chaz — eles não estiverem por perto.

Mas é claro que Luke já conhece a maior parte da história. Tudo bem, a história inteira.

E quero dizer *inteira*.

— Foi horrível? — Shari pergunta, cheia de preocupação enrugando o rosto bonito. — Está tudo bem com você?

— Estou ótima — garanto a ela. — Mesmo. Antes, não estava, mas... — dou mais uma olhada na direção de Luke. — Bem, achei um ombro muito solidário em cima do qual chorar.

Olhos escuros de Shari seguem os meus. Vejo as sobrancelhas dela se erguerem por baixo da franja cacheada. Fico imaginando o que ela deve estar pensando. Espero que não seja: *Ah, coitadinha de Lizzie, apaixonada por um cara que é areia demais para o caminhãozinho dela...*

Porque eu não estou. Apaixonada por ele, quer dizer.

Mas a única coisa que ela diz, é:

— Bem, fico feliz por isso. Então, não está com o coração partido?

— Sabe — respondo, pensativa —, acho que não. Só um pouco machucado, nada mais. Tudo bem, mesmo, eu ter vindo para cá? Que coisa é essa que Chaz falou a respeito de a mãe de Luke chegar amanhã?

Shari faz uma careta.

— A mãe e o pai de Luke vão se divorciar, mas parece que ela, a senhora De Villiers, prometeu à sobrinha, há muito tempo, que ela poderia se casar em Mirac. Então, ela, a senhora De Villiers, quer dizer, vai chegar amanhã com a irmã dela, a sobrinha, o noivo... a família toda. Vai ser uma festa e tanto. Principalmente levando em conta que os pais de Luke mal se falam e ele fica no meio da confusão toda. De acordo com Chaz, a mãe de Luke é uma espécie de megera.

Faço uma careta, lembrando do aviso de Dominique a respeito de que Luke precisava mandar podar os arbustos da entrada antes de a mãe dele chegar.

— Então, eles não vão querer que fique aqui — sussurro, para me assegurar que Luke não escute. Eu digo "eles", mas na verdade quero dizer Luke, é claro. — Quer dizer, não quero invadir...

— Lizzie, não tem absolutamente problema nenhum — Shari diz. — Este lugar é enorme, e tem lugar de sobra. Mesmo com a família inteira de Luke aqui, tem quarto de sobra. E vai ter muita coisa para fazer. Na verdade, é bom você estar aqui. A gente vai precisar de ajuda. Parece que esta sobrinha... a prima de Luke, Vicky... é algum tipo de *socialite* texana. Ela já obrigou Luke a fazer

212

toda a viagem de ida e volta a Paris para buscar o vestido na costureira chique dela, e ainda nem chegou. Além do mais, parece que convidou metade de Houston para o casamento, inclusive a banda de garagem do irmão, que acabou de assinar algum tipo de contrato com uma gravadora e parece que vai ficar muito famosa. Então, não vai ser exatamente um casamento só para os íntimos.

— Ah, se é assim... Porque realmente não consegui pensar em mais nada além de vir para cá. Eu não podia voltar para casa...

— Claro que não — Shari diz, em tom horrorizado. — As suas irmãs iam fazer a festa!

— Eu sei — respondo. — Então, simplesmente achei que... bem, você disse que estaria tudo bem se eu viesse para cá.

— Fico tão contente por você ter vindo... Quer dizer, olhe só para os dois. — Shari faz um sinal com a cabeça para o namorado e Luke, que se afastaram até uma mesa de ferro batido e estão misturando algum tipo de fórmula em taças compridas de champanhe. — Parecem gêmeos separados no nascimento. Só falam, falam e falam sobre todos os assuntos imagináveis: Nietzsche, Tiger Woods, cerveja, a probabilidade de datas de aniversário coincidentes, os bons tempos de escola. Ando me sentido totalmente como se estivesse segurando vela — ela me abraça. — Mas agora tenho a minha própria amiga para ficar conversando.

— Bem — digo, com um sorriso —, você sabe que sempre estou a postos para uma conversa. Mas e a namorada de Luke, Dominique? Não dá para conversar com ela?

213

Shari faz careta.

— Claro, se você quiser conversar a respeito de Dominique.

— Ah, eu tive levemente essa impressão, por causa dos chinelos de dedo.

— É mesmo? — Shari parece interessada. Ela sempre valorizou minhas análises de moda. — Você captou uma vibração ruim entre eles?

— Não — apresso-me em dizer. — Não foi nada disso. Mas parece que ela está se esforçando demais. Tudo bem, ela é canadense. Acho que o meu radar não funciona muito bem quando a pessoa é estrangeira.

Shari faz uma careta.

— Está falando do Andy? É, bem, sempre fiquei me perguntando o que você viu nele. Mas não está errada a respeito de Dominique. Aqueles chinelos? São Manolo Blahnik.

— Não! — Sei, por causa das minhas leituras de *Vogue*, que chinelos de dedo Manolo Blahnik podem custar mais de seiscentos dólares. — Meu Deus. Sempre fiquei imaginando quem comprava isso...

— Ei, vocês duas. — Chaz atravessa o gramado iluminado pelo luar na nossa direção. — Não vão fugir de suas tarefas. Temos álcool para ser inspecionado.

— Espere — Luke está um passo atrás dele. — Estou aqui com a primeira amostra de teste para elas — lhe entrega para cada uma de nós uma *flûte* de champanhe cheia de um líquido

214

borbulhante. — Kir Royales — ele diz —, feitos com champanhe produzido aqui mesmo, em Mirac.

Não sei o que é um Kir Royale, mas estou disposta a experimentar. Dominique aparece e exige um copo também.

— Ao que vamos brindar? — ela pergunta, erguendo a taça.

— Que tal a estranhos que se conhecem no trem? — Luke sugere.

Sorrio para ele à distância da grama que nos separa.

— Para mim, parece bom — digo, e todos nós brindamos. Então, tomo um gole.

Parece que estou bebendo ouro líquido. Os sabores misturados de fruta silvestre, luz do sol e champanhe dançam na minha língua. Acontece que Kir Royale é champanhe misturado com algum tipo de licor... de cassis, Shari explica, que é um tipo de frutinha silvestre.

— Agora, fale uma coisa para mim — Shari diz, quando termina seu comentário relativo ao cassis.

— O quê? — A esta altura, estou praticamente convencida de que isto tudo é um sonho e alguma hora vou acordar. Mas, até que o momento chegue, planejo me divertir.

— O que Luke quis dizer com aquele brinde? De estranhos no trem e tudo o mais?

— Ah — dou uma olhada para ele, no lugar onde está dando risada com Chaz —, não sei. Nada.

Shari aperta os olhos para mim.

— Não venha com esta de nada para cima de mim, Lizzie. Pode contar. O que aconteceu naquele trem?

— Nada! — exclamo, rindo um pouco para mim mesma. — Bem, quer dizer, eu estava chateada... sabe como é, por causa do Andy. E chorei um pouco. Mas, como eu disse, ele foi muito solidário.

Shari apenas balança a cabeça.

— Tem mais coisa nessa história. Tem alguma coisa que você não está me dizendo. Eu sei.

— Não tem — garanto a ela.

— Bem, se tiver, sei que vou acabar descobrindo. Você nunca conseguiu guardar um segredo na vida.

Só dou um sorriso para ela. Existem, sim, alguns segredos que consegui guardar dela até agora. E não planejo entregar tudo no futuro próximo.

Mas a única coisa que digo é:

— Sério, Shari, não aconteceu nada.

O que é, basicamente, a verdade.

Um pouco depois, caminho até o muro baixinho de pedra e fico lá parada, tentando absorver tudo aquilo: o vale, a lua subindo por cima do telhado do *château* na frente do nosso, o céu noturno estrelado, os grilos, o cheiro adocicado de alguma flor que desabrocha à noite.

É coisa demais. Isto tudo é demais. Sair daquela salinha horrorosa da Central de Emprego para vir parar aqui, tudo em um único dia...

Ao meu lado, Luke, que de algum modo conseguiu se desvencilhar de Chaz e Dominique por um minuto, pergunta baixinho:

— Está melhor agora?

— Estou chegando lá — respondo, sorrindo para ele. — Não tenho como agradecer por me deixar ficar aqui. E obrigada por... sabe como é. Não ter contado nada para eles.

Ele parece verdadeiramente surpreso.

— Claro que não. Para que servem os amigos?

Amigos. Então é isso que somos.

E, de algum modo, ali sob aquele luar? É mais do que suficiente.

O movimento romântico da década de 1820 recuperou o desejo pelas heroínas de cintura fina como as dos romances de Sir Walter Scott (o Dan Brown de sua época; apesar de que Sir Walter jamais teria tido coragem de vestir sua heroína francesa com um suéter largo e legging preta, como o senhor Brown fez com a coitada da Sophie Neveu em O Código da Vinci), e os corseletes ganharam popularidade, ao mesmo tempo que as saias ficaram mais amplas. Sir Walter era tão adorado que uma breve mania por xadrez do tipo *tartan* tomou conta de algumas das senhoras menos sensatas da época — mas elas, felizmente, logo perceberam seu engano.

História da Moda
MONOGRAFIA DE ELIZABETH NICHOLS

Eu não falaria tanto sobre mim se houvesse outra
pessoa que eu conhecesse tão bem.

— *Henry David Thoreau (1817-1862),*
filósofo, autor e naturalista norte-americano

Quando acordo no dia seguinte, olho ao meu redor, para o
quarto minúsculo de teto baixo em que me encontro, com
suas paredes bem brancas e as vigas do telhado de madeira escura, e fico confusa. As cortinas (cor de creme, com rosas grandes
salpicadas no tecido) estão fechadas por cima da única janela do
quarto, de modo que não consigo enxergar lá fora. Durante um
segundo, não me lembro de onde estou, de quem é aquele quarto nem em que país estou.

Então vejo a porta antiquada, com seu trinco do tipo de abaixar, e não de virar (igual ao trinco de um portão de jardim) e
percebo que estou no Château Mirac. Em um entre a dúzia de
quartos, localizados no sótão (que, nos áureos tempos do *château*,
acomodavam os serviçais) e que agora abrigam Shari, Chaz e eu,
além de Jean-Luc e sua namorada, Dominique.

Isso porque os quartos formais do *château*, abaixo de nós, estão reservados para os convidados e os familiares dos noivos, que vão chegar hoje à tarde. Quando aluga o bloco principal, o pai de Luke (a quem Shari se refere como Monsieur de Villiers) fica em um chalezinho com telhado de sapê próximo às construções externas, onde guarda os tonéis de carvalho repletos de vinho, antes de a bebida estar pronta para ser engarrafada. Shari me disse ontem à noite, enquanto subíamos o que pareciam ser centenas de escadas para chegar até nossos quartos, depois de mais quatro (ou seriam cinco?) Kir Royales, que passarinhos costumam fazer ninhos no sapê e precisam ser enxotados, caso contrário seus excrementos corroem o telhado.

De algum modo, um telhado de sapê nunca mais vai parecer algo pitoresco para mim.

Depois de ficar piscando, meio sonolenta, para as rachaduras do teto acima de mim, percebo o que me acordou. Alguém está batendo na porta.

— Lizzie — ouço Shari dizer. — Já levantou? É meio-dia. Como é, vai dormir o dia todo?

Jogo o edredom longe e corro para a porta, para abri-la. Shari está ali parada de biquíni e canga, segurando duas enormes canecas fumegantes. O cabelo dela, que normalmente é escuro e cacheado, está muito cheio, sinal de que faz calor lá fora.

— É mesmo meio-dia? — pergunto, preocupada por ter dormido tanto, e achando que as pessoas (tudo bem, Luke) vão pensar que sou uma folgada sem educação.

— Meio-dia e cinco — informa Shari. — Espero que tenha trazido roupa de banho. Precisamos tomar o máximo de sol possível antes de a mãe de Luke e os convidados dela chegarem, e precisamos começar a arrumar tudo para as refeições e para a degustação de vinho. Assim, só temos umas quatro horas. Mas, primeiro — ela enfia uma das canecas fumegantes na minha mão — um *cappuccino*. Tem um monte de aspartame, do jeitinho que você gosta.

— Ah — digo, em tom apreciativo, quando a espuma de leite banha o meu rosto. — Você salvou a minha vida.

— Eu sei — Shari entra no quarto para se acomodar na ponta da minha cama amarfanhada. — Agora, quero saber tudo que aconteceu com Andy. E com Luke, no trem. Então, pode ir contando.

É o que faço, sentando-me ao lado dela. Bem, não conto tudo, é claro. Ainda não contei a ela a verdade a respeito da minha monografia, e, com toda a certeza, nunca vou contar sobre a chupada. Claro que contei tudo isso para um desconhecido completo no trem, mas aquilo foi muito mais fácil do que contar para a minha melhor amiga que iria, sabe como é, simplesmente condenar as duas coisas (principalmente a segunda). Quer dizer, dar uma chupada sem receber a recíproca é o cúmulo do antifeminismo.

— Então — Shari diz quando acabo —, você e Andy terminaram mesmo?

— Definitivamente — tomo o último gole do meu *cappuccino* delicioso.

— Você disse a ele. Você disse que acabou.

— Totalmente — respondo. Não disse? Acho que disse.

— Lizzie — Shari olha para mim com dureza —, sei como você detesta confrontos. Você realmente disse a ele que acabou?

— Eu disse a ele que precisava ficar sozinha — respondo... e percebo, um tanto atrasada, que isso não é a mesma coisa que dizer a alguém que acabou.

Mesmo assim, Andy captou a mensagem. Eu *sei* que captou.

Mas, só para prevenir, acho que não vou mais atender às ligações dele.

— E você está mesmo bem com tudo isso? — Shari quer saber.

— Acho que sim. Quer dizer, acho que me sinto bastante culpada por causa do dinheiro...

— Que dinheiro?

— O dinheiro que ele pediu emprestado para pagar a taxa de matrícula. Eu provavelmente deveria ter dado para ele. Porque agora ele não vai poder voltar para a universidade no início do ano letivo...

— Lizzie — Shari diz em tom de descrença —, ele tinha o dinheiro, mas perdeu no jogo! Se você tivesse lhe dado mais, ele simplesmente perderia tudo de novo. Você daria meios para que ele continuasse com esta atitude destrutiva. É isso que você quer? Ser uma fornecedora?

— Não — respondo, meio tristonha. — Mas, sabe como é. Eu realmente o amava. Não dá para a gente ligar e desligar o amor, como se fosse uma torneira.

222

— Dá sim, se o cara estiver se aproveitando da sua natureza generosa.

— Acho que sim — suspiro. — Eu realmente não devia me sentir mal. Ele estava recebendo seguro-desemprego enquanto tinha emprego.

Um dos cantos da boca de Shari se curva para cima.

— Eu adoro o fato de que, para você, esta é obviamente a pior coisa que ele fez. E o jogo? E o negócio de chamar você de gorda?

— Mas enganar o governo é muito pior do que qualquer uma dessas coisas.

— Se você está dizendo... Mas, bem, já foi tarde. Agora, será que você pode parar de ser um chata total e simplesmente se mudar para Nova York comigo e Chaz?

— Shari, falando sério. É só que...

Como é que eu posso contar a ela a verdade? Que não tem como eu ir para Nova York procurar emprego sem ter diploma da faculdade, e não sei se já vou ter terminado a minha monografia quando ela e Chaz estiverem prontos para ir para lá. E também tem o negócio todo de eu não saber se vou conseguir me dar bem na cidade grande, mesmo que tenha diploma.

— Tudo bem — Shari diz, claramente entendendo errado a minha relutância. — Já entendi. É um grande passo. Você precisa de um tempo para se acostumar à idéia. Eu sei. Bom, mas e a outra coisa?

— Que outra coisa?

— Sobre você e Luke. Naquele trem.

— Shari, eu já disse. Não aconteceu nada. Quer dizer, fala sério. Acabei de sair de um relacionamento desastroso com um cara que eu mal conhecia. Você acha que vou mergulhar de cabeça em outro direto? Dê um pouco de crédito para mim. Além do mais, você olhou bem a namorada dele? Por que um cara que tem aquilo ficaria a fim de uma garota como eu?

— Sou capaz de pensar em algumas razões — Shari afirma, sombria.

Mas, antes que eu tenha chance de perguntar o que ela quer dizer, minha amiga diz:

— Tudo bem, olha só. Sei que você passou por muita coisa nesses últimos dias, então vou passar um tempo sem aborrecê-la com a coisa de Nova York. Que tal você parar de se preocupar um pouco com o futuro? Só Deus sabe que você merece dar um tempo. Considere os próximos dias umas férias bem merecidas. Vamos retomar o assunto mais tarde, depois que você já tiver se recuperado de descobrir que o homem dos seus sonhos na verdade era um pesadelo. Então — ela me dá um tapinha na perna —, vista seu maiô e me encontre na piscina. Temos que pegar uma cor.

Não discuto. Apresso-me para pegar meus apetrechos de beleza para poder me arrumar um pouco antes de irmos para a piscina.

— E ande logo — ela diz, antes de sair batendo os pés. — O melhor do sol está sendo desperdiçado.

Eu me apresso para obedecer, já que Shari não gosta quando suas ordens não são cumpridas. Disparo pelo corredor até um banheiro antiqüíssimo que é completo, com uma enorme banheira de pezinhos e privada com assento de madeira, além daquela descarga de cordinha. Depois de um banho rápido e de aplicar maquiagem, visto meu biquíni: é a primeira vez na vida que uso um destes. Minhas irmãs costumavam caçoar de mim sem perdão toda vez que eu tentava colocar uma roupa de banho, no período anterior à minha perda de peso.

Claro que isso também pode ter sido porque todos os meus maiôs eram vintage, sendo que muitos dele vinham com sainhas acopladas e um ar daquela atriz, Annette Funicello, que fez muitos filmes antigos de praia.

Mesmo assim, eu posso ter sido a garota mais gorda da piscina, mas também sempre fui a mais bem vestida... ou, como Rose costumava dizer, uma *"fashion freak"*.

Meu biquíni novo não me faz parecer nem um pouco louca. Pelo menos, acho que não. É de duas peças, mas também é vintage... Lilly Pulitzer vintage, da década de sessenta. Sarah costumava dizer que era nojento usar o maiô velho de alguém, mas na verdade é completamente higiênico se você lava algumas vezes antes de usar.

Agora, examinando meu reflexo no espelho atrás da porta do banheiro, que é um pouco mal iluminado, mas que mesmo assim é bem confiável, penso que estou... bem. Claro que não sou nenhuma Dominique. Mas, bom: quem é que pode ser, aqui entre nós?

225

À exceção, é claro, de Dominique.

Corro de volta ao quarto, coloco um vestidinho Lilly Pulitzer combinando por cima do biquíni e arrumo a cama apressada, fazendo uma pausa para abrir as cortinas estampadas de rosas, e então abro a pequena janela em formato de diamante para deixar um pouco de ar fresco entrar...

E fico sem fôlego, aturdida pelo que enxergo pela janela...

Que não é nada menos que a vista diurna do vale se estendendo abaixo do *château*. Vejo as copas verdes e aveludadas das árvores e encostas de colinas verdejantes, penhascos amarronzados e, bem no alto de tudo, o céu mais azul e mais sem nuvens que já vi.

E é tudo tão lindo... Parece que enxergo a milhas de distância, e que não há nada além de árvores e o rio prateado que serpenteia entre elas, salpicadas de aldeias ou vilarejos minúsculos, com um ou outro *château* empoleirado no topo de um penhasco elevado. Parece uma coisa tirada de um conto de fadas.

Fico imaginando como Luke consegue voltar para Houston depois de passar um tempo aqui. Como é que alguém pode viver em outro lugar?

Mas não tenho tempo de ficar ruminando a idéia. Preciso encontrar Shari na piscina ou enfrentar sua ira.

Não é nada fácil tentar encontrar o caminho até a parte externa do *château* Mirac, percorrendo o labirinto de corredores e escadas que parece formá-lo, mas de algum modo consigo chegar à entrada de mármore e sair para o ar de verão, gostoso e com aroma suave

226

Em algum lugar a distância, escuto o chiado de um motor (deve ser um cortador de grama, levando em conta o cheiro de grama recém-cortada) e o tilintar de... sinos de vaca? Não pode ser.

Ou será que pode?

Não paro para investigar. Coloco meus óculos escuros cravejados de strass e me apresso pelo caminho de cascalho, até finalmente cruzar o gramado e chegar à piscina, onde vejo Shari, Dominique e outra garota deitadas em espreguiçadeiras com almofadas listradas em branco e azul. As espreguiçadeiras estão de frente para o vale e para o sol. Dominique e a outra garota já estão bronzeadas (sem dúvida, não é o primeiro dia que tomam sol). Shari, dá para ver, está determinada a ganhar delas antes de o verão terminar.

— Bom dia — cumprimento Dominique e a garota, que está mais para gordinha e parece ser adolescente. Está usando um maiô Speedo azul; já Dominique, a seu lado, usa um biquíni de amarrar Calvin Klein preto.

E as fitinhas não parecem estar amarradas com muita firmeza.

— *Bonjour* — a adolescente diz para mim, toda animada.

— Lizzie, está aqui é Agnès — Shari diz. Só que ela pronuncia à maneira francesa, que é *Anhês*. — Ela está passando o verão aqui, como *au pair* residente. A família dela mora no moinho que fica antes do castelo, na estrada.

— Ah! — exclamo. — Eu vi o moinho! É muito lindo!

Agnès continua a sorrir para mim, simpática. É Dominique que diz:

— Nem se incomode. Ela não entende nenhuma palavra de inglês. Disse que entendia quando pediu emprego aqui, mas não sabe dizer nada além de oi, tchau e obrigada.

— Ah — retribuo o sorriso de Agnès.

— *Bonjour! Je m'appelle Lizzie* — o que mais ou menos é tudo que eu sei dizer em francês, além de *Excusez-moi* e *J'aime pas des tomates*.

Agnès responde um monte de coisa para mim, sendo que eu não entendo absolutamente nada. Shari diz:

— Apenas sorria e assinta com a cabeça que vocês duas vão se dar superbem.

E é o que faço. Agnès fica olhando para mim, radiante, e então me entrega uma toalha branca e uma garrafa de água fresca que ela tira de uma geladeirinha que trouxe consigo. Fico imaginando se não há uma Diet Coke na geladeirinha, mas dou uma olhada antes de ela fechar a tampa e vejo que não. Será que EXISTE Diet Coke na França? Deve existir. Isto aqui não é o Terceiro Mundo, pelo amor de Deus.

Agradeço Agnès pela água e estendo a toalha na espreguiçadeira entre a dela e a de Dominique. Tiro o vestido, depois os chinelos. Então me recosto na almofada confortável e fico olhando para o céu sem nuvens.

Percebo que isto é algo a que eu poderia me acostumar. Com rapidez. O frio e o ar úmido da Inglaterra parecem estar em um passado muito distante.

Aliás, o mesmo vale para Andy.

— Este biquíni é... diferente — diz Dominique.

— Obrigada — respondo, apesar de ter uma leve desconfiança de que a intenção dela não foi fazer um elogio. Mas é provável que eu só esteja projetando mais uma vez, por causa dos chinelos de dedo de seiscentos dólares. — Então, onde estão Luke e Chaz?

— Estão podando os arbustos da entrada — Shari responde.

— Caramba — respondo. — Não tem... sei lá, uma empresa de poda que faça isso?

Dominique me lança um olhar muito sarcástico de trás de seus óculos escuros Gucci.

— Deve existir... se alguém tivesse lembrado de chamar a tempo. Mas, como sempre, o pai de Jean-Luc esperou até o último minuto e não conseguiu ninguém. Então, agora Jean-Luc é que tem que fazer a poda, se não quiser que Bibi tenha um ataque quando chegar.

— Bibi?

— A mãe de Jean-Luc — Dominique explica.

— A senhora De Villiers é meio... peculiar, pelo que ouvi dizer — Shari diz de sua espreguiçadeira sem nenhuma emoção na voz.

Dominique solta uma gargalhada delicada.

— Também daria para dizer, é claro, que ela simplesmente fica decepcionada com a total e completa falta de preocupação do marido. Ele só se importa com as porcarias das uvas dele.

— Uvas?

Dominique abana a mão para nós, na direção de algumas das construções externas do castelo, atrás das quais vi uma espécie de planície onde havia uma plantação.

— O vinhedo — ela diz.

Então, era um vinhedo, não uma plantação! Claro!

— Ah — digo. — Bem, e por que Monsieur De Villiers não devia pensar sobre as uvas dele? Este lugar é principalmente um vinhedo, não é? Essa coisa de casamentos não é só uma atividade paralela?

— Claro que sim — Dominique responde. — Mas Mirac não tem uma colheita decente há anos. Primeiro, foram as secas, depois, uma praga... qualquer pessoa teria entendido isso como dica para partir para outra, mas não o pai de Jean-Luc. Ele diz que a família de Villiers está no ramo dos vinhos desde o século XVII, quando Mirac foi construído, e que não vai ser ele que vai acabar com a tradição.

— Bem — eu digo, em tom de admiração. — Isto é um tanto... nobre. Quer dizer, não é?

Dominique faz um ruído de nojo.

— Nobre? É um desperdício completo. Mirac tem um tremendo potencial. Só o pai de Jean-Luc que não vê.

"Potencial?" Do que ela está falando? O lugar é lindo, do jeito que é. O terreno é perfeito, a casa é linda, o *cappuccino* é espumante... O que precisa ser mudado?

Acontece que Dominique tem algumas sugestões.

— Bem, obviamente a prosperidade está precisando muito de uma atualização. O lugar todo precisa ser reformado; principalmente os banheiros. Precisamos substituir aquelas banheiras de pezinhos cafonas por banheiras de hidromassagem... e descarga de cordinha! Meu Deus. Isto também precisa acabar.

— Eu até que gosto de descargas de cordinha — digo. — Acho que são meio... charmosas.

— Bom, claro que você pensaria isso — Dominique ergue a sobrancelha cheia de malícia na direção do meu biquíni. — Mas a maior parte das pessoas não acha. A cozinha, também, precisa ser completamente modificada. Sabia que eles ainda têm... como é que se chama mesmo? Uma despensa. Ridículo. Nenhum chef no mundo cozinharia sob tais condições.

— Chef? — pergunto. E só de pensar em preparar comida, meu estômago ronca. Estou faminta. Sei que pulei o café-da-manhã, mas a que horas é o almoço? Será que tem mesmo um chef? Será que ele fez meu *cappuccino*?

— Claro que sim. Para transformar Mirac em um hotel de classe de verdade, é preciso contratar um chef cotado com cinco estrelas no guia Michelin.

Ah. Então...

— Para transformar em um... — eu me sento na espreguiçadeira e fico olhando para Dominique. — Espere. Estão pensando em transformar este lugar em hotel?

— Ainda não — Dominique responde e pega uma garrafa de água que deixou ao lado da espreguiçadeira. — Mas como eu vivo dizendo a Jean-Luc, é necessário que o façam. Imagine só a fortuna que poderiam ganhar com o ramo dos retiros corporativos e das convenções! Depois, é claro, também existe o roteiro dos spas... seria fácil acabar com os vinhedos e transformá-los em pistas de corrida ou trilhas para andar a cavalo, além de converter as construções externas em salas de massagem, acupuntura ou hidroterapia. O setor de recuperação de cirurgia plástica está em expansão acelerada no momento...

— O quê? — interrompo. Sinto dizer, mas eu berrei levemente. Mas simplesmente fiquei chocada demais com a idéia de alguém querer transformar este lugar fabuloso em um spa.

— O setor de recuperação de cirurgia plástica — Dominique repete, com expressão aborrecida no rosto. — Gente que se submete a lipoaspiração ou faz *lifting* no rosto precisa de um lugar para se recuperar, e eu sempre achei que Mirac seria espetacular para estes fins...

Não consigo me segurar. Preciso olhar para Shari, para ver o que ela pensa de tudo isso.

Mas ela simplesmente segura o livro que finge ler mais perto do rosto, para esconder sua expressão.

Ainda assim, vejo os ombros dela tremerem. Daí, não consigo segurar a risada.

— Falando sério — Dominique prossegue, tomando mais um gole de água. — A família de Villiers não foi capaz de enxergar o potencial corporativo desta propriedade. Se contratassem atendentes profissionais e treinados, em vez de gente que mora por perto, e oferecessem serviços como internet banda-larga e televisão por satélite, se instalassem ar-condicionado e quem

232

sabe até uma sala de cinema... poderiam atrair clientela muito mais endinheirada. E conseguir muito mais lucro do que o negócio ridículo de vinhos do pai de Jean-Luc jamais conseguiu.

Antes que eu possa dar qualquer tipo de resposta a este discurso pavoroso, meu estômago prefere falar no meu lugar, soltando um ronco altíssimo de fome. Dominique ignora, mas Agnès se apruma na espreguiçadeira e fala umas coisas que parecem formar uma pergunta. Escuto a palavra *goûter*, que, eu sei, significa "lanche".

— Ela quer saber se você quer que ela vá buscar alguma coisa para comer — Dominique traduz em tom entediado.

Eu respondo:

— Ah, bem...

Agnès balbucia mais um pouco, e Dominique diz com a mesma voz entediada:

— Não dá trabalho nenhum. Ela vai mesmo buscar um lanche para ela.

— Então, quero, obrigada, adoraria comer alguma coisa — fico olhando toda feliz para Agnès *Oui, merci. Est-ce que vous... Est-ce que vous...*

— O que você está tentando perguntar? — Dominique quer saber, em um tom meio ríspido, fico pensando. Mas vai ver que só estou projetando, por causa da coisa da lipoaspiração. Ainda estou achando difícil acreditar que ela realmente quer transformar este lugar lindo em um daqueles hotéis para onde mandam as participantes de *reality shows* de plásticas depois que elas ganham um nariz novo.

— Quero saber se tem Diet Coke — explico.

Dominique faz careta.

— Claro que não. Para que você vai querer colocar esse tipo de produto químico horrível no seu corpo?

Porque é delicioso, tenho vontade de responder. Mas, em vez disso, digo:

— Ah, certo. Então... nada.

Dominique diz alguma coisa ríspida para Agnès, que assente, pula da toalha, enfia os pés em um par de tamancos de borracha (que parecem ser o tipo de calçado apropriado para andar em cima de cascalho e grama. MUITO mais adequado do que um modelo Manolo de camurça), pega a canga e sai na direção da casa.

— Uau, ela é muito legal — elogio.

— Ela tem que fazer o que você mandar. Ela é uma empregada — Dominique diz.

Olho para Shari.

— Bem, mas por acaso nós também não somos? Não estamos aqui para trabalhar também?

— Mas ninguém espera que você fique buscando e trazendo coisas para os outros. — E você não deve "voseá-la".

— Como assim? — balanço a cabeça. — Não devo fazer *o quê*?

— Você disse *vous* para ela — Dominique explica —, quando tentou falar em francês com ela, agorinha mesmo. Não é adequado. Ela é mais nova do que você, e é empregada. Você tem que dizer *tu* para ela, que é e a versão informal de *vous*. Assim ela vai ficar com ares de superioridade. Não que ela já não sofra disso: realmente não acho adequado que use a piscina em seu horário de folga. Mas Jean-Luc disse que tudo bem, então agora não dá mais para nos livrarmos dela.

Fico olhando para Dominique de boca aberta mais um pouco, totalmente incapaz de acreditar nas palavras que acabam de sair da boca dela. Shari, por sua vez, está literalmente cobrindo o rosto com o livro, esforçando-se muito para esconder o jeito como dá risada.

E até parece que Dominique repararia nisso. Não quando ela está ocupada fazendo o que fará a seguir, que é dizer:

— Está *tão* quente...

O que, de fato, é verdade. Está um forno. Aliás, antes de Dominique começar com a história de *tu* e *vous*, eu estava pensando em dar um mergulho naquela água azul-turquesa tão convidativa a nossa frente...

Mas daí Dominique se adianta a mim: senta na espreguiçadeira, desamarra a parte de cima do biquíni, coloca nas costas da cadeira, volta a se deitar, estica-se toda e diz:

— Ah, assim está melhor.

O ano de 1848 (adequadamente apelidado de o Ano das Revoluções) foi palco de muitos levantes de camponeses por toda a Europa e da queda da monarquia na França, assim como da grande fome da batata na Irlanda. A moda respondeu à inquietação ao exigir que as mulheres cobrissem o corpo o máximo possível, com chapéus assemelhados a bonés, mas com abas grandes para esconder o rosto, e saias que se arrastavam pelo chão, juntando sujeira, que se tornaram os ítens obrigatórios da estação.

Essa foi a época de Jane Eyre, que, todos lembramos, recusou-se a aceitar a oferta generosa do senhor Rochester para que produzisse todo o guarda-roupa dela, dando preferência a lã de merino às organzas de seda que ele encomendara para ela. Ah, se pelo menos ela tivesse os conselhos de Melania Trump, não teria cometido um engano assim tão grande no que diz respeito a sua atitude relativa à moda.

História da Moda
MONOGRAFIA DE ELIZABETH NICHOLS

Nunca falar a respeito de nós mesmos é um
ato muito nobre de hipocrisia.

— *Friedrich Nietzsche (1844-1900),*
filósofo, estudioso clássico e crítico alemão.

E tudo bem. Eu sei que isto aqui é a Europa e que as pessoas são muito mais tranqüilas em relação ao corpo e à nudez do que nós (só que Dominique não é européia. Ela é canadense. O que, acredito, é um pouco como ser européia. Mas, mesmo assim...).

É muito difícil ficar assim conversando com uma pessoa cujos mamilos desnudos meio que estão... apontados para você.

E Shari não está ajudando em nada. Cheia de resolução, ela não tira os olhos das páginas do livro que está lendo. Mas reparo que, na verdade, ela não *virou* a página nem uma vez.

Eu me dou conta de que não tenho nada a fazer além de tentar agir com normalidade. Quer dizer, até parece que não estou acostumada a ficar olhando para mulheres de peito nu, tendo utilizado os chuveiros coletivos de McCracken Hall.

Mas, bem, eu conhecia todas aquelas garotas.

Além do mais, os peitos de Dominique são... como posso colocar? Um pouco mais arrebitados, de um jeito suspeito, até do que os de Brianna Dunleavy.

E Brianna trabalhava meio período no Bare Assets Cocktail Lounge.

— Então — digo, com ar despreocupado —, você mencionou a Luke todas essas idéias que tem para, eh... aprimorar Mirac?

Porque eu não consigo parar de imaginar o que *ele* acha dos planos de Dominique.

— Claro que sim — Dominique ergue a mão para jogar o cabelo louro comprido para trás. — E para o pai dele também. Mas o velho só está interessado em uma coisa. O vinho. Então, até que ele morra... — Dominique dá de ombros de maneira metafórica.

— Luke está esperando o pai morrer para transformar este lugar em um Hyatt Regency? — pergunto, com a voz falhando um pouco de tão estupefata que fico. Porque simplesmente não posso acreditar que o Luke que eu conheci ontem possa fazer uma coisa dessas.

— Um Hyatt? — Dominique parece escandalizada. — Eu disse que vão ser acomodações cinco estrelas, não uma filial de uma rede de hotéis americana vagabunda. E, não, Jean-Luc não demonstrou nenhuma animação especial em relação aos meus planos. Por enquanto. Para começo de conversa, porque ele teria que se mudar definitivamente para a França, para que tudo fosse implementado, e ele não está interessado em largar o emprego dele na Lazard Frères. Mas eu já lhe disse que seria muito fácil ele se transferir para o escritório de Paris. Então, nós poderíamos...

— Nós? — pulo em cima da palavra como vovó faz com uma garrafa de Bud. — Vocês vão se casar?

— Bem, certamente — Dominique responde. — Um dia.

É ridículo como a afirmação lança uma pontada de dor que atravessa o meu coração. Eu mal o conheço. Faz apenas um dia que nos conhecemos.

Mas bem, também sou a mesma garota que viajou até a Inglaterra para ficar com um cara com quem só tinha passado vinte e quatro horas, três meses antes.

E olhe só no que isso deu.

— Ah — Shari finalmente abre o bico —, você e Luke estão noivos? Que engraçado, Chaz nunca comentou isso comigo. Achei que Luke contaria algo desse tipo para ele.

— Bem, não há nada assim tão formal quanto um noivado — Dominique responde com óbvia relutância. — Afinal, quem é que fica noivo hoje em dia? Atualmente os casais formam parcerias, não casamentos. Tem tudo a ver com a combinação dos ganhos e o investimento no futuro compartilhado. E eu soube, desde o primeiro instante que vi Mirac, que este é um futuro no qual desejo investir.

Fico olhando fixamente para ela. Hoje os casais formam parcerias, não casamentos? Combinam ganhos e investem em um futuro compartilhado?

E que papo é este de *desde o primeiro instante que vi Mirac*? Será que ela não quer dizer *desde o primeiro instante que vi Jean-Luc*?

— O lugar é lindo — Shari vira a página do livro que sei que ela não leu. — Por que você acha que Luke não quer se mudar para Paris?

— Porque Jean-Luc não sabe o que quer — Dominique solta um suspiro de frustração.

— Algum homem sabe? — Shari pergunta, com suavidade. E percebo, pelo tom dela, que está se divertindo muito com aquela conversa.

— Talvez ele não queira ficar longe de você — ofereço, com muita generosidade, na minha opinião, levando em conta que estou um pouco a fim do namorado dela. Mas é só isso. Só uma quedinha. Mesmo.

Dominique vira a cabeça para olhar para mim.

— Eu me ofereci para me transferir para Paris com ele — ela diz, com a voz impassível.

— Bem, a mãe dele mora em Houston, certo? Talvez ele não queira sair de perto dela — insisto.

— Não é isso — Dominique responde. — É que, se ele fizer o pedido para ser transferido para Paris e for aceito, vai ter que ir. E então, vai ficar estagnado nessa posição. E, assim, nunca vai ter a oportunidade de seguir a carreira que realmente deseja.

— Qual é a carreira que ele realmente deseja? — pergunto.

— Ele quer ser médico — Dominique, pega a garrafa de água que está ao lado da espreguiçadeira dela e dá um gole.

— Médico? — eu me sinto emocionada. Não acredito que Luke não comentou isso comigo no trem, quando eu disse todas aquelas coisas ruins a respeito de quem trabalha no mercado financeiro. — É mesmo? Mas isto é maravilhoso. Quer dizer, os médicos... curam as pessoas.

Dominique olha para mim como se eu tivesse dito a coisa mais óbvia do mundo. Que eu, é claro, disse mesmo.

Mas é claro que ela ainda não se deu conta de que tenho o costume de dizer a primeira coisa que me vem à cabeça. Sério. É como uma doença.

— O que quero dizer é que ser médico é muito importante — apresso-me em completar. — Sabe como é. Para a sociedade. Porque sem eles, nós todos ficaríamos... muito mais doentes.

Olho para ela para ver o que pensa sobre este arroubo de dedução da minha parte. Dominique se apoiou nos cotovelos (apesar de o movimento, misteriosamente, não ter feito os peitos dela se mexerem nem um pouco) para olhar além de mim, para Shari.

— A sua amiga — ela diz a Shari — fala muito.

— É — Shari responde. — Lizzie realmente tem esta tendência.

— Desculpe — sinto o rosto corar. Mas até parece que vou calar a boca. Porque isto é fisicamente impossível. — Mas por

241

que Luke não estuda medicina? Quer dizer, se é isso que ele quer? E o fato de médicos não ganharem muito dinheiro não pode ser uma explicação para isso — o Luke que eu conheço (aquele que permitiu a mim, uma desconhecida completa, chorar no ombro dele ontem e que dividiu os amendoins dele comigo) jamais escolheria uma carreira com base no salário que poderia obter com a dita carreira.

Quer dizer, será que escolheria?

Não. De jeito nenhum. Hugo em vez de Hugo Boss! Fala sério! Esta é a escolha de um homem que escolhe o conforto pessoal em detrimento do estilo...

— É por causa do preço da faculdade de medicina? — pergunto. — Porque os pais de Luke certamente o sustentariam enquanto ele estivesse estudando. Você já pensou em falar sobre isso com a mãe e o pai de Luke?

A expressão de Dominique muda de nojo leve (de mim, aparentemente) para outra de pavor.

— Por que eu faria isso? — Dominique parece estar completamente perplexa. — Quero que Luke se transfira para Paris comigo e trabalhe na Lazard Frères, para que ele e eu possamos transformar este lugar em um hotel cinco estrelas para conseguirmos um lucro considerável e vir passar os fins de semana aqui. Não quero ser esposa de médico e continuar morando no Texas. Será que é assim tão difícil de entender?

Fico olhando fixo para ela.

— Eh... — respondo —, não.

Mas, por dentro, o que eu penso é: *Uau. Esta é uma mulher que sabe o que quer. Aposto que ELA não teria nenhuma reserva a respeito de se mudar para Nova York sem diploma e sem um lugar definido para morar.*

Aliás, aposto que ela ENGOLIRIA Nova York.

É neste ponto que Agnès volta da cozinha, trazendo nas mãos um prato de petiscos.

— *Voilà* — ela diz para mim, com uma expressão de quem está extremamente feliz consigo mesma ao me entregar a criação que preparou para mim.

Que parece ser metade de uma baguete francesa cortada ao meio e preenchida com...

— Chocolate Hershey! — Agnès exclama, feliz por estar usando as únicas palavras em inglês que parece conhecer.

Acabo de receber um sanduíche de chocolate Hershey.

Agnès estende o prato para Shari, que dá uma olhada e diz:

— Não, obrigada.

Dando de ombros, Agnès então oferece o prato a Dominique. A adolescente não parece nem um pouco chocada com o fato de a namorada de seu patrão estar meio nua, o que comprova que os franceses de todas as idades se sentem muito mais à vontade com o nudismo do que eu.

Dominique dá uma olhada para o sanduíche no prato a sua frente, sente um calafrio e diz:

— *Mon Dieu. Non.*

243

Está certo. Talvez ela não fosse engolir Nova York. Engordativo demais.

Agnès dá de ombros mais uma vez, pega seu próprio sanduíche de chocolate do prato, afunda-se em sua espreguiçadeira e manda ver. Pedacinhos crocantes de casca de pão caem em toda a parte da frente do maiô dela quando dá a primeira mordida. Mastigando, ela lança para mim um sorriso cheio de chocolate.

— *C'est bon, ça* — ela aponta para o sanduíche.

Isso está bastante óbvio. A verdadeira pergunta, claro, é como poderia não ser bom.

Além do mais, como eu poderia recusar um lanche feito com tanta consideração e carinho? Não quero magoar a menina.

Há somente uma coisa que eu posso fazer, é óbvio. E é o que faço.

E este é, sem dúvida, o sanduíche mais gostoso que eu já comi.

Mas é o tipo de sanduíche que dá para ver que Dominique (se algum dia enfiar suas garras voltadas para o negócio neste lugar) baniria imediatamente! Mulheres que se recuperam de uma lipoaspiração não vão querer que lhes ofereçam sanduíches de baguete com uma barra de chocolate Hershey! Pessoas em retiro corporativo não podem comer barras de chocolate! Praticamente dá para ver Dominique pensando essas coisas enquanto ergue um frasco de protetor solar e espalha o creme no peito, cheia de determinação.

Agnès e seus sanduíches de barra de chocolate Hershey logo serão coisa do passado se Dominique conseguir fazer com que Mirac fique a seu gosto.

A menos, é claro, que alguém a detenha.

— Senhoritas.

Quase engasgo com a enorme mordida de sanduíche de chocolate que acabo de dar. Isso porque Luke e Chaz acabaram de aparecer na outra ponta da piscina, suados e todos sujos do tempo que passaram cortando os arbustos ao longo da entrada.

— *Salut* — Dominique ergue um braço bem bronzeado para acenar para eles. Os peitos dela, reparo, não se mexem nem um pouco quando ela faz esse movimento. É um milagre da gravidade.

— Olá, garotos — Shari os cumprimentou.

Desta vez não digo nada, porque ainda estou muito ocupada, tentando engolir.

— Estão se divertindo, garotas? — Chaz quer saber. Ele está sorrindo, e sei por quê: por causa de Dominique, seminua. É difícil não perceber o olhar surpreso que ele lança para Shari, que simplesmente diz, com suavidade:

— Ah, nós estamos nos divertindo *bastante*. E vocês?

— Beleza — Chaz responde. — Pensamos em dar uma nadada para refrescar um pouco. — Enquanto diz isso, já está tirando a camisa.

Uma coisa posso dizer a respeito de Chaz. Ele pode até ter mestrado em filosofia, mas o corpo dele é bonito como o de um professor de educação física.

Mas Luke (posso notar com muita clareza quando ele também tira a camisa, um segundo depois) é um exemplo ainda mais espetacular de masculinidade atlética do que Chaz. Não tem nenhum grama de gordura no corpo bronzeado e musculoso dele, os pêlos do peito, apesar de não serem bastos, formam uma seta que parece apontar diretamente para o...

SPLASH! Os dois rapazes pulam para dentro da água brilhante, sem se dar ao trabalho de tirar o *short* primeiro, roubando-me o prazer de ver até onde a trilha de pêlos que adentraram pelo short de Luke leva.

— Caramba, isso foi bom — Chaz diz quando vem à tona.

— Shar, entre aqui.

— Seu desejo é uma ordem, mestre. — Shari larga o livro, levanta e pula para dentro da água.

Alguns pingos caem em cima de Dominique, que os tira com um gesto enojado.

— Dominique — Luke chama do local onde sobe à tona, na parte funda. — Venha. A água está uma delícia.

Dominique balbucia alguma coisa em francês que eu não compreendo totalmente, apesar de a palavra *cheveux* ser mencionada várias vezes. Fico tentando me lembrar se *cheveux* significa cabelos ou cavalos. De algum modo, acho que Dominique não está dizendo que não quer molhar os cavalos.

Shari nada até a lateral da piscina, cruza os braços sobre a borda, ergue um pouco o corpo e diz para mim:

— Lizzie, você tem que entrar. A água está fabulosa.

— Deixe eu terminar meu sanduíche primeiro — digo, já que ainda estou ingerindo aquele preparado que Agnès me entregou, que faz a maior sujeira, mas que é gostoso como o pecado.

— É melhor esperar meia hora depois de comer — Luke diz, em tom de piada, da parte funda. — Não quer ter congestão, não é mesmo?

Por sorte, estou ocupada com a mastigação, de modo que minha boca está cheia demais para que eu pergunte: *Se eu tiver, você me salva, Luke?* Flertar seria totalmente inapropriado, levando em conta o fato de que a namorada dele está sentada bem ao meu lado. Sem a parte de cima do biquíni.

E é bem mais bonita do que eu jamais posso sonhar em ser.

— Ah, a moça nova!

Eu praticamente cuspo o pedaço de pão com chocolate que tenho na boca, tamanho o susto que levo com a voz masculina com forte sotaque francês que escuto atrás de mim. Quando dou meia-volta sobre a minha espreguiçadeira, vejo um senhor mais velho de camisa branca e calça cáqui firmada por um par de suspensórios bordados, cheios de estilo.

— Eh... — digo depois de engolir. — Olá.

— Essa é a moça nova? — o senhor pergunta a Dominique e aponta para mim.

Dominique se vira, olha para o senhor e responde, em um tom muito mais agradável do que jamais a vi usar.

— Ah, é sim, monsieur. Essa é Lizzie, amiga de Shari.

— *Enchanté.* — O senhor ergue a minha mão (a que não segura os resquícios do meu sanduíche de chocolate Hershey) e a leva para as proximidades de seus lábios (mas sem encostar na minha pele).

— Sou Guillaume De Villiers. Quer conhecer o meu vinhedo?

— Papai — Luke diz da lateral da piscina, de onde se apressa para sair da água. — Lizzie não quer ver seu vinhedo neste momento, certo? Ela está relaxando na piscina.

Então, este senhor encantador é o pai de Luke! Não dá para dizer que eu realmente enxergue alguma semelhança: o cabelo de Monsieur de Villiers é espetado e não cacheado como o de Luke, e branco como a neve, não escuro.

Mas ele tem os mesmos olhos castanhos e brilhantes do filho.

— Ah, tudo bem. — Estico a mão para pegar meu vestidinho. — Quero conhecer seu vinhedo, sim, Monsieur De Villiers. Ouvi muito falar dele. E, ontem à noite, tomei um pouco do seu champanhe delicioso...

— Ah — Monsieur de Villiers parece deliciado. — Mas, tecnicamente, não é correto chamar de champanhe, a menos que tivesse sido produzido na região de Champanhe. O que eu produzo só pode ser chamado de espumante.

— Bem — digo, depois de terminar o resto do sanduíche, para ficar com as mãos livres para poder manusear o vestido. — Seja lá o que fosse, estava delicioso.

— *Merci, merci!* — Monsieur de Villiers exclama. Para Luke, que se aproximou da minha espreguiçadeira e pinga em cima das

248

pernas de Dominique (o que faz com que ela assuma expressão aborrecida), ele elogia: — Gostei desta moça!

— Você não precisa ir com ele — Luke diz para mim. — Mesmo. Não permita que meu pai a incomode. Ele é famoso por isso.

— Eu *quero* ir — garanto a Luke, rindo. — Nunca visitei um vinhedo. Eu adoraria ver, se Monsieur De Villiers tiver tempo para me mostrar.

— Tenho todo o tempo do mundo! — o pai de Luke exclama.

— Na verdade, não tem — Dominique dá uma olhada em seu relógio de ouro refinado. — Bibi chega em menos de duas horas. Você não tem que...

— Não, não, não. — Monsieur de Villiers pega no meu cotovelo para me ajudar a me equilibrar enquanto calço minhas sandálias. Ou talvez para impedir que eu fuja correndo. Porque é mais ou menos o que tenho vontade de fazer, levando em conta que o pai de Luke está tendo esta conversa com a namorada de Luke enquanto ela está completamente NUA da barriga para cima!!!

Tento imaginar uma possibilidade de eu me sentir à vontade fazendo *topless* na frente do pai de algum dos meus ex-namorados e não consigo.

— Vamos ser rápidos — Monsieur de Villiers garante a Dominique.

— Vou junto, para me assegurar de que você vai cumprir a promessa, papai. — Luke aceita uma toalha que Agnès lhe oferece. — Não queremos entediar Lizzie até a morte no primeiro dia que passa aqui.

Mas agora que sei que Luke vai nos acompanhar, tenho certeza da única coisa que este passeio não vai ser: tedioso.

Principalmente porque, ao nos afastarmos da piscina e caminharmos na direção do vinhedo que fica atrás da casa principal, percebo que Luke deixou a camisa para trás.

Sinceramente, há algo muito bom nessa história de não se usar a parte de cima.

A Revolução Industrial não fez só introduzir os conceitos do motor a vapor e rotação de culturas para enriquecer o solo com nitrogênio. Não! O meado da década de 1850 foi testemunha da invenção de algo muito mais fundamental e útil à humanidade: a crinolina, ou anágua em arco. Ao poder entrar em uma estrutura de arcos de aço, em vez de ter que colocar quilos e mais quilos de anáguas para poder conferir às saias a amplitude obrigatória que a moda da época exigia das mulheres, elas ganharam a liberdade para realmente movimentar as pernas.

Mas o que pareceu ser uma idéia genial no início logo se revelou um elemento fatal para várias camponesas ingênuas, já que a crinolina, além de atrair pretendentes indesejáveis, também foi responsável pela morte de centenas e centenas de garotas que faziam piquenique e que foram atingidas por raios.

História da Moda
MONOGRAFIA DE ELIZABETH NICHOLS

O homem, o único animal que realmente fala, é o único que precisa de conversa para propagar a espécie. (...) No amor, a conversa tem papel quase maior do que qualquer outra coisa. O amor é o sentimento mais tagarela de todos e consiste, em grande parte, completamente em tagarelice.

— *Robert Musil (1880-1942), escritor austríaco*

Certo, estamos no meio da tarde, e eu estou bêbada.

Mas não é minha culpa! As únicas coisas que ingeri hoje foram um *cappuccino*, um sanduíche de chocolate Hershey e algumas uvas empoeiradas e não muito maduras que Monsieur de Villiers colheu para mim quando estávamos passeando pelo vinhedo.

Então, quando entramos na sala de armazenagem, o pai de Luke ficou me servindo taças de vinho dos vários tonéis de carvalho, fazendo questão de que eu experimentasse todos. Depois de um tempo, tentei recuar. Mas ele pareceu tão magoado!

E ele está sendo tão gentil comigo, me levando para visitar o vinhedo todo e também o sítio que se localiza ao fundo da propriedade e ficou esperando com toda a paciência do mundo enquanto eu acariciava o focinho aveludado do cavalo enorme que enfiou a cabeça por cima do muro de pedra para nos cumprimentar, e enquanto eu dava gritinhos por ter descoberto a origem do som dos sinos de vaca que eu sabia que tinha escutado; estavam mesmo pendurados em vacas, em três delas, que fornecem leite para o *château*.

Daí apareceram os cachorros, ansiosos para cumprimentar o dono, um *basset hound* chamado Patapouf e um *daschshund* chamado Minouche. Precisamos jogar gravetos para eles (apesar de o *basset hound* ter tropeçado nas próprias orelhas ao sair correndo) e ouvi toda a história da vida dos animas, que me foi contada.

E tinha ainda o caseiro para cumprimentar, a mão nodosa dele para apertar e o francês incompreensível dele para escutar (depois que ele falou, Monsieur de Villiers perguntou quanto eu tinha entendido, e quando eu disse "nada", ele gargalhou com gosto).

E tinha também o trator sobre o qual passear e a história da região para aprender... não é à toa que eu estou tonta. Tudo isso, além de dez tipos diferentes de vinho? Quer dizer, todos eram totalmente deliciosos.

Mas estou começando a me sentir meio alta.

Ou talvez seja só por causa da proximidade de Luke. Infelizmente, ele voltou para a casa e colocou uma camisa limpa e uma calça jeans antes de voltar a se juntar a nós.

Mas o cabelo dele continuava molhado e colado na nuca bronzeada de um jeito que me fez, em cima daquele trator, ficar com vontade de abraçá-lo. Até mesmo agora, no ar relativamente frio da sala de armazenamento, não consigo parar de olhar para os antebraços corados de sol dele e ficar imaginando como seria segurá-los...

Ai, meu Deus, qual é o meu PROBLEMA? Devo mesmo estar bêbada. Quer dizer, ele TEM NAMORADA. E ela é mais bonita e mais bem-sucedida do que eu.

Além do mais, tem o problema todo de eu ainda não estar recuperada. Quer dizer, mal acabei de terminar com Andy.

Mas, mesmo assim. Não consigo parar de pensar que Dominique não é a mulher certa para Luke. E nem estou falando dos sapatos dela. Um monte de gente que é superlegal tem um bocado de sapatos caríssimos.

E também não estou falando de toda a tramóia dela para transformar Mirac em hotel. Nem mesmo de seu desdém pelo sonho secreto de Luke de ser médico (não, é claro, que ele tenha compartilhado esse sonho secreto comigo. Simplesmente vou ter que aceitar a palavra de Dominique de que Luke tem de fato um sonho secreto).

Não, é o fato de Luke ser tão legal com o pai dele, demonstrando paciência infinita com a fixação de um homem de idade por seu vinhedo e com a maneira como ele conta a história da propriedade. Como ele se assegurou para que o pai não tropeçasse em nenhum dos equipamentos sobre os quais subiu para me mostrar como funcionava. A maneira como mandou Patapouf e Minouche sentarem quando achou que já tinham pulado tempo demais em cima de monsieur de Villiers. O jeito como tirou a manga da camisa do pai com cuidado da boca daquele cavalo enorme.

O negócio é que a gente não vê esse tipo de gentileza de um filho para com o pai todos os dias. Quer dizer, Chaz nem fala com o pai. E, tudo bem, Charles Pendergast Pai é, de acordo com todos os relatos, um filho-da-mãe.

Mas, mesmo assim.

Um cara desse jeito (tão paciente, tolerante e doce) merece coisa melhor do que uma namorada que não apóia os sonhos dele...

— Você é muito antiquada — Monsieur de Villiers interrompe meus pensamentos nada gentis a respeito da namorada de Luke.

Nós três estamos apoiados, em silêncio, em um tonel, bebericando um cabernet sauvignon. O pai de Luke me disse que ainda está muito novo para ser engarrafado. Até parece que eu saberia dizer qual é a diferença.

— Como assim? — Sei que estou bêbada. Mas de que diabos ele está falando? Não sou antiquada. Eu dei uma chupada no meu último namorado, incrível.

— Esse vestido — Monsieur de Villiers aponta para o que eu visto. — É muito antigo, não é? Você é antiquada para uma moça americana.

— Ah — digo, quando finalmente entendo o que ele quer dizer —, está falando que gosto do estilo vintage. É verdade, este vestido é antigo. Provavelmente é mais velho do que eu.

— Já vi um vestido assim antes. — Pela maneira como monsieur de Villiers espanta uma mosca do rosto (com a mão nada firme), dá para ver que ele também tomou alguns goles a mais do próprio vinho. Bem, está fazendo calor. Esse passeio nos fez andar de um lado para o outro e acabamos ficando com sede. E a sala de armazenamento não tem ar-condicionado.

Mesmo assim, a temperatura ali dentro é bem fresca e confortável. Tem que ser, Monsieur de Villiers me explicou, para que o vinho fermente da maneira adequada.

— Lá em cima — ele prossegue. — No... — olha com ar questionador para Luke — *grenier*?

— No sótão — Luke assente com a cabeça. — Isso mesmo. Tem um monte de roupa velha lá.

— No sótão? — Imediatamente me esqueço de como me sinto bêbada... e de como Luke está bonito. Aprumo o corpo e fico olhando para os dois com os olhos apertados. — Há vestidos vintage Lilly Pulitzer no seu sótão?

Monsieur de Villiers parece confuso.

— Não conheço esse nome — ele diz. — Mas já vi vestidos assim lá em cima. Acho que eram da minha mãe. Faz tempo que quero doar para os pobres...

— Posso vê-los? — tento não soar ansiosa demais.

Mas acho que pareço, de todo modo, porque o pai de Luke dá risada:

— Você adora roupas velhas da mesma maneira que eu adoro o meu vinho!

Começo a corar: que vergonha! Não quis parecer tão ansiosa.

Mas Monsieur de Villiers coloca a mão no meu ombro, em um gesto reconfortante, e diz:

— Não, não, minha intenção não é rir de você. Simplesmente fiquei muito contente com isso. Gosto de ver pessoas que demonstram paixão por alguma coisa, porque, sabe como é, eu também tenho minha própria paixão.

Ele ergue a taça de vinho para ilustrar exatamente qual é a paixão dele... para o caso de eu não ter adivinhado.

— Mas é especialmente agradável ver uma pessoa jovem que tem paixão por alguma coisa — ele prossegue. — Muitos jovens de hoje... não se importam com nada além de ganhar dinheiro!

Lanço um olhar nervoso para Luke. Porque, claro, se for verdade o que Dominique disse a respeito de Luke escolher estudar administração e não medicina, ele é um dos "jovens" de que seu pai está falando.

Mas Luke não demonstra nenhum tipo de culpa que eu consiga detectar.

— Levo você até o sótão se realmente quiser ver as roupas — Luke oferece. — Mas não fique achando que vai ter alguma coisa em boas condições. No ano passado, tivemos uma goteira enorme lá, e muitas das coisas guardadas estragaram.

— Não está nada *estragado* — Monsieur de Villiers retruca.
— Só um pouco mofado, talvez.

Mas eu prefiro um Lilly Pulitzer mofado a nunca ter nenhum Lilly Pulitzer.

Luke deve ter sentido minha ansiedade, porque diz, com uma risada:

— Certo, vamos lá. — Para o pai, completa: — Você não acha melhor entrar e tomar um café? É melhor ficar sóbrio antes de mamãe chegar.

— A sua mãe. — Monsieur de Villiers revira os olhos. — É, acho que você tem razão.

E é assim que, alguns minutos depois, tendo agradecido profusamente ao Monsieur de Villiers mais velho pelo passeio e o deixando na cozinha enorme (mas nada *high-tech*, como Dominique comentara), eu me vejo no sótão cheio de teias de aranha com o Monsieur de Villiers mais jovem, examinando baús antigos repletos de roupas e tentando, sem sucesso, conter minha animação.

— Ai, meu Deus! — exclamo ao abrir o primeiro baú e descobrir, embaixo de um jogo de chá de porcelana chinesa do tipo casca de ovo, uma saia de elástico Emilio Pucci. — De quem mesmo seu pai disse que essas coisas eram? Da mãe dele?

— Na verdade, não há como saber — Luke está examinando as vigas por cima das nossas cabeças, procurando por mais goteiras. — Alguns desses baús estão aqui desde antes de eu nascer. Os De Villiers, sinto dizer, são do tipo que gosta de acumular as coisas. Pode pegar tudo que quiser.

— Eu não poderia — respondo, apesar de estar segurando a saia na frente do corpo, para ver se serviria. — Quer dizer, está vendo esta saia aqui? Seria fácil conseguir duzentos dólares nela no eBay. — então engulo em seco e volto a mergulhar no baú, incrédula.

Mas é verdade. Achei a coisa mais rara entre as raridades: o vestido Lilly Pulitzer com estampa de tigre, famoso e impossível de achar... *com a echarpe combinando.*

— Bem, eu é que não vou me dar ao trabalho de vender isso — Luke está dizendo. — Então, é melhor que vá para alguém que possa apreciar. Que, pelo jeito, é você.

— Fala sério! — Inclino o corpo e encontro o que parece ser um chapéu de veludo azul John Frederics todo amassado, mas genuíno. — Há coisas maravilhosas aqui, Luke. Só precisam de um pouco de amor e carinho.

— Acho que essa é uma descrição bem adequada — Luke vira uma cadeira de madeira e se senta com as pernas abertas, virado para o espaldar e com os braços apoiados nele, enquanto fica me observando — para Mirac de modo geral.

— Não. — Este lugar é lindo. Vocês fizeram um trabalho maravilhoso ao mantê-lo em bom estado durante todos esses anos.

— Bem, não tem sido nada fácil. Na quebra da bolsa, em 1929, meu avô perdeu quase tudo, inclusive a colheita daquele ano, por causa de uma praga. Tivemos que vender uma boa parte do terreno para poder pagar os impostos da propriedade.

— É mesmo? — De repente, os baús por abrir ao meu redor já não parecem tão interessantes. Pelo menos, não tão interessantes quanto o que Luke me conta. — Que interessante.

— Depois, teve a ocupação nazista... meu avô se recusou a receber oficiais da SS na propriedade dizendo que meu pai estava com febre amarela, que é muito contagiosa... coisa que ele não tinha, mas fez com que os alemães fossem para outro lugar. Mesmo assim, os anos de guerra não foram nada bons para a produção de vinho.

Em me sento em cima de um baú bem ao lado do que acabei de saquear. Tem alguma coisa volumosa embaixo de mim, mas eu mal noto.

— Deve ser muito estranho — digo — ser dono de uma coisa que tem tanta história. Principalmente se...

— Se?

— Bem — continuo, cheia de hesitação —, se ser dono de um castelo não for exatamente o trabalho dos seus sonhos. Dominique estava dizendo alguma coisa sobre como você na verdade queria ser, eh... médico.

— O quê? — As costas dele se aprumam, e o olhar dele, sob a luz dourada que entra pelas janelas em forma de diamante nas duas extremidades do telhado longo e inclinado, parece sombrio de um modo impenetrável. — Quando foi que ela disse isso?

— Hoje — respondo, toda inocente. Porque eu *sou* inocente. Dominique não disse que era segredo. Não que, tendo em vista meu histórico, teria feito alguma diferença se ela tivesse dito. — Quando estávamos na piscina. Por quê? Não é verdade?

— Não, não é verdade — Luke responde. — Bom, com certeza, teve uma época... Caramba, o que mais ela disse?

Que você é um amante atencioso e cheio de consideração na cama, é o que tenho vontade de dizer. *Aquela garota não precisa se preocupar em dar conta de suas próprias necessidades quando está com você, porque você se mostra totalmente disposto a cuidar disso para ela.*

— Nada — é o que respondo, em vez disso. Porque é claro que Dominique não disse nada nem ao menos parecido. Isso é só a minha imaginação suja e sacana falando. — Ah, só uma coisa sobre como ela quer transformar Mirac em um hotel ou spa para as pessoas se hospedarem quando estiverem se recuperando de cirurgias plásticas.

Luke parece ainda mais surpreso.

— *Cirurgia plástica?*

Opa.

— Não foi nada demais — digo, e fico vermelha como um pimentão. Ai. Não. Não. Acredito. Que. Eu. Fiz. De. Novo. Viro-me de volta para os baús, para esconder o fato de que estou corando de vergonha. — Caramba, Luke, estas coisas são maravilhosas.

— Espere. *O que* foi que Dominique disse?

Lanço um olhar cheio de culpa para ele.

— Nada — respondo. — De verdade. Eu não devia... quer dizer, isso é entre você e ela... sei que não é da minha conta...

Mesmo assim, acabo despejando tudo.

— ...mas acho que você não deveria transformar este lugar em um hotel — digo, toda apressada. — Mirac simplesmente parece tão especial. Comercializá-lo desta maneira simplesmente acabaria com o charme, eu acho.

— *Cirurgia plástica*? — Luke repete, ainda com uma expressão de descrença no rosto.

— Acho que até entendo por que isso pode parecer interessante, já que você queria ser médico e tudo o mais, mas...

— Eu não queria — Luke levanta da cadeira de um salto e dá alguns passos rápidos na direção da outra ponta do sótão, passando a mão pelo cabelo cacheado e cheio. — Eu disse a ela que, quando eu era criança, queria ser médico. Daí eu cresci e percebi que teria que estudar mais *quatro* anos depois do tempo normal de faculdade... sem contar mais três anos de residência. E eu não gosto tanto assim de estudar.

— Ah. — Eu me encolho toda em cima da tampa do baú. Então, não é só porque médicos não ganham tanto dinheiro quanto quem trabalha no mercado financeiro hoje em dia?

— Por acaso ela... — ele se vira para ficar de frente para mim. — Foi isso que ela disse que eu falei?

Dá para ver que estou pisando em terreno perigoso. Endireito as costas e, ansiosa para mudar de assunto, digo:

— O que é esta coisa volumosa em cima da qual estou sentada?

— Porque não é verdade — Luke caminha na minha direção quando me curvo para pegar o objeto branco e comprido. — Não teve nada a ver com dinheiro. Quer dizer, é verdade que, enquanto eu estivesse estudando, não iria receber dinheiro nenhum. E, sim, claro que isso é uma preocupação. Não vou mentir. Gosto de ter meu próprio dinheiro para não depender dos meus pais para me sustentar. Eu sou do tipo que gosta de pagar as próprias contas, sabe como é?

— Ah. — Desenrolo o que parece ser um tecido comprido de cetim branco daquele objeto comprido e duro, incrível.

— E, tudo bem, cheguei a dar uma olhada nos programas preparatórios para a especialização médica em algumas faculdades... porque, sabe como é, como não estudei matérias relacionadas a esta cadeira, mesmo que eu quisesse estudar medicina agora, teria que fazer vários cursos preparatórios ligados à ciência.

— Claro — respondo, ainda me esforçando para desenrolar o objeto escondido no meio daquele pano todo, que parece ser uma espécie de toalha de mesa.

— E, tudo bem, talvez eu até tenha me inscrito em alguns cursos. E talvez eu tenha sido aprovado em Columbia e na Universidade de Nova York. Mas, quer dizer, mesmo que eu estude em tempo integral, inclusive no verão, é mais um ano de estudo que não vai contar para a faculdade de medicina em que eu talvez possa entrar. Será que é isso mesmo que eu quero? Ficar estudando mais *cinco* anos? Se eu não preciso?

— Ai, meu Deus — exclamo, porque finalmente desembrulhei a coisa comprida e dura. E dei uma boa olhada no que estava sendo usado para envolvê-la.

— Isso — Luke diz, com ar alarmado — é o rifle de caça do meu pai. Não... Lizzie, não segure assim. Por Deus — ele se apressa em tirar a coisa comprida da minha mão, então a abre e olha dentro do cano. — Ainda está carregado — informa com a voz fraca.

Agora que Luke tirou a arma de mim, estou com as mãos livres e posso dar uma bela sacudida na coisa em que o rifle estava enrolado.

— Lizzie — Luke parece meio nervoso —, da próxima vez, quando você estiver segurando um rifle de caça... mesmo que esteja descarregado... não fique sacudindo de um lado para o outro. E, definitivamente, não aponte para a sua própria cabeça. Quase me matou do coração.

A voz dele parecia distante. Toda a minha concentração está no vestido que seguro. Até mesmo em seu estado amarfanhado e manchado de ferrugem, dá para ver que é um vestido de seda justo e comprido, cor de creme, de alcinha (completo com pequenos ganchos na parte de dentro, para esconder as alças do sutiã), belas pregas por cima do busto bem moldado e com uma fileira de botões que só podem ser pérolas de verdade.

— Luke, de quem é este vestido? — pergunto, procurando a etiqueta.

— Você não ouviu? — Luke insiste. — Essa coisa está carregada. Você poderia ter estourado a própria cabeça.

Então eu encontro. As palavras que quase fazem o meu coração parar, apesar de estarem bordadas com muita discrição em linha preta sobre uma etiqueta branca e pequena: *Givenchy Couture.*

Parece que alguém me deu um chute.

— Givenchy... — Cambaleio para trás, para me largar de novo em cima do baú, porque parece que meus joelhos pararam de funcionar. — Givenchy Couture!

— Deus — Luke repete. Agora ele tirou a munição do rifle e o colocou em cima da cadeira que abandonou, então corre pelo sótão na minha direção, todo solícito. — Tudo bem com você?

— Não, não estou nada bem. — Agarro a camisa dele, fazendo com que ele se abaixe até se ajoelhar ao meu lado e ficar com o rosto a meros centímetros do meu.

Ele não compreende. Simplesmente não compreende. Preciso fazer com que ele compreenda.

— Este aqui é um vestido de noite Hubert de Givenchy. Um vestido de noite da alta-costura, sem preço, único, feito por um dos estilistas clássicos mais inovadores do mundo. E alguém usou para enrolar aquela arma velha que... que...

Luke olha para mim, cheio de preocupação nos olhos.

— Que o quê?

— Que soltou FERRUGEM nele!

Alguma coisa faz os lábios de Luke se voltarem um pouco para cima. Ele está sorrindo. Como pode estar sorrindo? Dá para ver que ele ainda não entendeu.

— FERRUGEM, Luke — digo, desesperada. — FERRUGEM. Você faz idéia de como é difícil tirar ferrugem de tecidos

265

delicados como seda? E, olhe, olhe aqui... uma das alças está rasgada. E a barra... tem um rasgo aqui. E aqui. Luke, como alguém pôde ter feito uma coisa dessas? Como alguém pôde... ASSASSINAR um vestido vintage lindo como este?

— Não sei — Luke responde.

Ele continua sorrindo, e isso quer dizer que continua sem entender.

Mas ele também colocou a mão na minha, que continua agarrada à camisa dele. Os dedos de Luke são quentes e passam segurança.

— Mas tenho a sensação de que, se existe alguém no mundo capaz de ressuscitar a vítima — ele prossegue com sua voz profunda e sóbria (que parece ainda mais profunda e sóbria na imobilidade do sótão comprido) —, é você.

Os olhos de Luke, quando os fito bem no fundo, parecem muito escuros, e muito simpáticos... exatamente como os lábios dele, que, como sempre, parecem enormemente beijáveis.

COMO É QUE ELE PODE TER NAMORADA? Não é justo. Simplesmente, não é justo.

Faço a única coisa possível nessas circunstâncias. Largo a camisa dele com cuidado e afasto a mão (e o olhar) dele.

— Acho que sim... — Olho para os metros de tecido manchado no meu colo, na esperança de que Luke não repare como estou corada... nem que meu coração bate em disparada, que sinto pulsando dentro das costelas. — Acho que eu posso tentar. Quer dizer... se for tudo bem para você, eu gostaria de tentar.

— Lizzie, esse vestido está aqui no sótão só Deus sabe desde quando e, como você mencionou, não estava muito bem guardado. Acho que ele merece pertencer a alguém que vai dar a ele o carinho e a atenção que merece.

Igualzinho a você, Luke! Tenho vontade de gritar. *Você merece pertencer a alguém que dê a VOCÊ carinho e atenção... que vai dar apoio ao seu sonho de se tornar médico, e que não vai aporrinhá-lo para ir para Paris, que vai ficar ao seu lado durante esses cinco anos extras de estudo, e que vai prometer nunca transformar o seu lar ancestral em um spa para pessoas em recuperação de cirurgia plástica, mesmo que isso dê mais dinheiro do que promover casamentos.*

Mas é claro que não posso dizer nenhuma dessas palavras.

Em vez disso, falo:

— Sabe, Chaz vai para a Universidade de Nova York no próximo semestre. Talvez, se você decidir fazer aquele tal curso preparatório para medicina, vocês dois possam achar um lugar para morar juntos.

Quer dizer, completo, em silêncio, *isto se Dominique não insistir em ir com você...*

— É — Luke ainda sorri. — Vai ser como nos velhos tempos.

— Porque — prossigo, mantendo as mãos bem longe dele, sobre a maciez sedosa do vestido no meu colo — eu acho que, se tem alguma coisa que você realmente quer fazer... como ser médico... você deve tentar. Quer dizer, se não, nunca vai saber. E pode se arrepender pelo resto da vida.

Luke, não posso deixar de notar, continua ajoelhado ao lado da minha cadeira, com o rosto ainda muito próximo ao meu para me deixar à vontade. Estou tentando não pensar em como meu conselho (relativo a tentar as coisas) também poderia se aplicar ao fato de eu querer dar um beijo nele. Porque, você sabe: pode ser que eu nunca mais tenha chance de ver como é.

Mas beijar um cara que tem namorada simplesmente é errado. Até mesmo se for uma namorada que não tem, necessariamente, os maiores interesses dele em mente, como eu tenho. É o tipo de coisa que Brianna Dunleavy, lá do alojamento McCracken, faria.

E ninguém gostava de Brianna.

— Não sei — Luke diz. — Será minha imaginação ou ele está olhando para a minha boca? Será que tem alguma coisa colada no meu gloss? Ou... ai, meu Deus... será que meus dentes estão roxos por causa de tanto vinho tinto? — É um passo grande demais. Que muda a vida de alguém completamente. É arriscado.

— Às vezes — meus olhos estão pregados nos lábios dele (reparo que os dentes dele não estão nem um pouco roxos) — a gente precisa assumir grandes riscos se quisermos descobrir quem somos, e por que fomos colocados neste planeta. Tipo eu, que pulei naquele trem e vim para a França, em vez de ficar na Inglaterra.

Certo, ele está se inclinando com toda a certeza. Ele está se inclinando para cima de mim. O que isto quer dizer? Será que ele quer me beijar? Como é que ele pode querer *me* beijar se tem a namorada mais linda do mundo reclinada *seminua* na beira da piscina?

Não posso permitir que ele me beije. Nem que ele queira. Porque seria errado. Ele tem namorada.

E, além do mais, tenho certeza de que ainda estou com bafo de vinho.

— O risco valeu a pena? — ele quer saber.

Parece que não consigo desgrudar o olhar dos lábios dele, que estão se aproximando dos meus.

— Totalmente — respondo. E fecho os olhos.

Ele vai me beijar. Ele vai me beijar! Ah, não!

Ah. Sim.

Foi uma norte-americana, uma mulher chamada Amelia Bloomer, a primeira a erguer a voz para falar dos perigos da crinolina (e também da prática anti-higiênica de usar saias que varriam toda a sujeira do chão). Ela incentivou as mulheres a adotar a "calçola", uma calça com pernas bufantes por baixo da saia na altura do joelho que não seria considerada modesta hoje em dia de acordo com nenhum padrão. Os vitorianos, no entanto, demonstraram forte objeção ao uso de calças pelas mulheres de família, e a "calçola" se transformou em símbolo de transgressão.

História da Moda
MONOGRAFIA DE ELIZABETH NICHOLS

16

Um amante sem indiscrição não é amante coisa nenhuma.
A circunspeção e a devoção são contraditórias em termos.

— *Thomas Hardy (1840-1928), escritor e poeta britânico*

— **J**ean-Luc?

Espere. Quem disse isso?

— Jean-Luc?

Meus olhos se abrem de supetão. Luke já está em pé, correndo na direção da porta do sótão.

— Estou aqui — ele grita pela escada estreita que leva ao
terceiro piso. — No sótão!

Certo. O que acabou de acontecer? Em um minuto, ele estava prestes a me beijar (tenho quase certeza disso), e no outro...

— Bom, é melhor você descer agora — a voz de Dominique parece aborrecida. — A sua mãe acabou de chegar.

— Merda — Luke diz. Mas não para Dominique. Para
Dominique, grita: — Certo. Desço em um segundo.

271

Ele se vira e olha para mim. Estou lá sentada, com o vestido de noite Givenchy ainda largado no meu colo, sentindo-me como se alguma coisa tivesse sido arrancada de mim. Meu coração, talvez?

Mas isso é ridículo. Eu não queria que ele me beijasse. Não queria. Mesmo que fosse beijar.

Mas não ia.

— Precisamos ir — Luke informa. — A menos que você queira ficar aqui. Pode pegar tudo que quiser...

Tudo menos a única coisa que mais quero, começo a perceber.

— Ah — eu me levanto. Fico levemente surpresa com o fato de que os meus joelhos ainda conseguem me sustentar —, não, não posso.

Mas não larguei o vestido de noite, fato em que Luke repara, e que faz um dos cantos de sua boca subir, como quem já entendeu tudo.

— Quer dizer — baixo os olhos cheios de culpa para a braçada de seda que seguro. — Claro, posso levar este aqui e tentar restaurá-lo..

— Claro que sim — Luke diz, ainda tentando esconder o sorriso.

Ele está rindo de mim. Mas não ligo, porque agora nós dois temos um outro segredo. Em breve, vou ter mais segredos com Luke De Villiers do que com qualquer outra pessoa.

Mas, graças ao Sistema Lizzie de Comunicação, não tenho mais nenhum segredo com qualquer outra pessoa. Isto é definitivamente algo em que preciso trabalhar.

272

Sigo Luke escada abaixo. Dominique está esperando ao pé da escada. Ela tirou o biquíni e colocou um vestido de linho cor de creme muito contemporâneo, que deixa os ombros dela à mostra e faz sua cintura parecer minúscula. Nos pés dela, logo reparo, há um par de mules de bruxa má com bicos finíssimos.

— Bem — ela diz quando me vê atrás de Luke —, você realmente fez a turnê completa, não é mesmo, Lizzie?

— Luke e o pai dele foram muito atenciosos — tento esconder a culpa. Mas por que eu tenho que me sentir culpada? Não aconteceu nada. E nada iria acontecer.

Provavelmente.

— Tenho certeza que sim — Dominique diz em tom entediado. Então, lança um olhar crítico para Luke. — Olhe só para você. Está todo empoeirado. Não pode receber a sua mãe assim. Vá se trocar.

Se Luke não gosta de receber ordens deste jeito, não demonstra. Em vez disso, sai pelo corredor e vai dizendo por cima do ombro:

— Diga a minha mãe que chego em um minuto.

Saio na direção do meu próprio quarto, onde pretendo esconder o vestido de noite até que eu consiga encontrar alguns limões ou, ainda melhor, cremor de tártaro, para poder colocar nas manchas. Já dei sorte no passado tirando manchas de ferrugem de seda com esses dois ingredientes.

Mas Dominique me detém antes que eu possa dar um único passo.

273

— O que é isso que você tem aí? — Dominique pergunta.

— Ah — desdobro o vestido e seguro para ela ver —, é só um vestido velho que eu achei lá em cima. É uma pena, agora está coberto de ferrugem e de manchas. Vou ver se consigo limpar.

Dominique lança um olhar crítico à roupa, de cima a baixo. Se ela o reconhece como uma peça importante da história da moda, não deixa transparecer.

— É muito velho, acho — ela comenta.

— Nem tanto — rebato. — Anos sessenta. Talvez do início dos setenta.

Ela franze o nariz.

— Está fedendo.

— Bem, estava lá naquele sótão mofado. Vou deixar um pouco de molho para ver se consigo tirar as manchas. Também vai ajudar com o cheiro.

Dominique estica o dedo para tocar na seda macia. Um segundo depois, já está pegando a etiqueta.

Ai. Ela viu.

Mas não solta gritinhos, como eu fiz. Isso porque Dominique de fato consegue se conter.

— Você é boa de costura? — ela pergunta, com muita calma. — Achei que ouvi sua amiga Shari dizer isso...

— Ah, só costuro direitinho — respondo, cheia de modéstia.

— Se você cortar a saia aqui — Dominique diz, indicando um lugar onde, se eu fosse cortar a saia, a barra ficaria bem em cima do joelho dela —, ficaria um lindo vestido de coquetel. Eu teria que tingir de preto, claro. Se não, acho que fica muito com cara de vestido de noite.

Opa. Espere aí só um minuto.

— Porque é um vestido de noite — eu digo. — E tenho certeza de que pertence a alguém. Só vou tentar restaurá-lo. Tenho certeza de que a pessoa a quem ele pertence adoraria tê-lo de volta.

— Mas essa pessoa poderia ser qualquer uma — Dominique diz. — E, seja quem for, caso se importasse com ele, não teria largado lá. Se for questão de custo, posso pagar de bom grado...

Arranco o vestido dos dedos dela. Não consigo me segurar. Parece que ela se transformou na Cruela Cruel e que o vestido é um filhotinho de dálmata. Não acredito que alguém pode ser tão maldosa a ponto de sugerir que se corte, e muito menos que se tinja, um Givenchy original.

— Que tal vermos primeiro se eu consigo tirar as manchas? — digo com toda a calma que consigo reunir, visto que estou com taquicardia de tanto choque.

Dominique dá de ombros, à sua maneira franco-canadense. Pelo menos, suponho que seja franco-canadense, porque ela é a primeira pessoa dessa nacionalidade que conheço.

— Ótimo — ela diz. — Acho que podemos simplesmente deixar que Jean-Luc decida o que fazer com ele, já que a casa é dele...

Ela não completa... *e eu sou namorada dele, de modo que todos os modelos de alta-costura da casa devem ser meus por direito.*

Porque não precisa.

— Vou lá guardar — informo. — E depois desço para conhecer a senhora De Villiers.

A menção do nome parece lembrar Dominique que estão a sua espera em outro lugar.

— Sim, claro que sim — ela se apressa escada abaixo. Vergonhosamente aliviada, disparo para o meu quarto e fecho a porta atrás de mim, então me apóio nela como se precisasse recuperar o fôlego. Cortar um Givenchy! Tingir um Givenchy! Mas que tipo de mente doentia, desvairada...

Mas agora não tenho tempo de me preocupar com isso. Quero ver como é a mãe de Luke. Penduro o vestido de noite com muito cuidado em um gancho da parede (porque meu quarto não tem guarda-roupa), então tiro o biquíni e o vestido que usei o dia todo. Então visto meu roupão e corro para o banheiro, para me lavar rapidinho, retocar a maquiagem e pentear o cabelo antes de voltar para o quarto e colocar meu vestido de festa Suzy Perette (finalmente consegui tirar a mancha de tinta).

Então, seguindo o som da conversa que vem do andar de baixo, apresso-me para conhecer Bibi De Villiers.

Que se revela não ser nada do que eu estava pensando. Depois de conhecer o pai de Luke, tinha criado em minha mente uma imagem do tipo de mulher com quem ele se casaria: pequena, morena e de fala mansa, para combinar com a falta de atenção sonhadora dele.

Mas nenhuma das mulheres que enxergo do patamar da escada se encaixa nessa descrição. Há três mulheres paradas no hall de entrada (além de Shari, Dominique e Agnès), e nenhuma delas é morena nem pequena.

E COM TODA A CERTEZA não tem fala mansa.

— Mas então, onde Lauren e Nicole vão ficar? — uma garota mais ou menos da minha idade, só que consideravelmente mais loira, perguntar, com um sotaque sulista bem pesado.

— Vicky, querida, eu lhe disse — outra loira, que tem que ser a mãe da garota, já que a semelhança entre as duas é descarada (tirando o fato de que a mãe tem uns dez quilos a mais do que a filha), fala em um tom cheio de sofrimento, mas texano até não poder mais. — Elas vão ter que ficar em Sarlat. Tia Bibi disse que só cabia um certo número de pessoas aqui em Mirac...

— Mas por que os amigos de Blaine podem ficar aqui — Vicky choraminga — e as minhas amigas precisam ir para um hotel? E Craig? Onde os amigos dele vão ficar?

Um rapaz com ar tristonho, encolhido em um canto, perto de uma pilastra de mármore, diz:

— Eu não sabia que Craig tinha algum amigo.

— Cale a boca, seu retardado — Vicky vocifera para ele.

— Bem — declara a outra loira de meia-idade —, tenho certeza de que uma bebida me faria bem. Alguém me acompanha?

— Aqui está, Bibi. — Monsieur De Villiers chega apressado com uma bandeja cheia de *flûtes* de champanhe que ele já tinha preparado, aparentemente, para o caso de uma emergência exatamente como esta.

— Ah, graças ao Senhor. — A mãe de Luke pega logo uma taça. Quase uma cabeça mais alta do que seu em-breve-ex-marido (mas isso pode ser só porque o cabelo dela é bastante armado), ela é uma mulher estonteante que usa um vestido-envelope Diane von Furstenberg de estampa chamativa que exibe sua silhueta ainda em forma em todo o seu esplendor.

— Tome, Ginny — ela pega outra taça de champanhe e entrega para a irmã. — Aposto que você está precisando de um destes ainda mais do que eu.

A mãe de Vicky nem espera até que todo mundo esteja servido antes de virar todo o conteúdo da taça. Parece uma mulher à beira de... bem, de alguma coisa não muito boa.

Dominique, percebo, já chegou lá embaixo e está parada ao lado da senhora de Villiers, supervisionando a distribuição de champanhe. Quando Monsieur de Villiers chega a Agnès, Dominique diz algo bastante ríspido em francês e o pai de Luke parece ficar assustado.

— Ah, certamente, só um golinho — ele diz. — É o meu novo demi-sec...

Dominique lança um olhar de desaprovação para ele.

Mas isto aparentemente não incomoda Luke, que dá um passo à frente, pega uma taça de champanhe da bandeja que o pai segura e entrega a Agnès, que parece surpresa e emocionada.

— Esta é uma ocasião especial — Luke diz, aparentemente para todo mundo, de maneira geral. Mas não posso deixar de pensar que a observação se destina a Dominique. — Minha prima está aqui para o casamento dela. Todo mundo tem que participar da comemoração.

Vejo que Shari, que tirou o maiô e colocou uma blusa branca simples com calça capri, troca olhares com Chaz, que também trocou de roupa desde a última vez que eu o vi e está de calça cáqui e uma camisa pólo limpa. O olhar dela parece dizer: *Está vendo? Eu bem que disse.*

Mas disse o que a ele? O que está acontecendo?

— Bem — a senhora de Villiers diz, erguendo a taça —, então, vamos brindar. À noiva e ao noivo, que ainda não chegou. O canalha sortudo — ela joga a cabeça para trás e dá risada. — Brincadeirinha.

Então, por ter me avistado quando jogou a cabeça para trás, a senhora de Villiers completa:

— Opa, Guillaume, mais uma taça. Tem mais gente chegando.

E Monsieur de Villiers se vira, vê que estou descendo a escada e abre um amplo sorriso.

— Ah, lá está ela — ele estende a última taça de champanhe para mim. — Antes tarde do que nunca. E com toda a certeza valeu a pena esperar.

Com o rosto corado, pego a taça e digo, para a sala toda de maneira geral, como Luke tinha feito:

— Olá, eu sou Lizzie Nichols. Muito obrigada por me receberem aqui como se eu fosse uma convidada de verdade, e não como a intrusa que sou de fato.

Então fico lá parada, torcendo para que alguma coisa pesada caia na minha cabeça e me deixe inconsciente.

— Lizzie, como vai? — a senhora de Villiers dá um passo à frente e aperta a minha mão. — Você deve ser a amiga de Chaz de quem tanto ouvi falar. Muito prazer em conhecê-la. Qualquer amiga de Chaz é nossa amiga. Ele foi um amor com nosso Luke nos tempos de escola. Sempre o ajudava a se meter em encrencas.

Dou uma olhada para Chaz, que sorri.

— Tenho certeza que sim — digo. — Conhecendo Chaz...

— Não é verdade — Chaz me interrompe. — Não é verdade. Luke se metia em muita confusão sozinho, sem a minha ajuda.

— Esta é minha irmã, Ginny Thibodaux, e a filha dela, Vicky — Bibi De Villiers vai dizendo enquanto me conduz pelo hall para conhecer sua família. O aperto de mão da senhora Thibodaux, comparado ao cumprimento vigoroso da irmã, parece uma esponja molhada, e o de Vicky é só um pouquinho melhor. — E este aqui é Blaine, o irmão menor de Vicky que já não é mais tão menor assim. — O aperto de mão de Blaine é um pouco melhor do que o da irmã, mas o rosto dele parece congelado em uma expressão de desdém constante e ele tem uma letra do alfabeto tatuada em cada dedo. Mas não sei o que dizem quando lidas na seqüência.

— Bem — Bibi diz, quando termina de me apresentar —, ao adorável casal.

Então ela acaba com o champanhe de sua taça. Por sorte, o marido dela já está parado ali do lado com uma garrafa nova, pronto para encher os copos de todos mais uma vez.

— É bom, não é? — ele pergunta, ansioso, para qualquer um disposto a responder. — O *demi-sec*? Já não se fazem mais *demi-secs*. Todo mundo só quer saber de *brut*. Mas eu pensei comigo mesmo: por que não?

— É bom pensar diferente dos outros, Guillaume — Chaz diz, em tom simpático.

Eu me aproximo de onde ele e Shari estão e me inclino para perguntar:

— Vocês fazem idéia do que é um *demi-sec*?

— Ah, com o diabo, não — Chaz responde, no mesmo tom simpático, e enxuga sua taça. — Ei, eu quero mais — ele correndo atrás do pai de Luke.

Shari ergue os olhos para mim (ela nunca superou o fato de só ter 1,62m de altura, da mesma maneira que nunca superei o fato de ter a bunda duas vezes maior que a dela, até recentemente) e diz:

— Onde você foi parar a tarde toda? E por que está tão arrumada?

— Luke e o pai dele me levaram para ver o vinhedo — respondo. — E não estou toda arrumada. Este vestido tornou-se roupa do dia-a-dia desde que Maggie o sujou de tinta. Está lembrada?

— Agora não tem mais tinta nenhuma — Shari observa.

— Bem, era solúvel em água. Ninguém dá tinta não-solúvel a uma criança de quatro anos, nem minha irmã.

— Tanto faz. — Shari nunca entendeu minhas regras complicadas de guarda-roupa, apesar de eu já ter me oferecido para explicar diversas vezes. — Fomos convidados para o jantar hoje à noite. Vai ser só a família da noiva, foi por isso. A família do noivo e os demais convidados chegam amanhã. Está pronta para ajudar na cozinha?

— Total — respondo, imaginando a mim mesma com um avental fofo, preparando espaguete para todo mundo.

— Maravilha. É a mãe de Agnès que vai cozinhar. Parece que é uma cozinheira fantástica. Nós vamos cuidar da patrulha da louça. Vamos encher a cara para tudo andar mais rápido.

— Para mim, parece um bom plano — sigo até onde Luke está, já que assumiu a tarefa de encher copos, que era do pai.

— Ah — Luke diz ao reparar em mim —, aqui está ela. Belo vestido.

— Obrigada — digo. — Você também não está nada mal. Sabe se tem um pouco de cremor de tártaro na sua cozinha?

Shari engasga com o gole de champanhe que acabou de tomar. Luke, no entanto, responde com muita calma:

— Não faço a menor idéia. Diga como se fala cremor de tártaro em francês e eu posso perguntar.

— Não sei. Você é que é francês.

— Meio francês — Luke lança um olhar para a mãe, que joga a cabeça para trás e ri de mais alguma coisa que Chaz disse.

— *Crême de tartre?* — Shari sugere.

— Vou perguntar — Luke vai encher o copo da tia.

— Que papo foi esse? — Shari pergunta, quando Luke se afasta a ponto de não escutar.

— Ah, nada — respondo, toda inocente. É meio engraçado, descubro, guardar segredo dela. É algo que nunca fiz na vida.

Mas há várias coisas que nunca fiz na vida e que ando experimentando ultimamente. Algumas sem sucesso, mas outras... Bem, o tempo vai dizer.

— Lizzie? — Shari aperta os olhos para mim. — Tem alguma coisa rolando entre você e Luke?

— Não! Meu Deus, não.

Mas não consigo evitar ficar vermelha ao pensar naquele quase-beijo no sótão. E o que foi aquilo ontem à noite na estação de trem? Será que, naquela hora, Luke também estava prestes a me beijar? De algum modo, fiquei pensando que talvez o beijaria, se Dominique não tivesse aparecido. As duas vezes.

— Ele tem namorada — lembro a Shari, na esperança de que, se eu disser isto em voz alta, também vai ajudar eu mesma a me lembrar deste fato. — E até parece que eu ia dar em cima de um cara que tem namorada. Aliás, quem você acha que eu sou? Brianna Dunleavy?

— Não precisa ficar ofendida. Eu só estava perguntando.

283

— Não estou ofendida — tento parecer bem não-ofendida.

— Eu pareci ofendida? Porque não foi minha intenção.

— Tanto faz, sua louca. — Shari me lança um olhar surpreso. — Vou pegar mais uma taça. Quer vir comigo?

Olho na direção que ela aponta com a cabeça. Luke está abrindo mais uma garrafa do champanhe do pai. Por acaso, ergue a cabeça e vê que estamos olhando para ele do outro lado da sala. Ele sorri.

— Bom, tudo bem — respondo. — Quem sabe mais um.

O meado da década de 1870 foi testemunha de uma espécie de revolução na moda, graças à invenção da máquina de costura e da introdução dos pigmentos sintéticos. Ao mesmo tempo em que a produção em massa significava que roupas baratas e cheias de estilo estavam à disposição de todos, também significou que, pela primeira vez no registro da História, era possível caminhar pela rua e de fato ver outra pessoa usando exatamente a mesma roupa que você. A saia com armação desapareceu, foi transformada no "vestido de anquinhas" — e esta foi a última vez que o traseiro avantajado esteve na moda antes do nascimento de J.Lo.

História da Moda
MONOGRAFIA DE ELIZABETH NICHOLS

A conversa é uma arte pura. Seus limites são apenas a
paciência dos ouvintes que, quando se cansam,
sempre podem pagar o café ou trocá-la com
um garçom simpático e cair fora.

— *John dos Passos (1896-1970),*
romancista, poeta, dramaturgo e pintor norte-americano

O jantar não é bem uma refeição; está mais para conselho de guerra.

Isso porque Vicky e a mãe querem se assegurar de que tudo vai estar pronto para quando os convidados (e os familiares do futuro marido de Vicky) comecem a chegar amanhã.

Acho que dá para entender a preocupação delas. Quer dizer, a gente só se casa uma vez (se tiver sorte). Então, é preciso ter certeza de que tudo vai sair do jeito certo.

Mesmo assim, seria legal se a gente pudesse se concentrar mais na comida que a mãe de Agnès, Madame Laurent, preparou para nós do que nas reclamações da Sra. Thibodaux a respeito de como o carro sacoleja na entrada do castelo.

Porque esta é possivelmente uma das refeições mais deliciosas que já comi, começando com um *cassoulet* (que significa cozido) de peixe cremoso com fatias de maçã como entrada; depois pato caramelizado em algum tipo de molho doce delicioso; uma salada de alface baby com molho de alho; e uma bandeja de queijo enorme, tudo acompanhado por pedaços enormes de pão assado à perfeição (crocante e dourado por fora, macio e quente por dentro) e vinho combinando com cada prato, servido por Monsieur De Villiers, que tenta dar explicações a respeito de cada taça que experimentamos, mas que é sempre interrompido pela tia de Luke, Ginny, que diz coisas como:

— Falando de buquê, alguém já falou com a florista de Sarlat? Ela já sabe que trocamos para rosas brancas em vez de lírios brancos, certo? Qual é mesmo a palavra em francês para rosa?

Ao que Luke responde, seco:

— *Rose*.

E isso faz com que um pouco da água que bebi espirre pelo meu nariz, de tanto que começo a rir.

Por sorte ele não percebe (Luke, quer dizer), porque está sentado lá longe, na outra ponta da mesa de jantar enorme (que acomoda vinte e seis pessoas, como Dominique me informou, quando estávamos a caminho da sala de jantar de pé-direito impressionante de tão alto e com decoração dramática), com a mãe de um lado e Dominique do outro. Estou na ponta oposta, ao lado do pai de Luke e do mal-humorado Blaine.

Não que eu me importe. Principalmente porque nem conheço Luke tão bem assim. Ou pelo menos é o que fico dizendo a mim mesma, agora que Shari está de olho em mim.

Pelo menos tive a oportunidade de observar de perto o que as letras tatuadas nos dedos de Blaine dizem: F-U-C-K Y-O-U!

Acho que o ponto de exclamação é um toque bacana. Imagino que a mãe deve se orgulhar muito dele.

Se é que ela pensa alguma coisa a respeito dele, o que parece improvável, por causa da quantidade de atenção que ela dispensa à filha, que não é uma das noivas mais felizes do mundo, para colocar a coisa de maneira delicada. Parece que nada foi feito direito até agora, e Vicky aparentemente não bota muita fé no fato de que as coisas serão feitas da maneira correta no futuro, apesar dos protestos contrários da mãe, de Luke e até de Monsieur De Villiers.

— Querida, eu já liguei para o hotel, e o *concierge* me garantiu que lá tem espaço de sobra para as suas amigas da irmandade. Ou pelo menos vai ter amanhã, depois que alguns turistas alemães fizerem o check-out, pelo menos — a senhora Thibodaux lança um olhar enviesado para a irmã. — Acho que foi isso que ele disse. Foi meio difícil de entender por causa do sotaque...

— Mas por que os amigos de Blaine não podem ficar no hotel? — Vicky quer saber. — Por que as minhas amigas vão ficar lá? Eu sou a noiva!

— Os amigos de Blaine vão participar da organização do casamento — a mãe a lembra. — Foi você que pediu para eles tocarem na recepção.

— Só — Blaine, ao meu lado, grunhe e esfaqueia repetidas vezes um pedaço de Camembert com a faca de manteiga. — Só pediu depois de a gente conseguir aquele contrato com a gravadora.

— Vocês ainda não são artistas famosos com disco lançado — Vicky despeja para cima dele, lá da outra ponta da mesa. — Não sei por que fica se comportando desta maneira. Seus amigos idiotas podiam ficar na van deles, que nem iam saber a diferença.

— Meus amigos idiotas — Blaine despeja em resposta — são a única coisa bacana do seu casamento, e você sabe muito bem disso.

— Eh... com licença. Acho que casar em um *château* francês já é bem bacana, não precisa de mais nada — Vicky rebate.

— Ah, certo — Blaine revira os olhos. — Até parece que você não ficou falando para todos os assessores de imprensa da cidade que a banda do momento da cena de Houston ia tocar no seu casamento.

— Será que você dois podem calar a boca, diabos — Bibi, tia deles, pergunta com uma voz que desconfio estar mais arrastada do que o normal, graças a tanta champanhe que tomou enquanto ignorava o marido, afastado com muita determinação, embora ele continuasse a fazer todo o esforço possível para se sentar ou ficar ao lado dela e incluí-la na conversa. Na verdade é

289

meio triste ficar vendo como Monsieur De Villiers está feliz por ter a mulher por perto (apesar de a situação ser apenas temporária e de ela só estar aqui por causa do casamento da sobrinha) e como ela não demonstra animação nenhuma pelo fato de estar de volta.

— Realmente, vocês "dois" — a senhora Thibodaux parece à beira das lágrimas —, este não é o momento de ficar discutindo. Está na hora de vocês se unirem para tentarmos superar a crise da melhor maneira possível.

— Crise? — Monsieur De Villiers parece confuso. — Que crise? Victoria vai se casar! Como isto é uma crise? É uma ocasião feliz, não é?

Tanto Bibi quanto a irmã olham para ele ao mesmo tempo.

— Não.

Vicky, depois de olhar de uma mulher para a outra, de repente empurra a cadeira para trás, levanta-se de um pulo e sai correndo da sala de jantar com a mão cobrindo o rosto em um gesto dramático.

E é aí que Shari se levanta e diz:

— Aproveitando o ensejo... muito obrigada. A noite foi adorável. E temos certeza de que todos sabemos o que será necessário amanhã, quando o resto dos convidados começar a chegar. Mas, neste momento, acho que Lizzie e eu vamos começar a cuidar da louça.

— Eu ajudo — Chaz se ergue de um pulo, obviamente ansioso para fugir de tanta briga e da conversa sobre arranjos florais.

— Eu também — Luke diz.

Mas, no minuto em que ele começa a levantar, sua mãe coloca a mão no pulso dele, para segurá-lo, e diz, desta vez sem enrolar a língua nem um pouco:

— Sente-se.

Luke lentamente se afunda na cadeira, com uma expressão de dor no rosto.

Começo a tirar os pratos sujos da minha ponta da mesa. Acho que não tem como escapar daquele silêncio tenso com a rapidez necessária.

Quando entro na cozinha de pé-direito alto (mas sempre antiquada), sorrio para Agnès e a mãe, que erguem os olhos do jantar que compartilham na imensa mesa de madeira rústica.

— *Ne pas se lever* — digo a elas, sem ter muita certeza se este é o jeito certo de dizer "não se levantem". Mas acho que é, porque obtenho o efeito desejado: as duas voltam a se acomodar para terminar a refeição.

— Ai, meu Deus — Shari diz para mim, depois de sorrir para as Laurent. — Ai, meu Deus. Ai, meu Deus. O que foi aquilo lá na sala?

Chaz parece visivelmente abalado.

— Eu me sinto violentado — ele diz.

— Ah, tanto faz — pego uma lata de lixo e começo a jogar o resto dos pratos lá dentro. — A minha família é muito mais vergonhosa do que isso.

291

— Bem — Shari comenta —, eu não tinha pensado no assunto dessa maneira. Mas é um bom ponto de vista.

— Casamentos simplesmente são estressantes, pessoal — pego os pratos que Chaz trouxe e começo a esvaziá-los também. — Quer dizer, as expectativas são muito altas e por isso, quando as coisas não saem perfeitas, as pessoas se acabam.

— Claro — Shari rebate. — Elas se acabam. Mas não entram em combustão espontânea. Você sabe qual é o problema dela, não sabe? De Vicky, quer dizer?

— Ela é a maior fresca? — Chaz pergunta.

— Não — Shari responde. — Ela vai se casar com um cara de classe inferior.

— Não brinca! — solto uma risada.

— Estou falando sério — Shari confirma. — Dominique estava nos contando na piscina hoje, depois que você saiu para dar seu passeio pelo vinhedo, Lizzie. Vicky vai se casar com um programador de computador qualquer, cuja família é toda do Minnesota ou algo assim, em vez de ser o barão texano do petróleo rico que a mãe já tinha escolhido para ela. A senhora Thibodaux está quase louca por conta disso, mas não há nada que possa fazer Vicky mudar de idéia. É *amoooor*.

— E o que o senhor Thibodaux acha de tudo isso? — Chaz quer saber. — O pai de Vicky

— Ah, ele tem alguma reunião importantíssima em Nova York da empresa de investimento dele ou algo assim. Vai chegar aqui só a tempo de levá-la até o altar, e nem um minuto antes, se for inteligente. — Shari entrega um pano de prato para Chaz. — Pronto. Eu enxáguo. Você seca?

— Ai, eu adoro quando você fala essas sacanagens para mim — Chaz responde.

Olho para os dois se acotovelando em cima da pia e penso em como tiveram sorte de se encontrar. Claro que as coisas para eles não são só piadinhas e viagens para a França. Houve a história em que Shari teve que matar e dissecar Mr. Jingles, o rato de laboratório que a universidade designou para ela, para poder passar no curso de neurociência comportamental avançada, e Chaz implorou para que ela poupasse Mr. Jingles e o trocasse, sorrateiramente, por um rato parecido que encontrou na loja PetSmart, no shopping.

Mas Shari não quis trocar os ratos, porque disse que, como cientista, precisava aprender a se distanciar de seus objetos de pesquisa... depois disso Chaz passou duas semanas sem falar com ela.

Apesar disso, de modo geral, eles formam o casal mais fofo que conheço. Tirando os meus pais.

E daria qualquer coisa para ter uma relação assim que pudesse chamar de minha.

Só que, é claro, não recorreria à artimanha de roubar o namorado de alguém para isso. Mesmo que eu pudesse. E não posso.

Então, nem sei por que estou aqui parada, pensando em uma certa pessoa que conheci no trem ontem mesmo.

Agnès e a mãe, assim que terminam de comer, recusam-se a ir embora sem nos ajudar com o restante da louça, e o serviço já está terminado muito antes do que pensei que terminaria, levando em conta o número de pratos que comemos e o número de talheres que utilizamos para consumi-los.

Porém, ainda melhor do que o fato de termos terminado nossas tarefas antes do que eu pensei foi Madame Laurent realmente ter me entendido quando perguntei se tinha cremor de tártaro na cozinha. Melhor ainda: ela surge com uma latinha. Parece meio confusa com a minha alegria por encontrar um composto ácido tão comum, e também feliz por poder ajudar. Ela e a filha nos dão *bonne nuit* (que retribuímos com entusiasmo) e voltam para o moinho para dormir.

Chaz anuncia que vai ver se consegue salvar Luke das garras da mãe e da senhora Thibodaux e se o convence a tomar a saideira antes de dormir. Ele e Shari me convidam para acompanhá-los, mas digo que estou cansada e que vou dormir.

E é mentira, mas fico com vergonha de dizer que tenho outros planos... e que eles envolvem encontrar uma bacia grande o bastante para deixar o vestido Givenchy de molho (com o cremor de tártaro) até a manhã seguinte.

Estou de quatro, com a cabeça enfiada no armário embaixo da pia da cozinha, examinando um utensílio que parece ser adequado (um balde plástico que deve ter sido colocado ali durante algum vazamento antigo) quando ouço uma porta se abrir atrás de mim. Preocupada de que possa ser Luke, porque, se for ele irá me ver no meu pior ângulo. Por isso, começo a me levantar, mas avalio mal a distância entre a pia e a minha cabeça e a bato com toda força na parte de dentro do armário.

— Ai — diz uma voz masculina atrás de mim. — Essa deve ter doído.

Segurando a cabeça com a mão, olho por cima do ombro e vejo Blaine com seu jeans preto folgado, o cabelo tingido de preto e a camiseta do Marilyn Manson que, acredito, ele usa para parecer irônico.

— Tudo bem com você? — ele pergunta com as sobrancelhas levantadas.

— Tudo — respondo. Largo a cabeça, pego o balde e fico em pé.

— Aliás, o que você tá fazendo ali embaixo? — Blaine quer saber.

— Só estou pegando uma coisa — tento esconder o balde atrás da minha saia volumosa. Nem me pergunte por quê. Simplesmente não estou a fim de explicar por que peguei isso.

— Ah — Blaine responde. É aí que reparo em um cigarro, aparentemente artesanal, que está entre os lábios dele, sem acender. — Certo. Bem, escuta só. Por acaso você tem um isqueiro?

— Desculpe, não tenho.

Ele se larga na porta. De verdade. Parece arrasado de fato.

— Merda.

Claro que não sou a favor do fumo, mas levando em conta o que este cara teve que agüentar a noite toda, não o culpo por precisar de um estimulante.

— Por que você não usa uma das bocas do fogão? — sugiro e aponto para o enorme (e antigo) equipamento no canto da cozinha.

— Ah, legal.

Ele cambaleia na direção do fogão, acende uma boca, abaixa o corpo e inala.

— Ahhhh — diz depois de aprumar o corpo e soltar uma bolorada. — Era disso que eu estava precisando.

E reconheço o cheiro doce e pungente que imediatamente me faz pensar no alojamento McCracken. Só então percebo que o cigarro artesanal dele não é tabaco

— Como você conseguiu carregar isso em um vôo transatlântico? — pergunto, verdadeiramente estupefata.

— Já ouviu falar de cueca justa, gatinha? — Blaine responde, largando-se na cadeira da cozinha que Madame Laurent vagara havia pouco tempo e colocando seus pés calçados com coturnos em cima da mesa de madeira rústica.

— Você trouxe maconha para a França dentro da cueca? — estou estupefata.

Ele olha para mim e dá risada.

— Maconha — repete. — Você é gata, sabia?

— Agora a polícia fica com cachorros farejadores no aeroporto — lembro a ele

296

— Claro que sim. Mas são treinados para farejar bombas, não erva. Pronto — ele dá uma tragada profunda no baseado e então o estende para mim. — Fume um pouco.

— Ah — abraço meu balde. Logo percebo, aturdida, que devo parecer uma pessoa muito recatada —, não, obrigada.

Ele fica me olhando, incrédulo.

— O quê? Você não fuma maconha?

— Ah, não. — Não posso me dar ao luxo de perder mais neurônios. Para começo de conversa, nunca tive muitos.

Ele dá risada de novo.

— Essa foi boa. Então, o que uma garota bacana como você está fazendo em um buraco como este?

Imagino que ele esteja fazendo piada, porque o Château Mirac não é um buraco, nem de longe.

— Só estou visitando meus amigos.

— Aquele cara alto e a sapatona?

Fico ultrajada.

— Shari não é lésbica! Não que haja algo errado em ser lésbica. Só que Shari não é.

Ele parece surpreso.

— Não é? Uau. Quase me enganou. Desculpe.

— Ela e Chaz estão juntos há dois anos! — estou absolutamente chocada.

— Certo, certo. Caramba, não precisa ficar toda bravinha comigo. Já pedi desculpas. Ela só pareceu meio sapatona para mim.

— Ela mal disse duas palavras para você!

— Tudo bem.

— O que foi? Qualquer mulher que não se joga em cima de você é lésbica?

— Relaxa. Pode ser? Caramba, você é pior do que a minha irmã, pelo amor de Deus.

— Bem, dá para ver por que a sua irmã pode estar chateada com você. Se você anda por aí acusando as amigas dela de lésbicas, quando não são. E repito: não que haja alguma coisa de errado nisso.

— Deus! Calma aí. Você por acaso é lésbica ou algo assim?

— Não — sinto que minhas bochechas começam a esquentar. — Não sou lésbica. Não que...

— ...haja algo de errado com isso. Já sei, já sei. Sinto muito. É só que, sabe como é, você está aqui sozinha, e ficou tão brava quando falei da sua amiga...

— Para sua informação, estou aqui sozinha porque acabo de sair de uma relação péssima com um britânico. Ontem. Aliás, é por isso que estou aqui.

— É mesmo? O que ele fez? Ele te traiu?

— Pior. Ele traiu o governo britânico. Cometeu fraude contra a previdência social.

— Ah! — Blaine parece impressionado. — Ei, isso é mau. A minha última namorada também foi a maior decepção. Só que foi ela quem me largou.

— É mesmo? Por quê? Você também a acusou de ser lésbica?

Ele sorri.

298

— Engraçado. Não. Ela *me* acusou de ser um vendido porque a minha banda assinou com a Atlantic Records. Sair com um músico herdeiro é uma coisa. Sair com um músico que realmente tem um contrato com uma gravadora é outra completamente diferente.

— Ah — ele parece tão triste por um instante que eu realmente sinto pena dele. — Bem, tenho certeza de que você vai encontrar outra pessoa. Deve ter um monte de mulheres no mundo que gostaria de sair com alguém que tem um contrato com uma gravadora *e* é herdeiro.

— Não sei — Blaine responde, com ar deprimido. — Se houver, ainda não conheci nenhuma.

— Dê tempo ao tempo. É melhor você não se enfiar de cabeça em nenhum relacionamento logo de cara. Você precisa se dar a oportunidade de se curar emocionalmente. — Este parece um conselho muito bom mesmo. Eu devia considerar seriamente a possibilidade de segui-lo eu mesma.

— É — Blaine traga o baseado. — Ouvi bem o que você disse. Foi o que falei para a minha irmã a respeito de Craig. Mas por acaso ela ouviu? Não.

— Ah, Craig é o noivo da sua irmã? Ela ficou com ele para se recuperar de outro relacionamento?

— Ah, droga, ficou sim. Quer dizer, ele é melhor do que o último cara com quem ela quase casou... pelo menos Craig não faz parte da "sociedade" de Houston — ele faz aspas no ar para indicar a palavra, com os dedos que não seguram o baseado. —

Mas é o maior chato. Quer dizer, o cara praticamente faz Bill Gates parecer a porra do Jam Master Jay, se é que você me entende.

— Claro.

— Mas sei lá — Blaine dá de ombros. — Ele a faz feliz. Ou pelo menos, tão feliz quanto um cara pode fazer uma mulher. Mesmo assim, mamãe preferiria mil vezes que ela se casasse com alguém como o nosso bom e velho Jean-Luc.

Fico com raiva de mim mesma pela maneira como meu coração salta só de ouvir o nome de Luke.

— É mesmo? — digo, em uma tentativa de parecer apenas levemente interessada no assunto.

— Merda! Fala sério! Se mamãe conseguisse fazer Vicky se amarrar em algum cara que estudou em uma daquelas escolas particulares de gay, como Luke, e que tem um castelo na França, ela iria se derreter toda, porra. Em vez disso — ele suspira — tudo que lhe sobrou foi Craig — ele estenda a mão e examina os dedos que dizem F-U-C-K — e eu.

— Ah é. Reparei nas suas tatuagens durante o jantar. Deve ter... doído.

— Para dizer a verdade, não me lembro se doeu ou não, de tão chapado que eu estava. Assim que voltar para casa, vou tirar com laser. Quer dizer, foi divertido por um tempo, mas agora estou fazendo negócios sérios e outras merdas assim. É vergonhoso entrar naquelas reuniões corporativas com "Fuck You!" tatuado nas mãos, sabe? Nós acabamos de vender uma das nossas músicas para a Lexus, para um comercial. Seis dígitos, cara. É inacreditável.

— Uau. Pode deixar que vou prestar atenção. Aliás, qual é o nome da sua banda?

Ele solta uma nuvem de fumaça azulada de maconha na direção do teto.

— Satan's Shadow, a sombra de satã — responde, cheio de reverência.

Tusso. E não é por causa da fumaça.

— Bem, é um nome... incomum.

— Vicky acha que é idiota. Mas reparei que, mesmo assim, ela quer que a gente toque na festa dela.

— Bem, casamentos são importantes para as garotas. Você provavelmente devia pedir desculpa para a sua irmã, não acha? Quer dizer, ela está estressada de verdade. Tenho certeza de que a intenção dela não era descontar em você.

— É — Blaine ergue-se da cadeira com muito esforço. — Você deve ter razão. Ei, você não estaria interessada, não é mesmo?

Fico olhando para ele, confusa.

— Interessada? Em quê?

— Você sabe. Em mim. Eu nunca sacanearia com o governo. Tenho um contador para fazer isso.

— Ah — dou um sorriso para ele, surpresa mas lisonjeada —, muito obrigada pela oferta. Normalmente, é claro que eu me agarraria à oportunidade, Mas, como eu disse, ainda estou me recuperando de um relacionamento e não devo me envolver com nada novo por enquanto.

— É — Blaine solta outro suspiro. — Tem tudo a ver com o momento. Bem, boa noite.

— Boa noite. E, eh..., boa sorte. Com a Satan's Shadow e tudo o mais.

Ele acena para mim e sai da cozinha arrastando os pés. E eu saio apressada também, agarrada a meu balde.

O final do século XIX testemunhou a proeminência da "manga bufante" nos vestidos para mulheres, os quais Anne Shirley tanto queria ter na série clássica de livros infantis *Anne of Green Gables*. Os vestidos ficaram mais compridos do que nunca, o que exigiu que as saias fossem erguidas para se atravessar a rua, assim revelando anáguas debruadas de renda, agora não mais disponíveis apenas para os ricos, graças à produção em massa.

Nesse ínterim, as calças de Amelia Bloomer finalmente encontraram quem as defendesse com ardor entre as moças entusiastas da recém-inventada bicicleta, por mais que os pais, os padres ou a imprensa fizessem de tudo para induzir as garotas a desistirem de suas "bloomers", ou de suas bicicletas.

História da Moda
MONOGRAFIA DE ELIZABETH NICHOLS

18

A conversa dele era como uma nascente que corre
passando rapidamente de pedras a rosas

— *Winthrop Mackworth Praed (1802-1839), poeta britânico*

Consegui tirar as manchas de ferrugem.

Eu sei. Eu mesma mal consigo acreditar. Estou parada na cozinha do Château Mirac bem cedo na manhã seguinte, depois de ter deixado o vestido de molho a noite toda no meu quarto, e então desci as escadas correndo (aparentemente ao nascer do sol, mas uma olhadela no meu celular revela que já eram oito horas) para enxaguá-lo na pia da cozinha, que é bem maior do que a do banheiro do outro lado do corredor, na frente do meu quarto.

Juro que esta é a única razão. Não tem nada a ver com o medo de que Dominique me encontre lá e exija que eu lhe entregue o vestido, agora que está recuperado.

Mesmo. Não tem nada a ver com isso.

Está recuperado, mas não perfeito. Preciso consertar a alça rasgada e as partes soltas da barra, além de dar uma bela passada assim que secar.

Mas eu consegui. Tirei as manchas de ferrugem.

É um milagre francês.

Estou olhando para o vestido com satisfação desmedida quando ouço alguém atrás de mim dizer:

— Você conseguiu!

E quase tenho um ataque do coração de tanto susto que levo.

— Meu DEUS! — exclamo, dou meia-volta e deparo com Luke sorrindo à porta, com cara de animação. — O que você quer fazer, me matar?

— Desculpe. Não era minha intenção assustar você. Mas... você conseguiu! As manchas sumiram!

O meu coração bate enlouquecido, a um quilômetro por minuto... mas preciso confessar que não é só porque ele me deu um susto. Também é porque ele está lindo demais à luz da manhã. O rosto recém-barbeado dele ainda tem um tom um pouco rosado, deixado pela loção pós-barba que ele usa (desconfio que seja álcool puro, já que ele não tem cheiro de nada além de limpeza), e as pontas molhadas do cabelo dele se enrolam por cima da gola da camisa pólo. Ele está usando aquele jeans de novo (o que usava quando nos conhecemos, a calça Levi's que se molda tão bem à bunda dele, não muito apertada e também não muito solta). Ele parece alguma coisa jogada de um helicóptero: sabe como é, o cara perfeito para uma garota necessitada em uma ilha deserta.

A garota sendo eu, e a ilha deserta, a minha vida.

Tirando o fato, é claro, de ele não ser meu.

Fato este que o deixa absolutamente aliviado, sem a menor dúvida, percebo, quando vejo o olhar dele passar do vestido que seguro para as roupas que visto (que por acaso se compõem do meu jeans da Sears e uma camiseta Run Katie Run).

Bom, a senhora Thibodaux tinha sido bem explícita a respeito do que passaríamos o dia inteiro fazendo: arrumando mesas e cadeiras para deixar tudo pronto para o casamento de amanhã. Eu não quero sujar um dos meus vestidos bacanas.

Além do mais, não tive tempo de arrumar o cabelo hoje de manhã, então está preso em um rabo-de-cavalo no topo da cabeça. Pelo menos, passei maquiagem. Um pouco, no mínimo. O suficiente para meus olhos não parecerem de porco.

— Cremor de tártaro funciona, hein? — é tudo que Luke diz quando seu olhar retorna ao vestido. E isso me dá um certo alívio. Realmente fico atordoada quando aqueles olhos castanhos se voltam em minha direção.

— Funciona com certeza — respondo e dou uma boa sacudida no vestido. — Mas é claro que nem sempre funciona assim tão rápido. Às vezes, é preciso deixar de molho várias vezes. Acho que aquela espingarda não ficou ali muito tempo. A graxa e a gordura não penetraram tanto assim no tecido. Só preciso costurar as partes rasgadas e passar, e vai ficar como novo. A pessoa que for dona dele vai ficar feliz da vida de recebê-lo de volta como novo.

306

Luke sorri.

— Acho que vai ser meio difícil descobrir a quem este vestido pertenceu. Recebemos muitos convidados aqui ao longo dos últimos séculos.

— Bom, este aqui provavelmente ficou de uma das últimas décadas — respondo. — Acho que é do final dos anos sessenta, início dos setenta. Mas vou dizer, com Givenchy, é difícil saber. As linhas dele são tão clássicas que ele realmente não se deixa influenciar pelas oscilações das tendências populares.

O sorriso de Luke se abre mais.

— As oscilações das tendências populares?

Fico corada.

— Achei que foi uma boa frase.

— Ah, soou bem, sim. Você me convenceu. Então, quer ir comigo buscar os croissants?

Fico olhando para ele.

— Croissants?

— É. Para o café-da-manhã. Vou até a padaria na cidade agora, para pegar antes que todo mundo acorde e desça para tomar o café. Eu sei que você ainda não conheceu Sarlat, e acho que vai gostar. Quer me acompanhar?

Se ele me perguntasse se eu queria ir ao Dia da Família na Gap local, em que todos os funcionários da Gap dão aos amigos e familiares trinta e cinco por cento de desconto em todos os produtos da Gap (que praticamente é a minha idéia de inferno na

307

terra) eu teria ficado feliz em acompanhá-lo. Eu me submeteria até a isto por ele.

Só que, é claro, há um pequeno detalhe que atrapalha.

— Bem... Onde está Dominique?

Acredito que esta seja uma maneira simpática e neutra de perguntar se a namorada dele também vai até a cidade. Sem chegar e perguntar diretamente. Porque "A sua namorada vai?" pode fazer parecer que não gosto dela ou que eu só vou se for para ficar sozinha com ele, ou algo assim. O que não é verdade. De jeito nenhum.

Mas, se ela for junto, pode ser que eu encontre alguma outra coisa que preciso fazer. Simplesmente porque ficar lá parada vendo os dois juntos realmente não está em posição de destaque na minha lista de coisas divertidas a se fazer enquanto estou de férias no sul da França.

— Ela ainda está dormindo — Luke informa. — Tomou um pouco de champanhe demais com minha mãe ontem à noite.

— Ah — tomo cuidado para que minha expressão permaneça neutra. — Bem, deixe-me pendurar isto aqui para secar. Já volto.

— Espero você no carro — Luke, apontando para a porta dos fundos da cozinha, na frente da qual um conversível cor de creme está estacionado.

Corro como o vento. Penduro o vestido no gancho da minha parede (o que os criados faziam antigamente para secar o uniforme?) com o balde por baixo para não pingar no chão.

Então pego minha bolsa e desço a escada correndo.

Luke está sentado diante do volante. Não tem mais ninguém no carro. Ao nosso redor, o ar da manhã tem cheiro fresco de roupa lavada e o sol, que já está esquentando, bate deliciosamente sobre a minha pele. O silêncio é completo, quebrado apenas pelos passarinhos que cantam e pelas fungadas de Patapouf, o *basset hound*, que apareceu fuçando na porta da cozinha, na esperança de receber algumas sobras.

— Está pronta? — Luke pergunta com um sorriso.

E, apesar de todos os meus esforços, meu coração explode para fora do peito e fica voando ao redor da minha cabeça com asinhas de querubim. Igualzinho a um desenho animado.

— Estou — respondo a ele, com uma voz que acredito soar perfeitamente normal (levando em conta que o meu coração rodopia ao redor da minha cabeça) e me apresso para ocupar o banco do passageiro.

Estou completamente morta.

Mas, e daí? Estou de férias! Tudo bem ter uma quedinha por um cara. Aliás, é melhor ter uma queda por Luke, que está bem seguro com outra, do que seria estar a fim de, digamos, Blaine. Porque daí eu poderia de fato acabar ficando com Blaine, que está disponível, e isso seria totalmente arriscado do ponto de vista emocional, levando em conta que estou em um estado frágil por causa do fim do namoro com Andy.

Não, está ótimo eu ser a fim de Luke. É seguro. Porque isto não vai dar em nada. Nadinha mesmo.

O trajeto descendente pela mesma entrada que demorou tanto para subir duas noites anteriores é sacolejante e hilário. Preciso me segurar para não ser lançada para longe do enorme assento da frente. Mas Luke e Chaz realmente fizeram um bom trabalho com a poda dos galhos: nenhum bate em nós.

E então, de repente, saímos das árvores para a mesma estrada ao longo do rio que usamos para vir da estação de trem naquela noite... mas estava escuro. Ao ver o rio de perto pela primeira vez à luz do dia, não consigo deixar de ficar boquiaberta.

— É tão lindo! — exclamo. Porque é mesmo. O rio, banhado pelo sol corre suave, tem margens amplas cobertas de capim, com carvalhos altos se avultando sobre a água, fazendo uma sombra gostosa para quem nada ou anda de bote.

— É o rio Dordonha — Luke explica. — Eu costumava andar de caiaque aqui quando era criança. Mas, falando assim, parece que o rio tem corredeiras, e não tem mesmo. A gente só ficava boiando com uns barcos de borracha inflável. É um passeio relaxado e tranqüilo.

Impressionada com tanta beleza natural, balanço a cabeça.

— Luke, não sei como você consegue voltar para Houston com tudo isto aqui.

Luke dá risada:

— Bom, por mais que eu ame o meu pai, não tenho exatamente vontade de morar com ele.

— Não — concordo, tristonha. — Nem a sua mãe, imagino.

— Ele a deixa louca — Luke explica. — Ela acha que ele só liga para o vinho dele. Quando está aqui, só fica mexendo com as parreiras, e quando está no Texas, com ela, só faz se preocupar em como as coisas devem estar aqui.

— Mas ele a ama tanto. Quer dizer, será que ela não percebe? Ele mal consegue desgrudar os olhos dela.

— Acho que ela precisa de mais do que isso. Precisa de algum tipo de prova de que, quando ela não está por perto, ele também pensa nela, e não só nas uvas.

Estou refletindo sobre o assunto quando fazemos uma curva e enxergo o moinho dos Laurent, com Madame Laurent do lado de fora, regando uma INFINIDADE DE FLORES em seu jardim arborizado.

— Ah! — exclamo. — É a mãe de Agnès! — Aceno. — *Bonjour! Bonjour, madame!*

Madame Laurent ergue os olhos das flores e retribui o aceno, sorrindo, quando passamos rápido.

— Bem — Luke olha de lado para mim com um sorriso —, você está mesmo de bom humor nesta manhã.

Volto a me afundar no acento, acanhada, por ficar tão animada de ver a cozinheira do Château Mirac em seu próprio hábitat.

— Este lugar é tão lindo. E é só que eu estou. Tão feliz. De estar aqui.

Com você, quase completo mas, por milagre, consigo ficar com a boca fechada, antes que ela coloque tudo a perder.

— Desconfio — Luke diz, fazendo uma curva na direção da

311

cidade de muralhas altas que vi empoleirada em cima de uma colina na noite em que cheguei — que você seja o tipo de pessoa que fica de bom humor em qualquer lugar que estiver. Menos quando descobre que o seu namorado frauda a previdência social — completa com uma piscadela.

Sorrio um pouco sem graça para ele, ainda me sentindo humilhada. De todas as pessoas para quem eu podia abrir a minha boca grande e falar dos meus problemas românticos, tinha mesmo que ser *ele*?

Mas, um segundo depois, quando entramos na cidade de Sarlat, esqueço meu arrependimento ao enxergar todos aqueles gerânios vermelhos transbordando das floreiras das janelas acima da minha cabeça; as ruas estreitas calçadas de pedras; os aldeões correndo de um lado para o outro na feira a céu aberto com cestos cheios de baguetes e verduras. Parece um cenário de cinema de um vilarejo medieval francês... só que não é cenário. É um vilarejo medieval de verdade!

E eu estou bem no meio dele!

Luke pára na frente de uma loja de aparência antiquada com a palavra *boulangerie* escrita em dourado na fachada grande, de onde vem o cheiro de pão recém-saído do forno, o que faz meu estômago roncar.

— Você se importa de esperar no carro? — Luke pergunta. — Assim, não preciso procurar lugar para estacionar. Só vai demorar um segundo, já fiz o pedido por telefone. Só preciso pegar.

— *Pas un problème* — digo, e acho que isso quer dizer "não é problema". Acho que estou certa, porque Luke sorri e entra correndo.

Ainda assim, minhas capacidades em francês são colocadas à prova quando uma mulher bem-vestida se aproxima do carro e começa a falar comigo em velocidade aceleradíssima. O nome "Jean-Luc" é a única palavra que eu reconheço.

— *Je suis désolée, madame* — que significa "sinto muito", acho, é o que começo a dizer. — *Mais je ne parle pas français...*

Antes que as palavras terminem de sair da minha boca, a mulher já está dizendo em inglês com sotaque carregado, parecendo escandalizada:

— Mas eu soube que a *petite amie* de Jean-Luc era francesa! Pelo menos sei o que as palavras *petite amie* querem dizer.

— Ah, não sou namorada de Jean-Luc — digo apressada. — Sou só amiga dele. Estou passando uma temporada em Mirac. Ele está lá dentro, pegando alguns croissants...

A senhora parece infinitamente aliviada.

— Ah! — ela sorri. — Reconheci o carro, sabe, e simplesmente achei... por favor, peço desculpas. Foi um choque e tanto. O fato de Jean-Luc não se casar com uma francesa... seria um belo escândalo!

Absorvo o lenço da mulher amarrado com todo o cuidado (obviamente Hermès) e o *tailleur* leve de lã (ela deve estar assando neste calor) e digo:

— A senhora deve ser amiga de Monsieur De Villiers, então?

313

— Ah, conheço Guillaume há anos. Foi um impacto para todos nós quando *ele* se casou com aquela mulher do Texas. Diga uma coisa — a senhora aperta os olhos maquiados com perfeição. — Ela está lá agora? Madame De Villiers? No Château Mirac? Ouvi um boato de que estava.

— Eh... Bem, está sim. A sobrinha dela vai se casar amanhã lá e...

— Madame Castille — Luke diz ao sair da padaria com dois sacos de papel grandes nos braços —, que prazer — no entanto, o sorriso dele não chega aos olhos.

— Ah, Jean-Luc — a senhora diz, radiante de prazer ao avistá-lo (e quem não se sentiria assim?).

E então ela começa a dizer um monte de coisas em francês contra as quais Luke, posso dizer, sente-se indefeso. E é por isso que eu digo, quando Madame Castille faz uma pausa para respirar:

— Eh... Luke? Não é melhor a gente voltar? O pessoal vai acordar e vai querer tomar o café-da-manhã.

— Certo — Luke se apressa em dizer. — Precisamos ir, madame. Foi ótimo vê-la. Mando suas lembranças para o meu pai, não se preocupe.

Só quando Luke dá a partida no carro e se afasta que solta a respiração com muito ruído e diz:

— Obrigado por aquilo. Achei que ela iria passar o dia inteiro falando.

— Ela é uma grande fã sua — digo com despreocupação cautelosa. — Achou que eu era sua namorada e quase infartou por eu não ser francesa. Disse que será um grande escândalo se você não se casar com uma francesa. Parece que causou grande impacto o seu pai ter se casado com a sua mãe.

Luke engata a marcha do carro com mais força do que é realmente necessário.

— A única pessoa que ficou escandalizada foi ela. Ela anda atrás do meu pai desde que os dois eram crianças. Agora que ele e minha mãe estão tendo problemas, ela não pode esperar a oportunidade de fincar as garras nele.

— Mas ela não tem chances, porque o seu pai ainda ama a sua mãe, certo?

— Certo — Luke concorda. — Mas não é impossível meu velho se casar com essa bruxa só para que ela pare de incomodar. Ah, pronto, comprei uma coisinha para você — ele cutuca o saco de croissants de aroma divino que está entre nós.

— Um croissant? — pergunto. Uma onda de fumaça de fermento me atinge. Ainda estão quentinhos do forno. — Obrigada! — Resolvo não comentar nada a respeito do meu regime com restrição total de carboidratos. Eu basicamente abandonara a idéia depois daqueles pãezinhos no trem mesmo.

— Não é este saco — Luke olha para mim como se eu fosse louca. — É o outro.

Reparo em um saco menor atrás do de croissants e abro.

E meus olhos quase saltam para fora da cabeça.

— O qu... — engulo em seco. Fico sem palavras, apenas pela segunda vez na vida. — Como... como você sabia?

315

— Chaz comentou alguma coisa sobre o assunto.

Tiro do saco o pacote de seis latinhas que brilham de suor e fico olhando fixamente para ele.

— Ainda... ainda estão geladas — estou, maravilhada.

— Bem — Luke diz, um tanto seco —, estão sim. Sei que Sarlat parece antiga, mas tem geladeira lá.

Eu sei que é ridículo. Mas meus olhos realmente se encheram de lágrimas.

Faço o que posso para dispersá-las. Não quero que ele saiba que estou chorando de alegria por causa do fato de ele ter me dado um pacote de seis latinhas de Diet Coke. Porque não estou. É o gesto, não a bebida.

— Ob-obrigada — sei que preciso dizer frases curtas, ou ele vai perceber o tremor na minha voz. — Q-quer uma?

— De nada. E não, obrigado. Prefiro consumir minha cafeína à maneira antiga, com um bom café passado. Então, o que você resolveu?

Peguei uma lata do pacote de plástico e estou prestes a abrir.

— Resolvi?

— Sobre o que você vai fazer quando voltar para os Estados Unidos. Vai ficar em Ann Arbor? Ou vai se mudar para Nova York?

Abro a latinha. O chiado cortante do gás é tão musical aos meus ouvidos quanto o som do rio correndo à minha esquerda.

— Não sei. Quero me mudar para Nova York. Sabe como é, com Shari. Mas o que vou fazer por lá?

— Em Nova York?

— É. Quer dizer, vamos encarar os fatos. Acontece que não há muito que se possa fazer com um diploma em História da Moda. Não sei onde eu estava com a cabeça.

Luke dá um sorriso misterioso.

— Tenho certeza de que você vai encontrar alguma coisa.

— É claro — digo, em tom muito sarcástico. Quer dizer, pelo menos para mim. — E ainda há o pequeno detalhe de que não me formei exatamente. Como é que vou conseguir um emprego se nem tenho meu diploma?

— Acho que isso depende do trabalho.

— Não sei — tomo um gole da minha Diet Coke. As bolhas do gás fazem cócegas na minha língua. Meu Deus, como senti falta disto. — Talvez seja simplesmente mais fácil ficar em Ann Arbor mais um semestre.

— Certo. Para ver se você acerta as coisas com aquele rapaz lá.

Fico tão chocada com isso que quase cuspo a Diet Coke que acabo de engolir. Isso mesmo! Quase uma parte em dezesseis de uma das minhas seis latinhas preciosas!

— O QUÊ? — berro depois de engolir. — Acertar as coisas com... do que você está FALANDO?

— Só estava checando. Quer dizer, você falou que quer ficar em Ann Arbor... e ele vai estar em Ann Arbor. Não é?

— Bem, vai — respondo. — Mas não é por isso. Quer dizer, pelo menos em Ann Arbor ainda tenho meu emprego na loja.

Posso morar com os meus pais e economizar. Então, vou me juntar a Shari em janeiro — isso se até lá ela já não tiver encontrado alguém para dividir apartamento.

— Isso — Luke diz ao fazer a curva para entrar em Mirac — não se parece muito com a garota que conheci no trem outro dia, aquela que viajou para a França sem nem saber se ia ter lugar para ficar quando chegasse.

— Eu sabia que ia ter lugar para ficar. Quer dizer, sabia que Shari estava aqui, em algum lugar. Sabia que não ficaria sozinha.

— Da mesma maneira que você não ficaria sozinha em Nova York.

Dou risada.

— Ah, olhe só quem fala. Por que você não se muda para Nova York? Você me disse que entrou na NYU.

— É — Luke responde enquanto sacolejamos pelo caminho íngreme. — Mas não sei se é isso que realmente quero fazer. Quer dizer, abrir mão de um salário anual de seis dígitos para passar mais cinco anos estudando?

— Ah, você prefere ajudar pessoas ricas a descobrir como ganhar mais dinheiro em vez de salvar vidas?

— Ai, essa doeu — Luke diz com um sorriso.

Dou de ombros. Ou pelo menos tento com tantos sacolejos, enquanto estou preocupada em proteger o elixir precioso que trago nas mãos.

— Só estou dizendo. Quer dizer, gerenciar portfólios de ações é importante. Mas se por acaso você for bom mesmo em curar doentes, não seria um certo desperdício não fazer isso?

— Mas a questão é bem essa — Luke diz. — Não sei se sou. Bom, em curar doentes, quer dizer.

— Da mesma maneira que não sei se tem alguma coisa em que sou boa e que exista alguém em Nova York interessado em me pagar para fazer.

— Mas, como uma certa pessoa vive me dizendo, você nunca vai saber se não tentar.

Então saímos debaixo das árvores mais uma vez para o caminho circular que fica na frente da casa. Acontece que é ainda mais impressionante de dia do que à noite.

Não que Luke pareça notar. Acho que é porque ele já viu essa paisagem vezes demais.

— Isso é diferente — digo. — Quer dizer, você já sabe que tem uma coisa que é capaz de fazer. Alguém lhe paga um salário anual de seis dígitos para isso. Sabe quanto ganho? Recebo oito dólares por hora na Vintage to Vavoom. Você sabe o quanto duram oito dólares por hora em Nova York? Bem, também não sei, mas imagino que não seja muito tempo.

Quando olho nervosa para o lado dele, para ver o que acha da minha confissão, reparo que Luke, está com um sorriso mais aberto do que nunca.

— É assim que você age com todo mundo? — ele quer saber. — Ou será que simplesmente tenho sorte porque, em um momento de fraqueza, você revelou todos os seus segredos mais profundos para mim?

— Você prometeu que não ia falar sobre isso para ninguém — lembro a ele. — Principalmente que não ia contar a Shari sobre a monografia...

— Ei — Luke diz quando pára o carro na frente do *château*. O olhar dele está bem fixo no meu. Já não está sorrindo. — Prometi que não ia contar. Lembra? E não vou. Pode confiar em mim.

E, por um segundo (enquanto estamos lá olhando um para o outro por cima do saco de croissants) posso jurar que alguma coisa... acontece... entre nós.

Não sei o que é. Mas é diferente de todas as vezes que achei que ele ia me beijar. Não há nada de sexual a respeito do que acontece no carro. É mais ou menos como algum tipo de... entendimento mútuo. Algum tipo de reconhecimento de que nós dois temos uma conexão espiritual. Algum tipo de atração magnética... Ou talvez seja só o cheiro dos croissants. Realmente, faz muito tempo que não como nenhum tipo de massa.

Seja lá o que esteja acontecendo entre mim e Luke (se é que está acontecendo alguma coisa), termina um segundo depois, quando Vicky abre a porta do *château* de supetão e fica lá parada, com um quimono azul, dizendo:

— Meu Deus, por que demorou tanto? Estamos todos famintos. Você sabe que fico com hipoglicemia se não comer assim que acordar.

E o momento entre mim e Luke (seja lá o que tenha sido) desaparece.

— Estou com a cura para a sua hipoglicemia aqui mesmo — Luke diz, todo alegre, agarrando o saco de croissants.

Então, quando Vicky volta para dentro da casa batendo os pés, Luke se vira para mim e dá uma piscadinha.

— Olhe só para isso — diz. — Já comecei a curar as pessoas.

O início do século XX com freqüência é chamado de "la Belle Époque", ou "a época bela". Certamente, a moda da época era bonita, com o cabelo volumoso, os decotes cavados e toneladas e mais toneladas de renda (consulte: Winslet, Kate, *Titanic*, e Kidman, Nicole, *Moulin Rouge* — *Amor em Vermelho*). Conseguir o visual de uma garota de Gibson (criada por um artista famoso de mesmo nome) transformou-se em febre, sendo que até a filha serelepe do presidente norte-americano Theodore Roosevelt, a "Princesa" Alice, usava o cabelo ao estilo Pompadour de Gibson — visual bastante difícil de manter enquanto se passeia de carro, o que era o passatempo preferido de Alice.

História da Moda
MONOGRAFIA DE ELIZABETH NICHOLS

Mantenha-se em silêncio durante a maior parte do tempo, e fale apenas quando for absolutamente necessário, e, então, seja breve.

— *Epiteto (c. 55-135), filósofo estóico grego*

O restante da manhã é uma nuvem de entregas. O primeiro caminhão a chegar é o que carrega a pista de dança, o palco e o equipamento de som para a banda do casamento (neste caso, não o quarteto de cordas que, segundo Luke explica, costuma tocar na maior parte dos casamentos em Mirac, mas a banda de Blaine, a Satan's Shadow). Enquanto os funcionários da empresa responsável pela montagem de tudo aquilo começam a trabalhar, outro caminhão (agora cheio de mesas e cadeiras dobráveis para o jantar do ensaio e a recepção do casamento, que acontecerão no gramado) aparece na entrada (derrubando todos os galhos que Luke e Chaz não tinham conseguido alcançar, forçando os dois a percorrer todo o caminho para tirar os galhos que acabaram de cair), necessitando de ajuda para ser descarregado.

No momento em que eu, Shari, Chaz e Blaine (que, graças ao fato de o resto da banda ainda não ter chegado, declara estar entediado e começa a ajudar) tiramos as últimas cadeiras do caminhão, chega mais outro com toda a comida e com o chef e os garçons de um restaurante local que irá preparar as festividades. A comida precisa ser descarregada e levada para a cozinha, onde Madame Laurent supervisiona seu armazenamento, e o chef começa a preparar canapés para o coquetel, que começará no fim da tarde...

E é então que os convidados, que não são da cidade, começam a chegar, ou com seus próprios carros alugados ou sendo apanhados na estação de trem por Dominique, que conseguiu se esquivar de todo o trabalho pesado ao se oferecer para tal tarefa. O noivo chega primeiro acompanhado dos pais, que parecem atordoados. Estou muito curiosa para ver o programador de computador com quem Vicky vai se casar, em vez do barão texano do petróleo rico que sua mãe queria para ela; e, preciso dizer que, quando finalmente avisto Craig, consigo entender qual é a atração. Não que ele seja bonito... porque não é.

Mas quando Vicky sai correndo de dentro da casa, reclamando de tudo que está errado, desde as amigas dela que ainda estão sem quarto para se hospedar até Blaine ter lhe dito que ela ficou gorda com o vestido que vai usar no jantar do ensaio do casamento, a resposta de Craig é tão abobada quanto a reação dos pais dele a Mirac.

— Vic. Está tudo bem — ele diz.

E Vicky realmente pára de chorar.

Pelo menos até que meia dúzia das amigas de Vicky (tão bonitas e loiras quanto ela) saiam de minivans, tropecem pelo piso de cascalho com seus saltos altos e a abracem. Então ela começa a choramingar feito louca de novo, e Craig, que não parece nem um pouco incomodado com isso, com gentileza conduz os pais até o vinhedo, onde Monsieur De Villiers, bastante alegre, leva todos para a sala onde estão armazenados os tonéis.

Logo parece que todo o *château* está sendo atacado pelo que aparentemente é a nata da sociedade de Houston: matronas cheias de estilo com seus maridos de blazer azul-marinho a reboque, com quem Dominique se mistura e dá risadas.

O pessoal de Houston, no entanto, ergue as sobrancelhas com a chegada dos componentes da Satan's Shadow, que aparecem em uma van de aparência absolutamente deplorável e são recebidos por Blaine com o grito satânico, que é a marca registrada deles, que inclui inclinar a cabeça para trás e sacudir o corpo (o que faz Vicky correr para dentro, berrando: "Ma-nhê-ê!"; e Shari, enquanto me ajuda a estender as toalhas sobre as últimas das mais ou menos vinte e cinco mesas no gramado, sacudir a cabeça e mandar: "Meu Deus, ainda bem que sou filha única.")

Fico feliz quando os garçons do restaurante assumem e começam a pôr as mesas. Isso nos deixa livres para irmos trocar de roupa antes que os coquetéis sejam servidos (uma necessidade, já que vamos servir no bar do evento, abrindo garrafas de vinho e de champanhe que Monsieur De Villiers vai fornecer, e eu pessoalmente não quero deixar ninguém enojado por estarmos suados. Eu também não tenho exatamente muita experiência em abrir garrafas de vinho, então acho que a noite vai ser bem interessante, de maneira geral).

Quando já estou descendo a escada, sentindo-me renovada e semi-apresentável com um vestido Anne Fogarty de linho preto e sem manga, quase esbarro num grupo de pessoas que sobem a escada, conduzidas por Luke, que carrega duas malas de aparência pesadíssima.

— Estou dizendo, filho — um senhor corpulento e careca, em calça cáqui e camisa pólo preta, segue falando com Luke. — É uma oportunidade que você não pode se dar ao luxo de perder. Você foi a primeira pessoa em quem pensei quando fiquei sabendo.

Atrás do homem careca paira Ginny Thibodaux, que parece atarantada.

— Gerald — ela diz —, você ouviu o que eu falei? Disse que acho que Blaine voltou a fumar. Posso jurar que senti cheiro de cigarro nele agora mesmo. Daquele tipo estrangeiro estranho de que ele e os amigos gostam tanto...

Atrás da Sra. Thibodaux, Vicky vai dizendo:

— Mãe, você tem que falar com ele. Agora está dizendo que aquela banda idiota não vai tocar *covers*. Agora está dizendo que só vão tocar as músicas deles. Como uma noiva pode dançar com o pai com uma música chamada "Cheetah Whip"?

— Não sei, querida — a Sra. Thibodaux responde. — O seu irmão simplesmente não é mais o mesmo desde que Nancy o abandonou. Gostaria que ele conhecesse uma boa moça. Será que nenhuma das suas amigas...

— Caramba, mãe. Será que você pode pensar em alguma coisa importante, para variar? O que nós vamos fazer a respeito do fato de que ele não quer tocar nenhuma *cover*? Craig e eu não vamos fazer a nossa primeira dança de casados com uma coisa chamada "I Wanna Bang Your Box"...

— Bem, olá — Luke diz com um sorriso quando abro espaço para ele e os Thibodaux passarem. — Mas como você está bonita.

— Obrigada — respondo, olhando para o homem careca com atenção. Este, pressuponho, é o tão esperado pai de Vicky.

— Pense a respeito do assunto, filho — o Sr. Thibodaux vai dizendo, ansioso, para Luke. — É uma tremenda oportunidade.

— Obrigado, tio Gerald — Luke agradece e dá uma piscadinha para mim enquanto continua subindo a escada com os Thibodaux falando atrás dele, sem que um ouvisse o outro. Desço o resto dos degraus apressada e encontro a senhora De Villiers e Dominique na entrada, em uma conversinha íntima...

Mas o tom de voz não é tão baixo assim, de modo que escuto o que elas dizem.

— ...abrindo uma filial em Paris — Dominique vai dizendo, toda animada. — Gerald diz que pensou em Jean-Luc imediatamente. É uma oferta incrível. Com muito mais responsabilidade... e dinheiro... do que Jean-Luc recebe na Lazard Frères. A

Thibodaux, Davies e Stern é uma das empresas de investimento de clientes privados mais importantes do mundo!

— Conheço bem a empresa do meu cunhado — a voz da senhora Villiers tem um toque de ironia na voz. — O que não sei bem é se Luke quer se mudar para Paris.

— Está brincando? — Dominique pergunta. — Esse sempre foi o nosso sonho!

Fico paralisada no lugar com aquelas palavras. *Nosso sonho*.

E então Dominique corre escada acima atrás de Luke, mal percebendo a minha presença quando passa a toda, a não ser para me lançar um sorrisinho apertado.

Então, o tio de Luke lhe ofereceu um emprego. Um emprego em uma empresa de investimentos. Em Paris. Por muito mais dinheiro do que ele ganha atualmente.

É ridículo eu me sentir afetada assim, dessa maneira tão física, com a notícia.

Quer dizer, só faz dois dias que conheço Luke. Tenho só uma quedinha por ele. Só uma quedinha mesmo. Aquela coisa no carro hoje de manhã... aquela coisa que achei ter acontecido entre nós... provavelmente foi só minha gratidão eterna por ele ter comprado aquelas seis latinhas de Diet Coke para mim. Só isso.

Mas não há como negar que um nó se formou na minha garganta. Paris! Ele não pode se mudar para Paris! Já é bem ruim o fato de ele morar em Houston! Mas a um *oceano* inteiro de distância de mim? Não.

Onde estou com a cabeça? Qual é o meu problema? Não é da minha conta. Não é da minha conta *mesmo*.

É o que fico repetindo com firmeza enquanto percorro o restante dos degraus da escada...

...e descubro que a senhora De Villiers se afundou em um dos sofás de veludo da entrada e parece perturbada. Dá um sorriso breve ao me ver, então retoma seu ar de perturbação, perdida nos próprios pensamentos.

Começo a me afastar. Sei que provavelmente precisam de mim lá fora. Dá para ouvir o murmúrio de todos os convidados se reunindo no gramado para os aperitivos. Tenho certeza de que há garrafas de champanhe precisando ser abertas. E, afinal de contas, prometi ajudar.

Mas, de repente, fico imaginando se não há outra pessoa que preciso ajudar primeiro. Talvez isso seja, sim, da minha conta. Quer dizer, por que então eu e Luke acabamos sentando lado a lado naquele trem? Bem, é claro que não tinha nenhum outro assento livre. Mas por que não havia outro assento livre?

Talvez porque fosse *mesmo* para eu sentar ao lado dele. Para que eu pudesse fazer o que estou fazendo agora.

Que é salvá-lo.

E assim, antes que eu possa mudar de idéia, dou meia-volta e retorno ao lugar onde a senhora De Villiers está sentada.

Ao me ver parada à sua frente, a mãe de Luke ergue os olhos.

— Pois não, querida? — ela diz com um sorriso hesitante.

— Sinto muito, esqueci o seu nome...

— Lizzie — respondo. Meu coração começou a bater muito forte dentro do peito. Não dá para acreditar que estou prestes a fazer o que vou fazer. Mas, por outro lado, sinto que é meu dever, como âncora principal do Sistema Lizzie de Comunicação.

— Lizzie Nichols. Não pude deixar de escutar o que Dominique acabou de dizer para a senhora — aponto com a cabeça a escada que Dominique acabou de subir —, e só queria dizer que, cá entre nós, não sei se é *inteiramente* verdade.

A Sra. De Villiers fica piscando. Ela realmente é uma mulher muito bonita. Dá para ver totalmente porque Monsieur De Villiers se apaixonou tanto por ela e está tão deprimido pelo fato de ela não sentir a mesma coisa por ele.

— O que não é inteiramente verdade, querida? — ela pergunta para mim.

— Sobre a questão de Luke querer se mudar para Paris — digo apressada, para colocar tudo para fora antes que alguém nos interrompa. Ou que eu recobre a noção. — Sei que Dominique quer se mudar para cá, mas não tenho certeza se Luke quer. Aliás, ele está pensando na idéia de estudar medicina. Já se inscreveu em um programa da NYU e foi aceito. Acho que ele não contou para ninguém... ninguém além de mim... porque ele não tem certeza se é isso que deseja fazer. Mas pessoalmente acho que, se ele não for, vai viver sempre arrependido. Ele me disse que costumava sonhar em ser médico, mas que não consegue se imaginar estudando mais quatro anos... bem, cinco, levando em conta

330

o programa que ele teria que freqüentar para conseguir todos os créditos em ciências de que precisa para começar...

Minha voz vai definhando quando percebo, pela expressão estupefata dela, como o que digo deve lhe parecer a maior idiotice.

— Estudar medicina? — os olhos da Sra. De Villiers estão maquiados com delineador azul-claro. Destaca o verde dos olhos cor de avelã dela. O verde fica ainda mais aparente quando ela arregala os olhos para mim, que é o que está fazendo agora. — Luke sempre quis ser médico quando era menininho — ela diz toda animada, quase sem fôlego. — Sempre levava para casa animais machucados e doentes e tentava curá-los, tanto aqui quanto em Houston...

— Acho que ele realmente preferiria ter seguido essa carreira — assinto com a cabeça enlouquecidamente. — Mas não acho que converter Mirac em lugar para pacientes de cirurgia plástica se recuperarem de lipoaspiração seja necessariamente substituto para...

— O quê? — um ar de pavor passa pelo rosto da mãe de Luke.

Oh. Não. Por favor. Não venha me dizer que fiz de novo.

Mas está claro, pela expressão no rosto da Sra. De Villiers que fiz sim. Ela parece tão chocada como se tivesse acabado de lhe dizer que Jimmy Choo não cria mais os sapatos que levam o nome dele. O que não deixa de ser verdade.

Certo. Então Dominique ainda não comentou a coisa da lipoaspiração com os pais de Luke.

— Oh... — essa realmente não é a maneira como eu pretendia abordar a mãe de Luke. Nunca foi a minha intenção ficar falando mal de Dominique. Só queria que a senhora De Villiers soubesse que o filho tinha um sonho secreto... sonho que, pensando bem agora, ele provavelmente tinha a intenção de manter em segredo. Mas é claro que estraguei tudo.

— É só que... quer dizer... se o vinhedo não está indo assim tão bem — gaguejo, tentando mudar de assunto —, eu estava pensando que uma alternativa melhor seria alugar Mirac a pessoas ricas, obviamente, que querem um *château* lindo para passar um mês de férias, ou talvez para uma reunião de família ou de faculdade ou algo assim...

— *Cirurgia plástica*? — a Senhora De Villiers repete, em tom estupefato, bem parecido com o que Luke usara quando mencionei a idéia de Dominique a ele. Dá para ver que a minha tentativa de mudar de assunto não deu muito certo. — Quem diabos teve coragem de sugerir...

— Ninguém — garanto a ela, rapidinho. — Foi só uma idéia que eu ouvi comentarem por aí...

— *Quem* comentou? — a Senhora De Villiers quer saber e continua parecendo horrorizada.

— Sabe o que é? — digo, com vontade de morrer. — Acho que ouvi minha amiga Shari chamar. Preciso ir...

E então, é exatamente o que faço: dou um pulo e disparo para fora de casa com a maior rapidez possível.

Estou morta. Estou completamente morta. Não acredito que fiz isso. Por que fiz isso? Por que fui abrir a minha boca grande?

332

Principalmente para falar de um assunto que não tem nada a ver comigo. NADA. Meu Deus, como sou imbecil.

Minhas bochechas queimam em vermelho-escarlate e corro pelo gramado na direção de onde Chaz já está cuidando do bar (uma mesa dobrável comprida coberta com uma toalha branca). Há uma longa fila de pessoas de Houston sedentas, loucas pelo primeiro coquetel da noite, na frente dele.

— Ah, você apareceu — Chaz diz ao me ver. Parece não notar nem as minhas bochechas em chamas, nem o meu estado de paranóia nervosa avançada. — Graças a Deus. Comece a abrir algumas dessas garrafas de champanhe. Onde está Shari?

— Achei que ela estivesse aqui com você — pego uma garrafa com dedos trêmulos.

— O quê? Ela ainda está lá dentro se arrumando? — Chaz sacode a cabeça e então olha para o mauricinho parado a sua frente. — O que vai beber?

— *Stoli on the rocks* — o rapaz responde.

— Desculpe. Só tem cerveja e vinho, cara — Chaz explica

— Mas que droga é essa?

Chaz o coloca em seu lugar com um olhar.

— Você está em um vinhedo, amigão. O que esperava?

— Certo — o mauricinho responde, aborrecido. — Então, cerveja.

Chaz quase joga uma garrafa em cima dele, depois olha para mim. Consegui tirar a armaçãozinha de metal da garrafa de champanhe, mas a rolha continua me apresentando problemas. Não quero que estoure e atinja alguém.

Por que fui dizer à Senhora De Villiers que Luke quer ser médico? Por que deixei escapar a história da lipo? Por que sou fisicamente incapaz de ficar de boca fechada?

— Use um guardanapo — Chaz diz e joga um para mim.

Fico olhando para ele sem entender nada. Não faço idéia do que está falando. Será que agora fiquei burra, além de todo o resto?

— Para tirar a rolha — Chaz explica, impaciente.

— Ah! — Olho para baixo, envolvo a garrafa com o guardanapo e puxo... e a rolha sai fácil, com um estalozinho, sem causar lesões corporais a ninguém.

Beleza. É isso aí. Então, pelo menos tem uma coisa que consigo fazer certo.

Estou totalmente pegando o jeito da coisa. Chaz e eu entramos em um ritmo ótimo... quer dizer, até Shari aparecer de repente.

— Onde você se meteu? — Chaz quer saber.

Shari o ignora, Só então reparo que os olhos dela estão soltando faíscas. E que ela está olhando diretamente para mim.

— Então, quando exatamente — Shari quer saber — você ia me contar que na verdade ainda não se formou, hein, Lizzie?

O início da Primeira Guerra Mundial testemunhou uma mudança na moda feminina quase tão agitada quanto o clima político. Os corseletes foram abandonados ao mesmo tempo em que as cinturas baixaram e as barras subiram, às vezes até a altura das canelas. Pela primeira vez na história moderna, passou a ser bonito não destacar o busto. Mulheres de seios pequenos em todo lugar ficaram felicíssimas ao ver suas irmãs mais fartas serem obrigadas a comprar peças para diminuir o seio e poder usar os modelos mais populares.

História da Moda
MONOGRAFIA DE ELIZABETH NICHOLS

Se você não pode dizer algo de bom sobre alguém,
fique aqui mesmo ao meu lado.

— *Alice Roosevelt Longworth (1884-1980),*
escritora e espirituosa norte-americana

Não dá para acreditar que ele contou. Confiei nele e ele me traiu, completamente.

— Eu... eu ia contar para você — digo a Shari.

— Kir Royale, por favor — diz uma mulher com ar arrependido por ter colocado mangas compridas naquele calor.

— Quando? — Shari quer saber.

— Você sabe — sirvo uma taça de champanhe para a mulher e finalizo com um pouco de cassis. — Logo. Quer dizer, eu mesma acabei de descobrir. Como podia saber que precisava escrever uma monografia?

— Se você prestasse um pouco mais de atenção aos seus estudos, e um pouco menos a roupas e a um certo inglês, poderia ter se dado conta disso.

— Não é justo — entrego o Kir Royale à mulher, derrubando só um pouquinho na mão dela. — Minha área de estudo é vestuário.

— Você é impossível! — Shari despeja. — Como é que você vai para Nova York comigo e Chaz se nem tem diploma?

— Eu nunca disse que ia para Nova York com você e Chaz!

— Bom, *agora* é certo que não vai mesmo!

— Ei — Chaz parece aborrecido. — Será que vocês duas podem se acalmar? Há muitos texanos aqui querendo beber, e vocês estão atrasando a fila.

Shari entra na minha frente e pergunta para a mulher gorda que eu estava prestes a servir:

— Posso ajudar?

— Ei — eu digo, magoada. — Eu é que estava aqui.

— Por que não vai fazer alguma coisa útil, como terminar a sua monografia?

— Shari, não é justo. Estou terminando. Passei todo o tempo trabalhando...

É nesse momento que um berro corta a calma da noite. Parece vir do segundo andar da casa. É seguido pelas palavras "Não, não, não", proferidas nos altos decibéis indubitavelmente alcançados por uma certa pessoa que está hospedada em Mirac:

Vicky Thibodaux.

Craig, que está parado na frente da mesa onde estamos servindo as bebidas, dá uma olhada na direção da casa. Blaine, atrás dele na fila, diz:

— Não faça isso, cara. Não vá lá. Seja lá o que for, você não vai querer saber.

Mas Craig parece resignado.

— Já volto — ele sai caminhando na direção da casa.

— Você vai se arrepender — Blaine diz enquanto ele se afasta. E para mim diz: — A todo minuto, nasce um novo idiota.

— Por acaso já lhe ocorreu que pode haver alguma coisa realmente muito errada? — Shari, que obviamente não está em clima de brincadeira, pergunta a ele. Fica claro que ela não compartilha da despreocupação de Blaine (apesar de ser uma das poucas pessoas com essa atitude). Todas as outras pessoas que estão no gramado, aparentemente acostumadas aos chiliques de Vicky, ignoram completamente o que acabaram de ouvir.

— Com a minha irmã? — Blaine assente com a cabeça. — Há algo seriamente errado com ela desde o dia em que nasceu. Chama-se "pirralha mimada".

É bem aí que Agnès vem até mim correndo, sem fôlego e ofegante, e diz:

— Mademoiselle. Mademoiselle. Estão chamando. Você precisa ir lá agora.

— Quem está me chamando? — pergunto, sem entender nada.

— Madame Thibodaux — Agnès responde. — E a filha dela. Dizem que é uma emergência...

— Tudo bem — Largo meu guardanapo. — Já vou. Mas... —

Estupefata, engulo em seco. — Espere aí. Agnès, você falou inglês!

Agnès fica pálida, então percebe que foi pega no flagra.

— Não conte a Mademoiselle Desautels — Agnès implora.

Chaz, divertindo-se, sorri para ela.

— Mas se você fala inglês, porque finge que não fala?

Agora, em vez de estar pálida, Agnès, está com as bochechas coradas.

— Porque não gosto dela — a garota dá de ombros. — E o fato de eu não falar inglês a incomoda muito.

Uau.

— Tudo bem — para Chaz e Shari, digo: — Volto daqui a um minuto. Certo?

Shari, com os lábios apertados em um risco fino, recusa-se a fazer comentários. Mas Chaz, que enche copos com rapidez, olha para mim em diz:

— Pode ir. Agnès pode ficar no seu lugar. Não pode, Agnès?

— Ah, posso sim — Agnès começa a abrir garrafas de champanhe com a facilidade de alguém que já tem muita prática na tarefa.

Não hesito por nem mais um instante. Corro até o outro lado da mesa e me dirijo para a casa, aliviada por sair da mira do olhar raivoso de Shari... mas também furiosa por Luke ter contado a ela. Por quê? Por que ele foi dizer algo, quando hoje de manhã mesmo jurou que não diria?

E, tudo bem, pode ser que eu não tenha exatamente guardado o segredo *dele*...

Mas o segredo dele não vai deixar ninguém louco da vida com toda a certeza, como aconteceu com o meu.

Mas eu já devia saber, é claro. Não se pode confiar nos homens para guardar segredo. Bom, tudo bem, ninguém pode confiar em mim também. Mas achei que Luke era diferente dos outros caras. Achei que pudesse contar qualquer coisa para ele...

Ai, meu Deus! O que *mais* ele contou a Shari? Será que Luke contou a ela sobre aquilo? Não, com certeza não contou. Se tivesse contado, ela teria dito algo. Não teria se importado com a maneira como aquelas Filhas da Revolução Americana ficariam chocadas. Ela teria dito algo como: "VOCÊ DEU UMA CHUPADA POR PENA? ESTÁ LOUCA?"

Pelo menos, acho que é o que ela teria dito...

É o que estou pensando comigo mesma enquanto entro apressada na casa e disparo escada acima. Não vejo ninguém no meu trajeto até o segundo andar, onde encontro Craig, batendo na porta do quarto de Vicky e dizendo:

— Vic. Deixe-me entrar. Agora.

— NÃO! — Vicky grita com uma voz angustiada de trás da porta. — Você não pode me ver! Vá embora!

Eu me aproximo, um pouco sem fôlego.

— Qual é o problema? — pergunto a Craig.

— Não sei — o noivo dá de ombros. — Tem alguma coisa a ver com o vestido dela. Não tenho permissão para ver, ou dá azar. Ela não me deixa entrar.

Tem alguma coisa a ver com o vestido? Bato na porta.

— Vicky? É Lizzie. Posso entrar?

— Não! — Vicky grita.

Mas, antes que eu possa pensar em qualquer outra coisa, a porta já se abriu.

Só que não foi Vicky quem girou a maçaneta. Foi a mãe dela. Ela enfia um braço pela fresta da porta, pega no meu ombro e me puxa para dentro, dizendo, em tom severo para o futuro genro:

— Por favor, vá embora, Craig — e logo bate a porta atrás de nós.

Parada ali naquele enorme quarto de canto, decorado com papel de parede cor-de-rosa e uma enorme cama com dossel, meu olhar instantaneamente cai sobre a garota aos soluços em uma poltrona cor-de-rosa volumosa. A senhora De Villiers acaricia o cabelo da sobrinha, tentando acalmá-la. Dominique, com ar maldoso e obscuro, por alguma razão, lança um olhar penetrante para mim.

— Dominique disse que você sabe costurar — a senhora Thibodaux diz, ainda com a mão no meu ombro. — É verdade?

— Eh... — respondo, completamente confusa — sei. Quer dizer, eu sei costurar...

— Você pode resolver isto aqui? — a senhora Thibodaux pergunta e me vira para que eu possa olhar para filha dela, que se levantou e agora está em pé...

...usando o vestido de noiva mais pavoroso que já vi.

Parece que um monte de renda vomitou em cima dela. Tem renda para todo lado... nas mangas bufantes... no detalhe que

341

arremata o decote... caindo do corselete e da saia, formando laços volumosos ao longo de toda a barra. É o tipo de vestido com que algumas meninas sonham...

Quando têm nove anos.

— O que *aconteceu*? — pergunto.

Isso só faz com que Vicky chore ainda mais.

— Está vendo? — ela choraminga para a mãe. — Eu sabia!

A senhora Thibodaux morde o lábio inferior.

— Eu disse que não estava assim tão ruim. Ela está tão aborrecida...

Dou uma volta na noiva chiliquenta para olhar melhor a parte de trás do vestido. Bem como eu desconfiava. Há um imenso laço de renda bem em cima da bunda.

Um laço de bunda.

Não tinha como ser pior.

Troco olhares com a mãe de Luke. Por um instante muito breve, ela olha para o teto.

Não tenho opção além de admitir a verdade.

— Está mau — digo.

Vicky solta um soluço altíssimo.

— C-como você pôde deixar isto acontecer, mamãe?

— O quê? — a senhora Thibodaux parece indignada. — Fui eu quem avisou! Fui eu que fiquei falando para não exagerar! Foi ela mesma que desenhou — a senhora Thibodaux me explica. — E uma costureira parisiense costurou a mão, com base no desenho de Vicky.

342

Ah. Bom, isto explica tudo. Amadores nunca devem desenhar seus próprios vestidos. Principalmente se for o vestido de noiva.

— Mas eu não queria ficar assim — Vicky choraminga. — Não estava assim na última prova!

— Eu disse — a senhora Thibodaux insiste. — Eu disse para não esperar até doze horas antes do casamento para experimentar o vestido! E eu disse para não colocar tanta renda. Mas você não escutou. Ficou dizendo que ficaria tudo bem. Ficou dizendo que queria mais.

— Eu queria alguma coisa *original* — Vicky grita.

— Bem, é original mesmo — a senhora De Villiers comenta, cautelosa.

— A questão é a seguinte — Dominique abre a boca pela primeira vez desde que entrei no quarto. — Você consegue consertar?

— Eu? — lanço um olhar de pânico para o vestido. — Consertar? Como?

— Livre-se de tudo isto — Vicky diz com uma fungada, erguendo uma camada inerte de seda que pende, inexplicavelmente, do corselete.

Abaixo-me para examinar o vestido. Como ela afirmou, é mesmo costurado a mão. Os pontos são maravilhosos.

E vai ser quase impossível desmontá-lo sem estragar o tecido.

— Não sei — respondo. — Quer dizer, está mesmo muito bem costurado. Se removermos, podem ficar buracos. Talvez fique mesmo muito esquisito.

— Mais esquisito do que isto? — Vicky quer saber, erguendo os braços e revelando o que parecem ser asas de renda que caem das mangas.

— Meu Deus do céu — a mãe de Luke exclama ao ver as asas.

As asas parecem ter encerrado o assunto para a senhora Thibodaux.

— Você não pode costurar os buracos? — ela pergunta para mim.

— A tempo de ser usado amanhã à tarde? — O tom da mãe de Luke continua cauteloso. — Ginny, seja razoável. Nem uma costureira profissional... se é que seria possível encontrar uma a esta hora... seria capaz de fazer isto.

— Ah, Lizzie é muito habilidosa — Dominique interfere. — Jean-Luc não consegue parar de falar sobre todos os talentos dela.

Luke não consegue parar de me elogiar? Muitos talentos? Que talentos? Do que Dominique está falando?

— É mesmo? — A senhora De Villiers está olhando para mim com interesse genuíno. Não consigo saber se é por causa do que Dominique acabou de dizer ou se é uma curiosidade residual relativa ao que lhe contei antes, sobre as aspirações médicas do filho.

— Jean-Luc disse que ela faz todas as roupas dela — Dominique informa. — Ela até fez o vestido que está usando agora.

344

— O quê? — Fico tão surpresa que dou um pulo. — Não, não fiz. Este aqui é um Anne Fogarty de, tipo, da década de sessenta. Não fui eu quem fez.

— Ah, não seja modesta, Lizzie. — Dominique dá uma risada. — Jean-Luc me contou tudo.

Do que ela está falando? O que está acontecendo? O que Luke disse a ela sobre mim? O que Luke disse a Shari sobre mim? O que Luke está fazendo, ao ficar falando de mim para todo mundo?

— Lizzie consegue fazer bem rapidinho — Dominique vai dizendo. — Ela consegue dar um jeito no vestido de Victoria em um piscar de olhos.

— Ah! — a senhora Thibodaux bate palmas, com lágrimas (lágrimas de verdade) brilhando no canto dos olhos. — É mesmo verdade, Lizzie? Você consegue mesmo?

Olho da senhora Thibodaux para a senhora De Villiers para Dominique, então repito todo o trajeto. Alguma coisa está rolando aqui. Alguma coisa que, começo a desconfiar, tem mais a ver com Dominique do que com qualquer outra coisa.

— Você acha que consegue salvar o vestido, Lizzie? — a senhora De Villiers me pergunta, cheia de preocupação.

Será que Luke disse mesmo que eu tinha muitos talentos? Que sou habilidosa?

Não posso decepcioná-lo. Apesar de ele ter me dedurado para Shari.

— Vou ver o que posso fazer — respondo, hesitante. — Quer dizer, não posso prometer nada...

— Não faz mal — Vicky diz. — Só não quero ficar parecendo Stevie Nicks no meu casamento.

Dá para entender do que ela está falando. Ainda assim...

— Tire o vestido e entregue a Lizzie — a senhora Thibodaux diz à filha. — E vista a sua roupa para o jantar de hoje. Tem muita gente esperando para nos ver lá embaixo. Só Deus sabe o que acham que está acontecendo aqui.

Não comento que a maior parte das pessoas não pareceu muito abalada com os berros de Vicky, já que ela parece fazer isso com muita freqüência.

Um minuto depois, vejo-me ali parada, com um monte de renda nos braços.

— Faça o que puder — a senhora Thibodaux me diz enquanto Vicky, depois de colocar um vestidinho rosa recatado e ajeitar a maquiagem manchada pelas lágrimas, abre a porta e sai para falar com Craig, que ficou esperando calmamente o tempo todo.

— Não tem como ficar pior — é o que a mãe de Luke afirma ao passar por mim.

Dominique completa, quando segue as irmãs:

— Boa sorte — com um brilho tão malicioso nos olhos que percebo, estupefata, que acabei de cavar um buraco para mim mesma, do qual nunca conseguirei sair.

E que foi Dominique quem me entregou a pá.

PARTE TRÊS

PARTE TRÊS

A Primeira Guerra Mundial foi responsável por milhões de mortes, mas talvez nenhuma tenha sido mais notável do que a morte das convenções pré-guerra. Toda uma geração de mulheres que executaram "trabalhos de guerra" na ausência dos homens, que estavam longe de casa, na luta, perceberam que, como o mundo estava prestes a acabar, era melhor mesmo que começassem a fumar, beber e fazer, de modo geral, tudo que tinham sido proibidas de fazer durante tantos anos.

As garotas que passaram a fazer tais coisas rapidamente receberam um nome especial — melindrosas —, assim denominadas por causa de suas maneiras graciosas e afetadas, conquistando sua independência pela primeira vez. Desafiando os pais e, às vezes, os legisladores, as garotas cortaram o cabelo, subiram a barra da saia até o joelho e começaram a preparar o terreno para as que, hoje, ditam a moda jovem (consulte: Stefani, Gwen, grife L.A.M.B; e Spears, Britney, top de jibóia albina).

História da Moda
MONOGRAFIA DE ELIZABETH NICHOLS

É inútil tentar guardar segredo de alguém que tem
direito a conhecê-lo. Ele se conta sozinho.

— *Ralph Waldo Emerson (1803-1882),*
ensaísta, poeta e filósofo norte-americano

Certo. Está tudo bem. Eu consigo. Eu consigo fazer isso.
Total.

Simplesmente vou rasgar as costuras. Estou com o meu kit de
costura aqui, e isso significa que estou com minha pinça de costura e com a minha tesoura. Vai ser fácil fácil.

Simplesmente vou rasgar toda a renda e ver o que sobra para
trabalhar. Vai dar tudo certo. Vai ficar ótimo. Vai ter que dar tudo
certo porque, se não der, vou estragar o grande dia de uma noiva.
Não só isso, vou decepcionar todas essas pessoas que foram tão
gentis comigo.

Certo. Preciso fazer um bom trabalho. Preciso.

Rasgo.

Ah! Ah, certo, parece péssimo. Acho que é melhor começar
pelo laço da bunda. Rasgo. É, já está melhor. Que bom. Rasgo.

351

O negócio é que eu sei que tem uma pessoa que quer me ver falhar. É tão óbvio que foi por isso que Dominique disse aquelas coisas... Luke provavelmente não falou nenhuma daquelas coisas (rasgo) a respeito de eu ter muitos talentos, ou de ser muito habilidosa. Não dá para acreditar que caí nessa. Porque ela só disse aquelas coisas porque sabia que, se eu as escutasse, seria mais difícil dizer não.

E ela queria que eu respondesse sim para que eu pudesse estragar tudo.

É só que... (rasgo) Por que ela iria querer que eu estragasse tudo? O que fiz para Dominique? Quer dizer, só fui simpática com ela, nada mais.

Bom, tudo bem, houve aquela história de contar à mãe de Luke que ele quer ser médico. Ela pode ter ficado um pouco brava com isso, tendo em vista que deseja muito se mudar para Paris.

E então tem o fato de eu ter deixado escapar o planinho dela de transformar Mirac em um hotel para pacientes de lipoaspiração se recuperarem.

Mas nunca disse à senhora De Villiers que o plano tinha sido obra de Dominique.

Então, por que ela faria algo assim tão maldoso? Ela sabe tão bem quanto eu que este vestido é uma causa perdida. Nem Vera Wang seria capaz de salvar esta coisa. Onde Vicky estava com a cabeça? Como é que ela pode ter pensado...

— Lizzie?

Chaz. Chaz está à porta do meu quarto.

— Entre - – digo.

Ele abre a porta e enfia a cabeça lá dentro.

— Ei, o que está fazendo aqui? Precisamos de você lá...

A voz dele vai sumindo quando percebe a confusão em que o meu quarto se transformou. Montes nevados de renda estão... bem, por todo lado.

— Meu Deus do céu! — Chaz exclama. — Por acaso uma fada causou uma explosão aqui?

— É uma emergência relacionada ao vestido de noiva — ergo o vestido de Vicky.

— Quem vai casar? — Chaz quer saber. — Björk?

— Muito engraçado. Mas, bem, não me esperem de volta tão cedo. Estou ocupadíssima aqui.

— Isso está bem óbvio. Mas não é por nada, Lizzie... só que, por acaso, você sabe alguma coisa sobre consertar vestidos de noiva?

Estou me esforçando muito para não deixar que ele me veja chorar.

— Acho que logo vamos descobrir, não é mesmo? — digo, em tom alegre.

— É. Acho que sim. Bem, não se preocupe, não está perdendo muita coisa lá embaixo. Tem um monte de gente exibida falando de seus iates. Ah, escute, o que aconteceu entre você e Shar?

Fungo e esfrego o nariz com o ombro, como se só estivesse coçando, e não escorrendo.

353

— Ela descobriu que, na verdade, eu não me formei — respondo.

Chaz parece aliviado.

— Só isso? Da maneira como ela está alterada, achei que você tinha falado algo sobre Mr. Jingles. Você sabe que ela se sente culpada por causa daquilo...

— Não. — Eu apenas deixei de informá-la de que não terminei minha monografia. E ela descobriu. De algum modo.

Sabe, é bem feito para mim. Luke ter contado a Shari que eu não me formei, quer dizer. Já que contei sobre a coisa de ser médico para a mãe dele.

O negócio é que sou fisicamente incapaz de guardar segredo. Qual é a desculpa dele?

— Você não terminou a sua monografia? Caramba, isso não é nada — Chaz não parece dar muita atenção ao fato. — Você consegue escrever isto bem rapidinho. Vou pedir a Shari que se acalme.

— Tudo bem — fungo. Quando ele me lança um olhar inquisidor, digo: — É alergia. Mesmo. E obrigada, Chaz.

— Certo. Então, boa sorte. — Chaz examina o quarto com olhar especulativo. — Parece que você vai precisar.

Então, sai.

Deixo escapar um pequeno soluço, mas logo me recomponho. Eu vou conseguir. Eu vou conseguir. Já fiz isso com centenas de vestidos na Vintage to Vavoom, com modelos que ninguém queria comprar, porque eram feios demais. Alguns golpes da minha tesoura e uma rosa de veludo aqui e ali e... *voilà! Parfait!*

E, normalmente, dava para vendê-los por um preço cinqüenta por cento maior.

Acabo de conseguir tirar as asas penduradas nas mangas quando ouço outra batida na porta. Não faço idéia de quanto tempo faz que estou trabalhando, nem de que horas são, mas dá para ver pela janelinha em forma de diamante por cima da minha cama que o sol está se pondo e deixando o céu de um tom de rubi brilhante. Dá para ouvir risadas vindas do gramado e o barulho de talheres. Os convidados estão jantando.

E, por ter ajudado a tirar toda a comida do caminhão de entrega quando chegou, tenho bastante certeza de que o que estão comendo é delicioso, com base no que vi. Tenho certeza, aliás, que trufas e *foie gras* fazem parte do cardápio.

— Entre — digo, em resposta à batida, achando que talvez seja Chaz de novo.

Fico absolutamente chocada de ver que não é Chaz coisa nenhuma, mas sim Luke.

— Ei — ele entra no quarto minúsculo e então examina o lugar, claramente preocupado.

E por que não deveria ficar preocupado? O lugar parece uma fábrica de confete.

— Chaz acabou de me contar o que aconteceu — ele diz. — Eu não fazia idéia de que tinham metido você nisso. É uma loucura completa.

— É — respondo, rígida. Estou determinada a não chorar. Pelo menos, não na frente dele. — É uma loucura mesmo.

Segure-se, Lizzie. Você consegue.

— Como foi que a convenceram a fazer isso? — ele quer saber. — Quer dizer, Lizzie, não tem jeito de alguém conseguir fazer um vestido de noiva em uma noite. Por que não recusou o pedido?

— Por que não recusei o pedido? — Ai, não. Lá vêm as lágrimas. Dá para senti-las, quentes e molhadas, atrás de minhas pálpebras. — Caramba, Luke, não sei. Talvez porque a sua namorada ficou dizendo para todo mundo como você tinha dito que eu era talentosa.

Luke parece estupefato.

— O quê? Eu não...

— Eu sei — interrompo. — *Agora*. Mas, na hora, não sei, uma parte de mim ficou torcendo para que fosse verdade ou algo assim. Sabe, que você tinha dito alguma coisa gentil a meu respeito. Eu devia ter percebido, é claro, que era apenas um truque.

— Do que você está falando? — Luke pergunta. — Lizzie, você está chorando?

— Não — insisto, erguendo o pulso para secar as lágrimas que escorrem dos meus olhos. — Não estou chorando. Só estou mesmo muito cansada. Hoje foi um dia muito longo. E realmente não apreciei o fato de você ter feito o que fez.

— O que eu fiz? — Luke parece totalmente confuso.

Além do mais, à luz do abajurzinho ao lado da cama, Luke parece totalmente gostoso. Ele vestiu roupas de festa, uma camisa branca de linho com colarinho e calça preta com pregas

356

marcadíssimas na parte da frente de cada perna. A camisa branca ressalta o bronzeado profundo do pescoço e dos braços dele.

Mas não me deixarei abalar pela gostosura masculina. Não desta vez.

— Certo — respondo. — Como se você não soubesse.

— Eu *não* sei. Não sei o que Dominique contou que eu disse, Lizzie, mas juro...

— Não estou falando sobre o que você disse a Dominique — interrompo. — Eu já sei que foi mentira dela. Mas por quê... — minha voz falha. Belo trabalho fiz em não querer chorar na frente dele. Ah, tanto faz. Até parece que ele nunca me viu chorar. — ...por que você contou a Shari sobre a minha monografia?

— *O quê?* — A expressão dele, à luz do abajur, é uma mistura de incredulidade e confusão. — Lizzie, juro. Eu não disse nenhuma palavra.

Uau. Por essa eu realmente não esperava. Sabe como é, negação. Eu achava que ele simplesmente iria confessar... que admitiria o que tinha feito e que pediria desculpas.

Que eu estava pronta a aceitar, é claro, levando em conta minha própria culpa de ter aberto a boca a respeito dele para sua mãe. É verdade que as coisas nunca mais seriam as mesmas entre nós, é claro. Mas talvez, com o tempo, pudéssemos ter sido capazes de reconstruir a confiança mútua...

Mas ficar ali parado negando? Na minha frente?

— Luke — minha voz treme um pouco por causa da decepção. — Tem que ter sido você. Ninguém mais sabia.

— *Não* foi — Luke diz. Dou uma olhada no rosto dele e percebo que ele não está mais nem incrédulo nem confuso. Agora, está louco da vida. Pelo menos, se a testa franzida serve de indicação. — Olhe, não sei como Shari descobriu a respeito de você não ter se formado. Mas não contei para ela. Diferentemente de algumas pessoas neste quarto, consigo guardar segredo. Ou será que não foi você que disse à minha mãe que quero estudar medicina?

Opa. No silêncio que se instala antes de eu responder, dá para ouvir mais barulho de talheres lá embaixo, junto com o cricrilar dos grilos e a voz de Vicky, berrando bem alto:

— Lauren! Nicole! Vocês chegaram!

Engulo em seco.

Estou. Completamente. Morta.

— Bem — digo —, é verdade. É, eu disse. Mas posso explicar...

— Você acha mesmo — Luke interrompe — que tudo bem você andar por aí acusando as pessoas de não guardar segredo se você obviamente não consegue fazer isso?

— Mas... — digo, sentindo todo o sangue se esvair do meu rosto.

Porque ele está certo, claro. Sou a maior hipócrita do mundo.

— Mas — repito —, você não entende. — A sua namorada... o seu tio... todo mundo estava dizendo por aí que você ia aceitar aquele emprego, e só pensei...

— Você só pensou que ia se envolver em uma coisa que não era nem um pouco da sua conta? — Luke quer saber.

358

Eu. Sou. Tão. Burra.

— Eu estava tentando ajudar — digo bem baixinho

— Nunca pedi a sua ajuda, Lizzie. Nunca quis a sua ajuda. O que eu quis de você era... o que achei que a gente podia...

Espere. Luke queria alguma coisa de mim? Luke achou que a gente podia... O quê?

De repente, meu coração começa bater devagar. Ai, meu Deus. Ai, meu Deus.

— Quer saber de uma coisa? — Luke diz, de repente. — Deixa para lá.

E ele dá meia-volta e sai do quarto batendo o pé, fechando a porta com enorme firmeza atrás de si.

Algumas pessoas argumentam que a ascensão de Hitler — e do fascismo — pode ser atribuída à volta, na década de 1930, aos comprimentos de saia mais longos e da cintura apertada e restritiva, o que fez as mulheres retornarem ao corselete. O início da Grande Depressão fez com que fosse quase impossível as mulheres comuns de fato possuírem os modelos parisienses que viam as estrelas de cinema opressivas usando nos filmes — mas costureiras talentosas que eram capazes de imitar os modelos com tecidos menos dispendiosos encontraram muito trabalho, e finalmente nascia a "cópia"... que tenha vida longa (consulte: Vuitton, Louis).

História da Moda
MONOGRAFIA E ELIZABETH NICHOLS

A fofoca é um charme! História não passa de fofoca.
Mas o escândalo é fofoca transformada em
algo tedioso pela moralidade.

— *Oscar Wilde (1854-1900),*
dramaturgo, romancista e poeta anglo-irlandês

Posso dizer uma coisa? Realmente é muito difícil cortar em linha reta quando você está chorando tanto que nem consegue enxergar.

Bem, tanto faz. Quem é que precisa dele, aliás? Quer dizer, claro, ele parece ser legal de verdade. E sem dúvida nenhuma é bonito. E é inteligente e engraçado também.

Mas é um mentiroso. Quer dizer, é óbvio que ele contou a Shari sobre a minha monografia. De que outra maneira ela teria descoberto? Não sei por que ele simplesmente não reconheceu simplesmente, como eu fiz, sobre ter contado para a mãe dele a respeito de seu sonho secreto de ser médico.

Pelo menos eu fiz isso por uma boa causa. Porque desconfio que Bibi De Villiers seja o tipo de mulher que, ao saber que seu filho tem um sonho secreto, fará tudo a seu alcance para se assegurar de que o sonho se realize. Será que uma mãe assim realmente deve ser privada de conhecer a ambição que mora no fundo do coração do filho?

Na verdade prestei um serviço a Luke quando contei para a mãe dele. Como é que ele não consegue enxergar isso?

Ah, tudo bem. Sou uma enxerida com a boca grande e uma imbecil idiota. E, por causa disso, eu o perdi... apesar de ser verdade que nunca o tive. Ah, claro, teve aquele momento hoje de manhã, quando ele me comprou as latinhas de Diet Coke...

Mas não. Aquilo tudo obviamente só estava na minha cabeça. Agora não há mais dúvida sobre isso. Estou destinada a viver e morrer sozinha. Romance e Lizzie Nichols simplesmente não se misturam.

E, tudo bem. Quer dizer, sempre existiu muita gente que teve uma vida perfeitamente feliz e completa sem ter uma cara-metade. Não consigo pensar em ninguém agora. Mas tenho certeza de que existe gente assim. Simplesmente vou ser como uma dessas pessoas. Vou simplesmente ser Lizzie... sozinha.

Estou tentando enfiar minha tesoura por baixo de uma fileira especialmente firme de pontos quando ouço mais uma batida na minha porta.

Falando sério. Não sei quanto mais disso serei capaz de agüentar. A porta se abre antes que eu tenha chance de dizer "entre". E, para minha surpresa, Dominique está ali parada, toda altíssima com suas sandálias Manolo e um vestido verde curtinho e decotado.

Balanço a cabeça.

— Olha, sei que parece que está ruim, mas antes da tempestade tudo sempre parece pior. Vou conseguir terminar o vestido se as pessoas me deixarem em paz para que eu possa trabalhar.

Dominique entra no quarto e fica olhando ao redor com muita atenção, como se houvesse fios de armadilhas estendidos no chão em vez de apenas montes e montes de renda.

— Não vim aqui para falar do vestido. — Dominique pára na frente da minha mala e fica olhando para a confusão de vestidos vintage e de jeans da Sears lá jogados. Então, dá um sorriso azedo.

— Olha — realmente, àquela altura, já tinha engolido tudo que minha mente é capaz de suportar —, se você quiser que eu termine isto aqui até de manhã, vai ter que me deixar em paz, certo? Diga a Vicky que estou fazendo o melhor que posso.

— Eu já disse. Não vim aqui falar de Victoria nem do vestido dela. Estou aqui por causa de Luke.

Luke? Isso faz com que eu largue a tesoura. O que Dominique pode querer me dizer a respeito de Luke?

— Eu sei que você está apaixonada por ele. — Ela pega meu frasco tamanho família de antiácido Tums da cômoda e o examina de perto.

Fico olhando para ela, boquiaberta.

— O-o quê?

— Está bem óbvio. — Dominique larga o frasco de Tums no lugar que o encontrou. — No começo, não me preocupei porque... bom, olhe só para você.

Como sou uma imbecil completa, realmente abaixo os olhos e observo a mim mesma. Agora há aproximadamente oitenta e cinco mil pedaços de renda branca presos ao meu vestido preto. Prendi o cabelo todo em um rabo-de-cavalo improvisado e perdi os sapatos em algum lugar embaixo de todas as dobras de tecido que cobrem o piso do quarto.

— Mas eu sei que ele... se *preocupa* com você. — Dominique ergue o queixo pontudo.

É. Bem, talvez em algum momento já tenha se preocupado. Agora? Nem tanto, desconfio.

— Ele pensa em você, acho, como um irmão mais velho pensa na irmã menor divertida — Dominique prossegue.

Maravilha. Da mesma maneira que Blaine pensa em Vicky. Mas que maravilha.

Mas, bem, acho que isso é melhor do que me detestar.

— Ele conta coisas para você, acho. — Ela encontra uma das minhas diversas luzinhas de leitura e a ergue para examinar melhor. — Estou aqui imaginando se ele disse alguma coisa sobre a oferta do tio dele.

Finjo ignorância. O que mais posso fazer? Não posso deixar transparecer que eu estava escutando. Apesar de eu estar, obviamente.

— Oferta?

— Você deve ter ouvido, com certeza. Um emprego em Paris, na firma de investimento exclusivíssima do tio dele. Para ganhar muito mais do que ganha agora. Ele não comentou com você?

364

— Não. — Pela primeira vez, nem estou mentindo.

— Mas que estranho. Ele está agindo de uma maneira muito esquisita.

— Bem — digo, em tom despreocupado. — Esse é o tipo de coisa que acontece. Sabe, quando aparece um monte de dinheiro na frente de alguém. As pessoas enlouquecem. Olhe só o que aconteceu com Blaine.

— Blaine? — Dominique parece não estar entendendo nada.

— Isso mesmo. Blaine Thibodaux. — Como Dominique continua com ar de quem não está entendendo nada, explico: — A banda dele assinou contrato com uma gravadora, e a namorada de Blaine o abandonou. Porque disse que agora ele é rico demais. Como eu disse. Quando se trata de grandes quantidades de dinheiro, algumas pessoas simplesmente... enlouquecem.

Dominique parece estupefata. Minha luzinha de leitura está inerte na mão dela.

— Gravadoras pagam tanto assim?

— Bem, claro — respondo. — Além do mais, sabe como é, Blaine vendeu os direitos de uma de suas canções para a Lexus. Para um comercial.

Os olhos de Dominique se apertam.

— É mesmo? — Ela larga a luzinha de leitura. — Que interessante. — O tom dela mostra que ela considera a informação tudo, menos interessante. — Então, você não sabe por que Luke está agindo de maneira tão estranha?

365

— Não faço a menor idéia — respondo. Porque realmente não faço. Pelo menos, não sei por que ele estaria agindo de maneira estranha com Dominique. A menos que ela, como eu, o tenha acusado de ser mentiroso. Daí, é claro, eu compreenderia.

— Bem — ela se dirige para a porta. — Muito obrigada. Boa sorte com o vestido — um dos cantos da boca dela se retorce, formando uma espécie de sorriso. — Parece que você vai precisar.

Então ela já se foi, antes mesmo que eu possa dizer "obrigada".

Ah, sei lá. Se é esse tipo de mulher que Luke prefere — alta, naturalmente magra, artificialmente inflada na área peitoral (eu apostaria a vida de vovó nisso) e obcecada por dinheiro, que bom para ele.

Mas sabe como é. Eu acho que entendo por que ele pode preferir esse tipo de mulher a uma que o acusa de ser mentiroso. Mesmo que ele seja mentiroso mesmo.

E isso não parece algo que Dominique faria. Ela sempre é cheia de artimanhas.

Ela é tão boa em maquinações que até fez com que eu me comprometesse com um projeto que não vai ter jeito de eu terminar a tempo. Pelo menos não de maneira satisfatória. Quando os brindes começam lá embaixo (dá para ouvir o tilintar de colheres no cristal, depois a calmaria e, no final, risos de apreciação), já consegui tirar toda a renda do vestido de Vicky.

E descobri que aquilo que a renda cobria era ainda pior do que a renda.

Estou aqui parada, perguntando a mim mesma se deveria simplesmente reaplicar toda a renda e admitir derrota, ou quem sabe fazer as malas e simplesmente fugir, quando a porta do meu quarto se abre e Shari entra sem bater. Traz nas mãos um prato de comida.

— Antes que você abra a boca e deixe as coisas ainda piores do que já estão — ela diz toda brava, enquanto coloca o prato em cima da cômoda, ao lado das luzinhas de leitura —, quero que saiba que fiquei menstruada hoje e, como sou burra, esqueci de trazer absorvente. Então vim aqui ver se você tem algum, porque sei que você sempre faz a mala como se estivesse indo para o monte Everest e não vai ver a civilização durante semanas, mesmo que só vá passar uma noite fora. E foi assim que encontrei o caderno em que você está escrevendo a sua monografia. Quer dizer, você o deixou aberto, bem em cima da sua cama. Não ia ter como eu não olhar. Achei que era o seu diário. E estava com TPM. Eu *tive* que ler, obviamente.

Fico olhando para ela de queixo caído.

— Eu sei que foi errado — ela prossegue. — Mas, mesmo assim, eu li. E foi por isso que fiquei sabendo que você não se formou. Luke não me contou. Aliás, acho que vou aproveitar este momento para dizer que não acredito que você contou a Luke, um fulano que conheceu há alguns dias, e não para mim, que sou sua melhor amiga desde o jardim-de-infância.

Sinto uma coisa se remexendo embaixo de mim. Primeiro, fico achando que é o chão. Depois percebo que são minhas entranhas se apertando.

— Luke não contou para você? — pergunto, com a voz bem fraquinha.

— Não — Shari responde. Ela se joga em cima da minha cama, sem reparar nos montes de seda em cima dela. — Então, foi mesmo muito legal da sua parte acusá-lo. Parece que ele apreciou mesmo isso. E você também.

— Ai, meu Deus — agarrada à minha barriga, me jogo na cama ao lado dela. — O que fiz?

— Ferrou com tudo. Completamente. Quer dizer, levando em conta que você está apaixonada por ele e tudo o mais.

Olho para ela, cheia de tristeza.

— Está assim tão visível?

— Para quem conhece você há dezoito anos? Está sim. Para ele? Provavelmente não.

Eu me jogo de novo na cama e fico olhando para as vigas do teto com os olhos cheios de lágrimas.

— Como sou idiota — digo.

— É. É mesmo. Por que simplesmente não me contou sobre a monografia, para começo de conversa?

— Porque eu sabia que você ficaria brava.

— Estou brava com você.

— Está vendo? Eu sabia.

— Bem, fala sério, Lizzie — Shari diz. — Só porque os seus estudos saíram de graça, isso não significa que você pode folgar. História da moda? Como curso?

— Pelo menos não precisei matar nenhum rato!

No minuto que as palavras saem da minha boca, me arrepen-do. Porque agora os olhos de Shari se encheram de lágrimas.

Eu já disse — ela explica. — Precisei matar Mr. Jingles. Um cientista precisa saber se distanciar.

Eu sei.   Ergo o corpo e dou um abraço nela. — Eu sei, e sinto muito por ter dito isso. Não sei qual é o meu problema. É só que... eu estou tão confusa...

Shari não retribui meu abraço. Em vez disso, examina o meu quarto:

— Você está confusa e se meteu na maior confusão. Lizzie, o que você vai fazer com o vestido daquela garota?

— Não sei — respondo, tristonha, avaliando o prejuízo. — Na verdade, ficou pior do que antes.

— Bem, não vi como estava antes. Mas não sei como pode-ria estar pior do que está agora.

Respiro fundo.

— Eu vou consertar — respondo. E não estou falando só do vestido de Vicky. — Não sei como, mas vou consertar. Mesmo que precise ficar acordada a noite inteira.

— Bem — Shari ela se levanta e vai pegar o prato da cômo-da —, tome. Uma oferenda de paz.

Ela coloca o prato no meu colo. Nele, há toda uma variedade do que foi servido no jantar: algo que parece um galeto selvagem, algum tipo de gratinado de legumes, uma salada com molho vinagrete, pedaços de queijos sortidos e ...

369

— Isso aí é *foie gras* — Shari aponta para uma bolota de uma coisa marrom no canto do prato. — Eu sei que você queria experimentar. Não trouxe pão, porque acredito que você esteja fazendo aquela coisa da baixa quantidade de carboidratos... tirando os croissants e os sanduíches de chocolate Hershey. Aqui está um garfo. Ah, e aqui...

Ela vai até a porta do quarto, abre, abaixa e pega alguma coisa do chão, do lado de fora.

É um balde de gelo. Ela ergue a tampa e revela...

— Minhas Diet Cokes — digo, segurando uma nova onda de lágrimas.

— É. Encontrei enfiadas lá no fundinho da geladeira, atrás da Nutella. Achei que seriam úteis, já que você vai passar a noite toda em claro. Afinal — Shari olha para os restos do vestido de noiva de Vicky —, parece que é isso mesmo que você vai fazer.

— Obrigada, Shar — começo a fungar. — E... sinto muito. Não sei por que não cuidei melhor dos meus estudos. Acho que no fim acabei ficando tão envolvida com Andy que realmente não prestei atenção ao que estava acontecendo.

— Não é isso. Quer dizer, provavelmente isso seja parte do problema, mas vamos ser sinceras, Lizzie. Estudar nunca foi muito a sua praia. — Shari aponta com a cabeça para a minha cesta de costura. — Isso é que é. E se alguém pode consertar aquele vestido feio, acho que é você.

Meus olhos se enchem de lágrimas de novo.

— Obrigada. Mas é que... quer dizer, o que vou fazer a respeito de Luke? Será que ele... será que ele realmente me odeia?

— Acho que ódio é uma palavra forte demais para isso. Eu diria mais que está... amargurado.

— Amargurado? — Enxugo os olhos com as mãos. — Amargurado é melhor. Dá para encarar amargurado. Não que isso faça diferença — completo rapidinho, ao ver o olhar curioso que Shari lança para mim. — Porque ele já tem namorada, e mora em Houston, e eu estou acabando de sair de um relacionamento sem perspectiva, e não estou interessada em começar algo novo e tudo o mais.

— Certo. — Shari ergue uma das sobrancelhas. — Tudo bem, então. Mas, agora, mãos à obra, Coco. Todos estaremos esperando com ansiedade a sua criação pela manhã.

Tento rir, mas a coisa sai como um soluço de choro.

— E, Lizzie? — ela pergunta, quando faz uma pausa a caminho da porta.

Ai, não.

— O que foi?

— Tem mais alguma coisa que precise saber? — Shari pergunta. — Algum outro segredo que você pode estar escondendo de mim?

Engulo em seco.

— De jeito nenhum — afirmo.

— Que bom. Vamos deixar as coisas assim.

Então, sai do meu quarto batendo os pés.

O negócio é que não me sinto nem um pouco mal por não ter contado a ela a respeito da chupada. Há algumas coisas que nem a sua melhor amiga precisa saber.

Quando os alemães invadiram Paris, em 1940, a moda como o mundo a conhecia atingiu um impasse. A guerra colocou fim à exportação de alta-costura e o racionamento imposto para que se economizassem recursos para a guerra significou que itens como seda, que era necessária para a confecção de pára-quedas, passaram a ser impossíveis de encontrar. As amantes radicais da moda, no entanto, não abriram mão das meias-calças, de modo que pintavam as pernas e desenhavam costuras na parte de trás para imitar seu acessório preferido. Mulheres com menos inclinação artística optaram, em vez disso, por calças, visual que finalmente começava a ser aceito na sociedade que ia se acostumando com coisas como ataques aéreos e o *bebop*.

História da Moda
MONOGRAFIA DE ELIZABETH NICHOLS

A fofoca é uma notícia correndo à frente de si mesma
com um vestido de cetim vermelho.

— *Liz Smith (1923-), jornalista e escritora norte-americana*

cordo e encontro uma faixa de renda colada ao meu rosto. Também escuto batidas ansiosas na minha porta.

Olho ao redor com a visão embaçada. Percebo que me esqueci de fechar as cortinas na noite anterior. Percebo que me esqueci de fazer várias coisas na noite anterior. Tais como vestir pijama. Tirar a maquiagem. Ou escovar os dentes.

As batidas na minha porta continuam.

— Já vou — rolo para fora da cama e cambaleio um pouco por causa de uma tontura esquisita que toma conta das minhas têmporas. Isso é o que acontece, eu sei, quando se passa uma noite em claro turbinada por Diet Coke.

Chego até a porta e a abro alguns centímetros cautelosos. Vicky Thibodaux, usando um penhoar azul-claro, está parada no corredor.

— E aí? — pergunta, ansiosa. — Terminou? Você conseguiu? Salvou o vestido?

— Que horas são? — Esfrego os olhos que ardem.

— Oito — ela responde. — Vou me casar daqui a quatro horas. QUATRO HORAS. *Você terminou?*

— Vicky — formo lentamente as palavras que se repetem sem parar na minha cabeça desde mais ou menos duas da manhã. — O negócio é o seguinte...

— Ah, que se dane. — Vicky joga todo o peso do corpo contra a porta, o que faz com que ela se abra e me lance para o lado.

Ela dá três passos para dentro do quarto e fica paralisada ao ver o que está pendurado no gancho da parede.

— Isso... isso... — ela gagueja, com os olhos esbugalhados. — Isso é...

— Vicky, deixe-me explicar. O vestido que a sua costureira usou para costurar toda aquela renda não tinha integridade estrutural suficiente para poder existir sem toda aquela...

— Eu amei — Vicky diz, sem fôlego.

— ...renda que o cobria. Em essência, o seu vestido de noiva era só renda... e nada mais. Então eu... espere. Você o quê?

— Eu amei — Vicky pega a minha mão, bastante emocionada. Ela não tira os olhos do vestido pendurado na parede nem por um segundo. — É o vestido mais lindo que já vi.

— Eh... — Sinto uma onda de alívio percorrer meu corpo. — Obrigada. Também acho. Encontrei lá em cima, no sótão, ou-

374

tro dia. Estava meio manchado, mas consegui tirar as manchas, e consertei alguns rasgos da barra e prendi uma alça que estava solta. Ontem à noite, ajustei o tamanho de acordo com as medidas do seu vestido antigo. Deve servir, se você não encolheu... ou cresceu... durante a noite. Então, demorei cerca de uma hora passando... graças a Deus encontrei um ferro na cozinha...

Vicky, percebo, mal escuta o que digo. Continua com o olhar colado ao Givenchy reluzente.

— Quer experimentar?

Vicky assente com a cabeça, incapaz de falar, e começa a tirar o penhoar sem proferir mais nenhuma palavra.

Tiro o vestido do cabide com cuidado. O vestido original de Vicky (o desastre de renda) está em outro gancho, ali ao lado. Eu coloquei os dois lado a lado, para ela poder escolher. O vestido original dela não está assim tão ruim... apesar de ser eu mesma quem está dizendo. Consegui retirar a renda, mas não tinha jeito de continuar sendo um vestido. Agora, em vez de parecer alguma coisa que Stevie Nicks poderia usar, está com jeito de um modelo que serviria para Oksana Baiue em uma apresentação de *Barbie on Ice*.

Mas, ao lado do Givenchy, não tinha a menor chance.

E isso era exatamente o que eu queria.

Percebo que eu mesma seguro o fôlego ao fazer deslizar por cima da cabeça de Vicky os metros e metros de seda branca cremosa. Então, quando ela enfia os braços pelas alças, vou para trás dela para começar a fechar os botões de pérolas. Um por um, entram em suas casas com facilidade. E eu sei que ela não está prendendo o fôlego, porque dá para ouvir sua respiração animada enquanto olha para si mesma.

— Serviu! — ela exclama animada, quando chego aos botões de cima. — Ficou *perfeito*.

— Bem, devia ficar mesmo, alinhavei novamente...

Vicky se afasta de mim.

— Quero ver como ficou. Onde tem um espelho?

— Oh... tem um no banheiro do outro lado do corredor...

Ela sai correndo do meu quarto, bate a porta com muito barulho e, fazendo a mesma confusão, entra no banheiro.

De lá, escuto:

— Ai, meu Deus, está *perfeito*!

Largo todo o peso do corpo contra a parede do quarto, aliviada. Ela gostou.

Bem, finalmente consegui fazer *alguma coisa* certa.

Vicky irrompe novamente no meu quarto.

— Eu amei — pela primeira vez desde que a conheci, não consegue parar de sorrir.

E, sorrindo, Vicky se transforma em uma pessoa completamente diferente. Deixou de ser a socialite mimada que odeia o irmão e quase todo mundo.

Em vez disso, obtenho um vislumbre da jovem doce e charmosa que escolheu se casar com um programador de computador meio lerdo do Minnesota em vez de um herdeiro do petróleo texano escolhido pela mãe.

Acho que é verdade o que dizem a respeito das noivas no dia do casamento. Todas ficam lindas. Até mesmo assim tão cedo pela manhã, sem maquiagem, Vicky está estonteante.

— Amei o vestido e amo você — ela solta. — Vou mostrar para a minha mãe. — Vicky se inclina para tascar um beijo na minha bochecha e me puxa para um abraço de urso surpreendente. — Obrigada. Muito obrigada mesmo. Nunca vou me esquecer disso. Você é um gênio. Um gênio completo.

E então ela se vai em um redemoinho de seda branca.

E, totalmente exausta, volto a desabar na cama, desesperada para dormir por mais alguns minutos.

Consigo surrupiar mais uma, talvez duas horas de sono antes de ser acordada de maneira muito rude por alguém que joga o corpo para cima de mim. Alguém que parece muito com Shari quando diz:

— Ai, meu Deus, ai, meu Deus, Lizzie, acorde! Você jamais vai acreditar... ACORDE!

Coloco um travesseiro por cima da cabeça e fecho os olhos com força.

— Seja lá o que for, não quero saber. Falando sério. Estou exausta. Vá embora.

— Você vai querer saber disso — Shari me garante, arrancando o travesseiro das minhas mãos.

Quando consegue me privar da única proteção que tenho contra o sol forte que invade o meu quarto, espio por entre as pálpebras inchadas e digo, em um tom que carrega enorme hostilidade:

— Espero que seja algo bom, Shar. Fiquei acordada até as cinco da manhã, trabalhando naquele vestido idiota.

— Ah, isso é bom sim — Shari diz. — Luke deu um pé na bunda dela.

Só fico olhando.

— De quem?

— Como assim, de quem? — Shari bate na minha cabeça com o travesseiro que arrancou de mim. — De Dominique, sua burra. Ele disse a Chaz, que me contou. E corri até aqui para contar para você.

— Espere. — Ergo o corpo e me apóio nos cotovelos. — Luke terminou com Dominique?

— Parece que foi ontem à noite, depois de todo mundo ter ido para a cama. Achei que tinha ouvido uma briga, mas as paredes deste lugar são tão espessas...

— Espere. — Aquilo realmente era demais para eu absorver depois de uma ressaca de Diet Coke. — Eles terminaram ontem à noite?

— Eles não terminaram — Shari diz, radiante. — Luke deu um pé na bunda dela. Ele disse a Chaz que finalmente percebeu que os dois queriam coisas totalmente diferentes da vida. E também que os peitos dela são falsos.

— O quê?

— Bem, claro que esta não é uma das razões pelas quais ele terminou com ela, claro. Foi só uma coisa que ele disse *en passant*.

— Ai, meu Deus. — Fico lá deitada, tentando entender como me sinto. De maneira geral, sinto-me mal.

Mas talvez seja só porque eu dormi, no total, umas três horas.

— A culpa é toda minha — termino por dizer.

Shari olha para mim como se eu fosse louca.

— Culpa sua? Como pode ser culpa sua?

— Eu disse à mãe de Luke o que Dominique tinha nos dito... sobre ele querer ser médico. E também deixei escapar aquela coisa sobre transformar este lugar em um hotel para pessoas em recuperação de lipo. Aposto que ela mencionou alguma coisa a Luke. A mãe dele, quer dizer.

Shari me lança um olhar muito sarcástico.

— Lizzie, nenhum cara termina com a namorada porque a mãe não gosta dela.

— Mesmo assim. — Eu me sinto péssima. — Se eu tivesse ficado de boca fechada...

— Lizzie, Luke e a namorada estavam com problemas muito antes de você aparecer.

— Mas...

— Eu sei porque Chaz me contou. Quer dizer, aquela mulher usa chinelos de dedo de seiscentos dólares. Fala sério. Se liga. Não teve nada a ver com você nem com nada que você possa ou não ter dito à mãe de Luke.

Absorvo a informação. Shari está certa, é claro. Seria muita presunção da minha parte achar que o que aconteceu entre Luke e a namorada teve alguma coisa a ver comigo.

379

— Eu sabia que eram falsos — termino por dizer.

— Eu sei. Quer dizer, eles nunca se mexiam. Tipo, quando ela acenava.

— Eu sei! — exclamo. — Que peitos não chacoalham quando se mexem? Quando são daquele tamanho, quer dizer?

— Então, você sabe o que isto significa? No final das contas, você tem uma chance com ele, total.

— Shari. — Eu me sinto apavorada. Porque eu sei que só vou me encher de esperança para nada. — Ele me odeia. Está lembrada?

Shari franze a testa.

— Ele não odeia você.

— Você disse que ele estava amargurado.

— Bom. Está. Ele pareceu mesmo meio amargurado com você ontem à noite.

— Está vendo?

— Mas isso foi antes de ele dar um pé na bunda da namorada!

Volto a me jogar por cima dos travesseiros.

— Mas nada mudou entre mim e ele ontem à noite — digo para o teto. — Eu realmente o acusei de ter mentido sobre a minha monografia. E ele não mentiu.

— Bem, eis aqui uma idéia brilhante: por que você não tenta pedir desculpas?

— Não vai mudar nada — respondo, ainda falando com o teto. — Não se ele ainda estiver amargurado. E provavelmente está. Quer dizer, eu estaria, se fosse eu.

— Na verdade, não estaria. Mas essa é outra questão. Olhe, não tenho a menor dúvida de que você vai ter que rastejar um pouco. Mas, fala sério. Você não acha que pode valer a pena?

— Acho. Claro que sim — lembro daquele dia no trem, como ele foi gentil, paciente e engraçado. Como os cílios dele pareciam longos, iluminados pelo sol poente. Como ele foi fofo comigo naquele dia no sótão. As Diet Cokes que ele comprou para mim.

A maneira como ele insistiu que sou corajosa, apesar de todas as evidências contrárias.

E o meu coração dói de saudade.

— Mas, Shari, não vai adiantar nada. Quer dizer, olhe só para...

A porta do meu quarto se abre com um baque e Chaz enfia a cabeça lá dentro, com ar aborrecido.

— Peço licença, senhoras. Sei que é divertido ficar aí falando sobre o meu amigo Luke. Mas será que ocorreu a alguma de vocês duas que TEMOS QUE ORGANIZAR UM CASAMENTO, E QUE PROMETEMOS AJUDAR?

E é assim que, uma hora mais tarde, me vejo carregando uma bandeja de drinques, oferecendo uma bebida de boas-vindas para a multidão sedenta (e mal-humorada) que está reunida no gramado para o casamento de Victoria Rose Thibodaux e Craig Peter Parkinson. Está muito mais calor do que qualquer pessoa achou que estaria, e os homens estão todos suando com seus trajes formais e gravatas, ao mesmo tempo que as mulheres usam os programas do casamento para se abanar. O casamento supostamente deve começar ao meio-dia e, de acordo com todos os indícios, realmente vai começar. O pastor (importado lá da igreja da noiva, em Houston) já chegou, assim como as flores, o bolo de casamento e até o quarteto de cordas que vai embalar a entrada da noiva (a Satan's Shadow continua se recusando a tocar *covers*, e isso inclui *Lohengrin*).

Até mesmo a noiva, para surpresa de todos, já está pronta, e os boatos são de que ela está esperando dar o meio-dia com toda a calma, dentro de casa.

Eu também gostaria de estar fazendo qualquer coisa com muita calma, mas basicamente está tudo muito confuso. Isso porque eu ainda não vi Luke. Bem, quer dizer, já o vi: correndo de um lado para o outro, cumprimentando os convidados, resolvendo problemas, lindíssimo com um terno preto e, diferentemente de tantos homens que estão em Mirac, não parece nem um pouco desconfortável por causa do calor.

Mas ele em nenhum momento chegou nem perto de mim, muito menos olhou em minha direção.

Compreendo totalmente por que ele está bravo (quer dizer, amargurado) comigo.

Mas o mínimo que ele poderia fazer era dar uma chance para eu me explicar.

— Tem álcool nisso aí? — Baz, o baterista da Satan's Shadow, pergunta e aponta para os copos que carrego.

— Tem — respondo. — Champanhe.

— Graças a Deus — Baz pega dois copos, vira ambos e o devolve, vazios, à minha bandeja. — Está calor para caramba aqui, hein?

382

— Bem — observo com educação —, pelo menos você está vestido de acordo — a banda do irmão de Vicky, até onde consigo perceber, optou por ignorar completamente o traje exigido para o evento e usar short, chinelo de dedo e, no caso de Kurt, o tecladista, nada de camisa.

— Cara, você viu Blaine? — Baz pergunta.

— Não vi — respondo, sem prestar a menor atenção. Isso porque vi Luke ali por perto, ajudando uma senhora a se acomodar em uma das cadeiras dobráveis que Chaz e ele aparentemente acordaram às sete da manhã para ajeitar em fileiras de modo a formar um corredor, no qual estenderam um tapete branco.

Baz segue meu olhar e, ao avistar Luke, ergue o braço.

— Luke! — berra. — Ei, aqui!

Não! Ai, meu Deus, não! É claro que quero falar com Luke, mas não assim... quero falar *em particular*. Não quero que o nosso primeiro encontro desde aquela cena desagradável na noite anterior seja na frente de ninguém... principalmente não na frente de um baterista chamado Baz.

— Pois não? — Luke pergunta com muita educação quando se aproxima.

Como sempre, só de vê-lo meus batimentos cardíacos se aceleram como uma mulher na liquidação da Claire's. Ele simplesmente está muito lindo ali parado ao sol, com seus ombros largos e o rosto recém-barbeado e, ai, meu Deus, sapatos tipo Oxford. OXFORDS brilhantes e recém-engraxados!

Preciso me esforçar muito para não derrubar a bandeja.

Por que eu tinha que fazer uma coisa tão idiota quanto acusá-lo de contar a Shari sobre a minha monografia? Por quê? Só porque *eu* não consigo guardar segredo, ando por aí achando que todo mundo é igual?

— Cara, você viu o seu primo Blaine? — Baz pergunta a Luke. — Ninguém sabe onde ele está.

— Eu não o vi — Luke responde. O olhar dele, não posso deixar de notar, está no meu. Mas não consigo saber, por nada no mundo, o que se esconde atrás daqueles olhos escuros. Será que ele me odeia? Será que ele gosta de mim? Ou será que ele alguma vez chega a pensar em mim? — Alguém já foi ver no quarto dele? Blaine gosta de dormir até tarde, se me lembro bem.

— Ah, é — Baz concorda. — Boa idéia.

E sai arrastando os pés, deixando Luke e eu sozinhos, pouco à vontade. E eu aproveito a oportunidade antes que Luke tenha chance de escapar.

— Luke — minha voz parece muito suave em comparação às batidas do meu coração nos meus ouvidos —, eu só queria dizer... sobre ontem à noite... Shari me disse...

— Vamos esquecer o assunto, certo? — Luke diz, ríspido.

Lágrimas enchem os meus olhos.

Shari disse que ele estava amargurado. E ele tem direito de estar.

Mas será que nunca vai me deixar pedir desculpas?

Mas, antes que eu tenha oportunidade de proferir qualquer outra palavra, Monsieur De Villiers, muito ágil em um terno cor de creme e gravata, aproxima-se de mim com uma garrafa de champanhe nas mãos.

— Lizzie, Lizzie — ele me dá bronca, todo alegre. — Estou vendo copos vazios nesta bandeja. Acho que precisa ir falar com Madame Laurent para pegar mais algumas garrafas.

— Pode deixar — Luke tenta tirar a bandeja de mim. — Eu vou lá buscar.

— Eu busco — puxo a bandeja de volta. Só o fato de haver apenas três copos em cima dela, incluindo os dois vazios de Baz, impede que aconteça um desastre.

— Eu disse que vou buscar — Luke repete, esticando as mãos para a bandeja mais uma vez.

— E eu disse que eu *busco*...

— Lizzie!

Luke, o pai dele e eu viramos ao ouvir a voz animadíssima de Bibi De Villiers. Lindíssima com um vestido amarelo-manteiga, com um chapéu enquadrando-lhe o rosto, ela exclama:

— Lizzie! Onde você achou esse vestido?

Olho para mim mesma. Estou usando o vestido mandarim que usei pela última vez em Heathrow, quando tinha esperança de impressionar Andy... há um milhão de anos. É a única coisa que eu trouxe comigo que parece remotamente apropriada para um casamento. Bem, tirando o detalhe de que não dá para usá-lo com calcinha. Em todo caso, ninguém precisa saber disso além de mim.

— Eh... — respondo — na loja onde trabalho lá no Michigan, chamada Vin...

— Não o seu vestido. — A expressão da mãe de Luke é uma combinação estranha de animação e ansiedade.

Não que isso pareça fazer diferença para o pai de Luke, que olha para Bili como se ela fosse alguma coisa que o Papai-Noel acabou de jogar pela chaminé.

— Estou falando do vestido que Vicky está usando — explica a Senhora De Villiers. — Aquele que, segundo ela, você ajustou durante a noite.

Ao meu lado, Luke fica completamente imóvel. O pai dele, por outro lado, continua olhando para a mulher de maneira mais do que vidrada.

Alertada pela rigidez de Luke de que algo está errado, respondo à pergunta da mãe dele com muito cuidado.

— Encontrei aqui em Mirac. No sótão.

— No sótão? — a Senhora De Villiers parece estupefata. — Onde no sótão?

Não faço a menor idéia do que está acontecendo. Mas sei que o interesse da Senhora De Villiers no Givenchy não é despreocupado. Será que o vestido era dela? O tamanho combina... serviu em Vicky, e Vicky é sobrinha de Bibi, então...

Não vou arriscar. De jeito nenhum que vou revelar a ela a condição pavorosa em que encontrei o vestido. Esse é um segredo que levarei para o túmulo.

Diferentemente de todas as outras coisas que sei.

— Encontrei em uma caixa especial — respondo, inventando rápido. — Estava envolvido com papel de seda. Eu quase diria que estava guardado com amor...

Sei que disse a coisa certa quando a Senhora De Villiers se vira para o marido e exclama:

— Você guardou! Depois de todos estes anos!

E de repente ela jogou os braços ao redor do pescoço do pai de Luke, que irradia de tanta felicidade.

— Ah, mas é claro que sim — Monsieur De Villiers vai dizendo. — Claro que o guardei! O que você acha, Bibi?

Apesar de não estar claro (para mim, pelo menos) se ele faz alguma idéia do que a mulher está falando. Ele simplesmente está feliz por tê-la nos braços mais uma vez.

Ao meu lado, ouço Luke xingando bem baixinho.

Mas, quando ergo os olhos para ele, preocupada de ter feito a coisa errada (de novo), vejo que está sorrindo.

— Que história é essa? — pergunto a ele pelo canto da boca.

— Eu sabia que eu já tinha visto aquele vestido em algum lugar — Luke diz com a voz bem baixa para que os pais (que estão se acariciando) não escutem. — Mas só vi em fotos em branco-e-preto, então nunca... Aquele vestido que você encontrou? Aquele que pegou para tirar as manchas de ferrugem? Foi o vestido de noiva dela.

Engulo em seco. Não posso evitar.

— Mas...

— Eu sei — Luke segura meu braço e me leva para longe dos pais dele. — Eu sei.

— Mas... uma espingarda! Estava enrolado em uma...

387

— Eu sei — Luke repete enquanto me conduz pelo gramado, na direção da mesa onde Madame Laurent está com a jarra
de suco de laranja. — Aquele vestido é motivo de briga entre eles
há anos. Ela achou que ele tinha jogado fora, com outras coisas,
depois do vazamento no sótão...

— Mas ele não jogou. Ele...

— Eu sei — Luke diz mais uma vez. Pára de caminhar e... larga
o meu cotovelo. — Olha, ele realmente a ama. Mas não é exatamente do tipo sentimental. Mamãe realmente significa muito para o meu
pai. Mas o mesmo vale para o rifle de caça dele. Duvido que ele tenha
se dado conta de que vestido era aquele. Ele só viu que era do tamanho perfeito para enrolar a espingarda e... bom, esta é a história.

— Ai, meu Deus — sou, tomada de um horror que aperta
o meu coração. — E o ajustei para caber em Vicky!

— De algum modo — Luke e se vira para olhar para os pais,
que continuam praticamente se agarrando na frente de todas as
pessoas que se espalham pelo gramado —, acho que minha mãe
não se importa.

Ficamos lá observando os pais dele durante quase trinta segundos inteiros antes de eu me lembrar que deveria estar pedindo desculpas a ele. Apesar de não ter obtido exatamente os
melhores resultados na última vez que tentei.

Abro a boca, imaginando como vou dizer isso: será que um
simples "desculpe" basta? Shari tinha dito algo sobre rastejar.
Será que preciso me ajoelhar?

Mas antes que eu possa dizer qualquer coisa, ele pergunta, com um tom bem diferente daquele ríspido que tinha usado apenas alguns minutos antes, quando sugeriu que deixássemos o assunto para lá:

— Como você sabia? Isso sem mencionar a maneira como você *realmente* o encontrou? O vestido, quer dizer?

— Ah — respondo, repentinamente incapaz de olhar nos olhos dele. Fico de olho nas minhas sandálias retrôs de saltinhos que vão afundando, lentamente e cada vez mais, na grama, enquanto fico ali parada. — Bem, sabe como é. Deu para perceber que aquele vestido tinha alguma importância para a sua mãe, então simplesmente fiquei imaginando como eu gostaria que um Givenchy meu fosse tratado...

É nesse momento que Luke tira a bandeja de copos da minha mão, coloca na mesa que Madame Laurent e Agnès arrumaram, e entrelaça meus dedos nos dele.

— Lizzie — ele diz, com a voz embargada.

E eu preciso erguer os olhos que fitam meu esmalte à francesinha. *Tenho* que fazer isso.

É isso, percebo. É este o momento em que ele me perdoa.

Ou não.

— Luke — digo —, eu realmente sinto...

Mas daí, antes que eu possa dizer qualquer outra coisa, o quarteto de cordas, acomodado à sombra de um carvalho próximo, de repente toca aquelas quatro notas tão conhecidas:

Tam, tam, tam-tam!

O final da Primeira Guerra Mundial suscitou um recomeço na moda. A silhueta ampulheta voltou e, de repente, os melhores estilistas começaram a produzir modelos *prêt-à-porter* — especialmente para adolescentes que, no *boom* econômico que se seguiu à guerra, passaram a receber mesada suficiente para finalmente poder comprar as próprias roupas. Que outra maneira há para explicar a ascensão da "saia *poodle*"? Assim como o "jeans de cintura baixa" de hoje, seu apelo parecia ser conhecido apenas pelas próprias pessoas que a usavam.

História da Moda
MONOGRAFIA DE ELIZABETH NICHOLS

O amor não passa de tagarelice,
O que importa mesmo são os amigos.

— *Gelett Burgess (1866-1951), artista, crítico e poeta norte-americano*

O casamento de Vicky e Craig foi adorável.

E não estou dizendo isso só porque fui uma das pessoas que contribuiu para que fosse assim, ao garantir que a noiva usasse um vestido de beleza tão estonteante. Teria sido adorável mesmo que Vicky tivesse usado seu vestido original.

Só seria... sabe como é. Mais rendado.

Shari, Chaz, Madame Laurent Agnès e eu ficamos ao fundo, observando a troca de juras, enquanto Madame Laurent e eu enxugamos os olhos e Chaz dá um sorriso amarelo (qual é o problema dos caras com casamentos?).

E, durante tempo o todo, fico olhando disfarçadamente para Luke, sentando perto da primeira fileira de cadeiras, do lado da noiva (na verdade, os dois lados são da noiva porque, tirando os pais, a irmã e três ex-colegas de faculdade de Craig, o lado do noivo estava bem vazio até que se pediu aos convidados da noiva que ocupassem as cadeiras do outro lado). Luke, dá para ver, fica olhando o tempo todo na direção dos pais, que continuam trocando risadinhas e carícias como namoradinhos de escola.

Não há sinal, que eu aviste, de Dominique. Ou ela se recusou a sair do quarto ou foi embora do *château*.

Então, de repente, o pastor já está dizendo:

— Craig, pode beijar a noiva.

E a senhora Thibodaux solta um enorme soluço de alegria, e a cerimônia termina.

— Vamos — Shari puxa meu braço. — Vamos voltar a cuidar do bar.

Olho com melancolia para Luke. Será que vou ter oportunidade de pedir desculpas para ele? Mesmo que consiga falar com ele sozinha... será que vai escutar?

Corremos para nos adiantar à onda de convidados sedentos e imediatamente começamos a estourar (ou, no meu caso, a puxar com muito cuidado) rolhas de champanhe. Agora que a cerimônia terminou, todo mundo parece estar com um humor bem melhor. Os homens estão soltando as gravatas e tirando os paletós, as mulheres, com medo de que os sapatos forrados de tecido fiquem com manchas de grama, estão seguindo descalças. Patapouf e Minouche, os cachorros, estão por ali, bem no caminho dos garçons com suas bandejas de canapés. Tudo parece estar andando exatamente da maneira planejada...

...até que Luke se aproxima de nós e pergunta, bem baixinho:

— Alguém viu Blaine?

Olho para o outro lado do gramado e vejo o palco montado no dia anterior para a banda. Baz e Kurt estão posicionados na bateria e no teclado, respectivamente. O baixista está lá (esqueci o nome dele), afinando o instrumento. Há até um grupo de amigas de Vicky paradas na pista de dança de madeira, esperando ansiosas pelo início da apresentação.

Mas não há ninguém parado na frente do microfone no centro do palco.

— Parece que a Satan's Shadow perdeu o vocalista — Shari observa.

É nesse momento que Agnès chega correndo, parecendo um anjinho em seu melhor vestido de festa, um modelinho de organza cor-de-rosa que seria mais adequado a uma festa de formatura do que a um casamento.

Mas é por isso mesmo que ela está tão fofa.

Ela diz algo em francês bem rápido, sem respirar, para Luke. As sobrancelhas dele se erguem.

— Ai, não — ele sai correndo na direção da tia e do tio.

— Agnès — digo, apressando-me para encher os copos que me são entregues. — O que foi? O que você acabou de dizer a Luke?

— Ah — Agnès tira alguns fios de cabelo do rosto —, só que o quarto de Blaine está vazio. A mala dele e todo o resto desapareceu. A mesma coisa aconteceu no quarto de Dominique. A van da Satan's Shadow também desapareceu.

Sinto uma coisa fria e molhada na minha mão, olho para baixo e vejo que servi champanhe em cima do meu braço todo.

— Merda — Chaz vai dizendo, por ter escutado. Parece que ele não consegue parar de rir. — Ah, que merda!

— O quê? — Shari parece aborrecida. Ela nunca lidou bem com problemas ocorridos enquanto servia alimentos e bebidas. — O que é tão engraçado?

— Blaine e Dominique — respondo, por entre lábios que de repente ficaram inertes. Porque estou me lembrando da conversa que tive na cozinha naquela noite com Blaine, garantindo a ele que, em algum lugar, existia uma garota que não acharia a riqueza recém-adquirida dele nada má.

E da minha conversa com Dominique na noite anterior, a respeito de Blaine e seu novo contrato com a gravadora... isso sem mencionar o comercial do Lexus.

Parece que Blaine encontrou sua nova namorada, e que Dominique achou um homem que de fato talvez escute suas tramóias para ficar ainda mais rico.

— Sei — Shari diz, impaciente. — Blaine e Dominique o quê?

— Parece que os dois fugiram juntos — informo.

E a culpa é toda minha.

De novo.

Agora é a vez de Shari derramar champanhe. Ela fica tão assustada que treme a mão e joga champanhe em cima dos tênis de cano alto de Chaz.

— Ei! Tome cuidado! — ele reclama.

— Blaine e Dominique? — Shari repete. — Tem certeza?

— Ele não está aqui, nem ela — olho na direção do palco. — As coisas não parecem nada boas para a Satan's Shadow.

Vicky, que está resplandecente com seu vestido e véu de noiva, junta-se às amigas e parece que repara, pela primeira vez, que o irmão fugiu de sua festa de casamento.

— Espero que Blaine não seja o único que sabe cantar — Chaz diz.

— Será que dá para chamar o quarteto de cordas de volta? — Shari sugere.

— Não dá para fazer com que a dança do pai com a noiva seja ao som de Tchaikovsky — retruco.

Não dá para acreditar que isso está acontecendo. Não dá para acreditar que Blaine foi capaz de fazer uma coisa dessas com a própria irmã!

Bem, na verdade, levando em conta o fato de que Dominique está envolvida, acho que posso, sim.

Mas nem por isso a culpa passa a ser menos minha. Por que fui falar sobre Blaine? Para ela? Ele estava obviamente em um estado vulnerável, romanticamente falando. Obviamente, não iria resistir às investidas dela!

E, depois que Luke a dispensou, Dominique deve ter ficado tramando... claro que ela precisava do bálsamo terapêutico do tipo que apenas um cara com uma herança gorda pode fornecer a uma mulher como aquela.

E, independentemente do que Shari possa pensar, é minha culpa Luke e Dominique terem terminado. Não porque ele me ame secretamente nem nada disso. Mas porque incentivei Luke a ir atrás de seu sonho de estudar medicina, em vez de realizar o sonho de Dominique de morar em Paris...

Na verdade, a culpa é toda minha.

Só tem uma coisa que posso fazer, percebo. Quer dizer, se eu quiser que tudo volte a ficar bem para todo mundo.

A única questão é a seguinte: será que tenho coragem suficiente para fazê-lo? Acho que vou ter que ter.

— Já volto — largo meu guardanapo de tirar rolhas.

E começo a caminhar na direção do palco.

— Ei — Shari grita atrás de mim —, aonde você vai?

Continuo avançando. Não quero fazer isto. Mas não tenho alternativa. Vicky, vejo, agora está chorando. Craig está tentando reconfortá-la, assim como seus pais. Os convidados estão começando a se juntar em volta dela, mais preocupados com o fato de Vicky estar tão aborrecida do que com a ausência de música

— Como é que ele pôde fazer isso comigo? — Vicky choraminga. — Como?

— Querida — a Senhora Thibodaux diz, em tom reconfortante. — Está tudo bem. Os garotos vão encontrar alguma coisa para tocar. Não vão, rapazes?

Baz, Kurt e o baixista se entreolham. Baz é o único que tem coragem de declarar:

— Bem... nenhum de nós sabe cantar.

— Mas vocês sabem tocar — a Senhora Thibodaux devolve, ríspida. — Seus dedos não estão quebrados, estão?

Baz de fato chega a olhar para os dedos.

— Não. Mas, tipo, o que a gente vai tocar? Blaine levou a *playlist* embora.

— Toquem alguma coisa apropriada para a primeira dança do casal — a Senhora Thibodaux sibila por entre os dentes.

Baz e Kurt se entreolham.

— Cheetah Whip? — Baz pergunta.

— Não sei, cara — Kurt parece preocupado. Pelo menos, tão preocupado quanto um garoto de vinte anos agressivamente chapado pode parecer. — A gente não fala "foda" um monte de vezes nessa aí?

— É — Baz responde. — Mas se ninguém vai cantar...

Olho para Luke. Ele observa a prima soluçante com preocupação.

É isso aí. Eu sei o que preciso fazer.

Antes que possa convencer a mim mesma do contrário, subo ao palco. Baz e Kurt olham para mim. O baixista (como é mesmo o nome dele?) diz:

— Oi — e sorri para minhas pernas expostas.

— Isto está ligado? — pergunto e tiro o microfone do pedestal.

Está ligado Está ligado Está ligado? Minha voz parece reverberar por todo o vale.

— Ah — digo —, parece que está.

397

Está está está está está.

Todas as pessoas no gramado à minha frente se viram para olhar para mim... inclusive, percebo, Vicky, que está boquiaberta.

E Luke.

Que parece ter acabado de levar um chute.

Ótimo

— Olá — digo ao microfone. O que estou fazendo? E, aliás, por que estou fazendo isto?

Ah, é. Porque a culpa é toda minha.

Fico imaginando se as pessoas percebem que os meus joelhos estão tremendo.

— Meu nome é Lizzie Nichols. Blaine Thibodaux deveria estar aqui em cima, não eu, mas ele teve, eh... uma emergência — olho para trás, em busca de apoio. Baz agita a cabeça energicamente. — Certo. Teve uma emergência e precisou ir embora. Mas ainda temos aqui os demais componentes da Satan's Shadow. — Estico o braço para mostrar a banda. — Pessoal?

Os integrantes da banda arrastam os pés. Os convidados, confusos, mas educados, aplaudem um pouco.

Sinceramente não acredito que esses caras acabaram de assinar um contrato multimilionário com uma gravadora.

— Então, bem... — digo, quando noto que Shari está abrindo caminho entre os convidados e se dirigindo até mim com expressão de choque abjeto —, eu só queria dar os parabéns a Vicky e Craig. Vocês dois formam um casal lindo de verdade.

Mais aplausos, desta vez, sinceros. As lágrimas não pararam de escorrer pelo rosto de Vicky, mas pelo menos já não chora tanto. Parece mais estupefata do que qualquer outra coisa.

Mais ou menos como seu primo Luke.

— E, bem... — digo ao microfone. *E, bem E, bem E, bem E, bem.* — Já que estamos sem vocalista, pensei que, em homenagem a este dia especial...

Vejo Shari, na pista de dança, sacudir a cabeça para mim, com os olhos arregalados de pavor. *Não*, ela diz sem emitir som nenhum, só mexendo os lábios. *Não, não faça isso*

— ...minha amiga, a senhorita Shari Dennis, e eu vamos cantar uma canção tradicionalmente tocada na primeira dança de recém-casados lá na nossa cidade...

Shari sacode a cabeça com tanta rapidez que o cabelo lhe bate no rosto como um chicote.

— Não — ela diz. — Lizzie, não.

— ...que fica no maravilhoso estado do Michigan — prossigo. — É uma canção que, tenho certeza, todos vocês conhecem. Sintam-se à vontade para cantar junto se quiserem. Pessoal — viro-me para olhar para a Satan's Shadow —, eu sei que vocês também conhecem. Não finjam o contrário.

Baz e Kurt erguem as sobrancelhas um para o outro. O baixista ainda não conseguiu desgrudar os olhos das minhas pernas.

— Vicky e Craig — digo —, esta aqui é para vocês.

Vocês vocês vocês vocês.

Então, limpo a garganta.

— *Now, I* — canto, exatamente da mesma maneira que cantei uma centena de vezes antes, em reuniões de família, concursos de talento da escola primária, competições no alojamento da faculdade, noites de karaokê e em qualquer ocasião em que bebi algumas cervejas a mais.

Só que, desta vez, minha voz está tão ampliada que eu a escuto chegando até o outro lado do gramado... ultrapassando o vinhedo... descendo a colina e chegando ao vale lá embaixo. Turistas alemãs flutuando em câmeras de pneu ao longo do rio Dordonha são capazes de me escutar. Os turistas que chegam de ônibus para apreciar as pinturas rupestres de Lascaux são capazes de me escutar. Até mesmo Dominique e Blaine, seja lá onde estiverem, podem me ouvir.

Mas ninguém se junta a mim.

Bom, talvez seja necessário que eu avance um pouco mais.

— *...had...*

Bem... ninguém ainda entrou no coro. Nem mesmo a banda está me acompanhando. Viro-me para olhar para os três. Ficam olhando para mim como quem não está entendendo nada. Qual é o problema deles?

— *...the time of my life...*

É impossível não conhecerem esta música. Tudo bem, claro, eles são homens. Mas será que nenhum deles nunca teve irmã?

— *And I never...*

Qual é o problema? Eu não posso ser a única pessoa aqui que conhece esta música. Shari conhece.

Mas ela continua lá parada no meio da pista de dança; está lá sacudindo a cabeça, só dizendo, sem emitir som nenhum: *Não, não, não.*

— Vamos lá, pessoal — digo, incentivando a banda —, eu sei que vocês conhecem esta aqui. ...*felt this way before.*

Pelo menos Vicky está sorrindo. E balança o corpo um pouquinho. Ela conhece esta música. Craig, no entanto, parece um tanto confuso.

Ai, meu Deus. O que estou fazendo? *O que estou fazendo?* Estou aqui parada na frente de toda esta gente, cantando minha música preferida de todos os tempos (a música perfeita para um casamento) e todo mundo só fica ali parado, olhando para mim.

Até Luke está olhando fixamente para mim, como se eu tivesse acabado de ser teleportada para cá pela espaçonave *Enterprise.*

E agora Shari desapareceu. Para onde ela foi? Estava ali há um segundo. Como é que ela pode me abandonar assim? Cantamos esta música juntas desde o jardim-de-infância. Ela sempre faz a parte feminina. *Sempre.*

Como é que ela pode ter me deixado na mão deste jeito? Sei que pisei na bola com a história da monografia, mas quanto tempo você pode ficar brava com alguém que é sua melhor amiga da vida toda? Além do mais, já pedi desculpas.

Então, escuto. Um toque de bateria.

Baz. Baz vai me acompanhar.

Eu *sabia* que ele conhecia esta música. *Todo mundo* conhece esta música.

— *Oh, I* — canto e me viro para dar um sorriso agradecido a ele. Agora Kurt está experimentando um acorde. Isso mesmo, Kurt. É isso aí, Kurt.

— *...had the time of my life...*

Ah, obrigada, rapazes. Obrigada por não me deixar na mão. Daí, uma voz que não é a minha ribomba:

— *...It's the truth...*

E Shari sobe no palco, coloca-se ao meu lado e começa a cantar ao microfone.

E o baixista, seja lá qual for o nome dele, começa a dedilhar as notas conhecidas, enquanto lá embaixo Craig faz Vicky rodopiar...

E todo mundo aplaude. E começa a cantar junto.

Shari e eu cantamos:

— *And I owe it all to you...*

Ai, meu Deus, está dando certo. Está dando certo! As pessoas estão se divertindo! Estão esquecendo o calor e o fato de que o irmão da noiva fugiu com a namorada do filho do anfitrião. Estão começando a dançar. Estão cantando junto!

— *You're the one thing* — Shari e eu cantamos... junto com a Satan's Shadow, os Thibodaux e o resto dos convidados. — *That I can't get enough of, baby...*

Olho para baixo e vejo os pais de Luke dançando junto às outras pessoas.

— *So I'll tell you something...* — canto, sem acreditar muito no que estou vendo abaixo de mim, na pista de dança. — *This must be love!*

402

As pessoas estão se divertindo. As pessoas estão batendo palmas e dançando. A Satan's Shadow deu um toque latino à canção. Que ela não devia ter, mas tanto faz. Agora está meio parecida com *Vamos a la playa*.

Mas, estranhamente, acontece que isso não é nada mau.

E daí, bem quando estamos chegando ao clímax da música, Shari me dá uma cotovelada com toda a força... e isso na verdade não faz parte da nossa coreografia. Dou uma olhada para ela e vejo que o rosto dela ficou tão branco quanto o vestido de Vicky. Ela aponta.

E vejo Andy Marshall caminhando na direção do palco.

Os *Swinging Sixties*, apelido da década de 1960, despertaram mais do que a revolução sexual. A moda passou por uma revolução também. De repente, a sensação era de que "vale tudo", de minissaias a *tie-dye*. O retorno às fibras naturais — os mesmos materiais que nossos ancestrais usavam para tecer seus tapa-sexos — na década de 1970 fechou o círculo da moda, quando os *hippies* revelaram outros usos para o cânhamo, além daquele popularizado pelos *beatniks* da década anterior... apesar de o uso mais popular do produto continuar até hoje muito em voga nos campus das faculdades.

História da Moda
MONOGRAFIA DE ELIZABETH NICHOLS

Ao mesmo tempo em que a fofoca entre mulheres é
ridicularizada de maneira universal como algo baixo e trivial,
a fofoca entre os homens, principalmente se for relativa a
mulheres, é chamada de teoria, idéia ou fato.

— *Andrea Dworkin (1946-2005), feminista e crítica norte-americana*

Felizmente, acabamos de entoar nosso último *And I owe it all to
you*. Porque se ele tivesse aparecido em qualquer outra parte,
eu teria engasgado com minha própria saliva.

A platéia explode em aplausos entusiasmados, e Shari e eu
agradecemos com uma mesura. Enquanto estamos com a cabeça
abaixada, perto dos joelhos (e vejo que o baixista se abaixou para
ver se consegue dar uma olhada no que está rolando embaixo das
nossas saias... que, no meu caso, vai ser bastante coisa, se ele
realmente conseguir enxergar), Shari diz:

— Céus, Lizzie. O que ele está fazendo aqui?

— Não sei — respondo, com vontade de chorar. — O que
eu faço agora?

— Como assim, o que você faz? Tem que ir lá falar com ele.

— Não quero falar com ele! Já disse tudo que tenho a dizer a esse cara.

— Bem, é óbvio que você não disse com ênfase suficiente. Então, vá lá e diga de novo.

Nós duas endireitamos as costas quando uma das amigas de Vicky sobe ao palco e arranca o microfone de nós, enquanto os convidados gritam:

— Vá lá, Lauren! Você consegue!

— Oi — ela diz para nós. — Vocês foram ótimas — ela então se vira para a banda e pergunta: — Vocês aí conhecem "Lady Marmalade"?

Baz dá uma olhada para Kurt. Kurt dá de ombros.

— Acho que a gente consegue — o baixista diz.

E Kurt começa a tocar a batida.

— Lizzie — Andy diz, parado ao pé do palco. Está carregando a jaqueta de couro pendurada por cima de um braço.

O que ele está *fazendo* aqui? Como foi que me encontrou? Por que veio até aqui? Ele não me ama. Ele não me ama.

Então, por que se deu a tanto trabalho?

Meu Deus. Deve ter sido a chupada. Fala sério!

Eu não fazia idéia de que uma chupada era assim tão poderosa. Se soubesse, nunca teria dado uma nele, juro que não.

Começo a descer do palco, com Shari atrás de mim, sussurrando:

— Diga a ele que vá embora. Diga a esse cara que você não quer nada com ele. Diga a ele que vai conseguir um mandado para impedi-lo judicialmente de chegar perto de você. Tenho certeza de que isto existe na França, não é mesmo?

Andy está me esperando no fim dos degraus. O rosto dele está pálido e rígido de ansiedade.

— Liz — ele diz quando eu chego até ele —, finalmente a encontrei. Procurei neste lugar inteiro...

— Andy — eu digo. — O que você está fazendo aqui?

— Sinto muito, Lizzie — ele diz e estica o braço para pegar a minha mão. — Mas você simplesmente fugiu! Eu não podia deixar as coisas daquele jeito...

— Com licença — uma mulher com sotaque texano carregado nos interrompe. — Por acaso foi você quem desenhou o vestido da noiva?

— Eh... — respondo —, eu não desenhei. Ele é antigo. Eu só recuperei.

— Bem, só queria lhe dizer — a mulher prossegue — que fez um trabalho fantástico. O vestido é adorável. Simplesmente adorável. Não dá para ver que é antigo. Nem em um milhão de anos.

— Obrigada.

A mulher se afasta.

E eu retorno ao homem à minha frente.

— Andy — digo. Não dá para acreditar. Nunca na vida um cara me seguiu pela Europa. Bem, nunca atravessou um canal, de todo modo. — Nós terminamos.

407

— Não, não terminamos. Quer dizer, você terminou comigo. Mas nunca me deu uma chance para tentar explicar...

— Com licença, jovem — outra senhora se aproximou de nós —, mas foi mesmo você quem fez aquele vestido que Vicky está usando?

— Não, não fiz — respondo. — Eu só recuperei. É um vestido antigo. Eu só lavei e ajustei para ela.

— Bem, ficou simplesmente lindo — a mulher elogia. — Simplesmente lindo. E gostei da sua musiquinha de agora a pouco.

— Ah — começo a corar —, obrigada.

Quando ela se afasta, digo a Andy:

— Olha, as coisas simplesmente não deram certo entre nós. Sinto muito, de verdade. Mas você simplesmente não é a pessoa que achei que fosse. E quer saber de uma coisa? Acontece que também não sou a pessoa que eu pensava ser.

Fico um tanto surpresa ao me escutar dizendo isto. Mas é verdade mesmo. Eu não sou a mesma garota que desembarcou daquele avião em Heathrow, mesmo que por acaso eu esteja usando o mesmo vestido. Agora sou uma pessoa completamente diferente. Não sei quem exatamente, mas...

Outra pessoa.

— De verdade — aperto com força a mão dele —, não tenho nenhuma mágoa em relação a você. Simplesmente cometemos um erro.

— Não acho que tenhamos cometido um erro. — Andy aperta a minha mão com mais força. E também não é um aperto de amigo, como o meu foi. O dele é mais daquele tipo que tem a intenção de não largar. — Acho que cometi um erro... muitos erros. Mas, Lizzie, você nunca me deu oportunidade de realmente pedir desculpas. É por isso que estou aqui. Quero pedir desculpa da maneira correta, e daí talvez convidá-la para um bom jantar, e depois levá-la para casa...

— Andy — digo com gentileza. Nossa conversa, que já está bem bizarra, assumiu um tom ainda mais esquisito, graças ao acompanhamento musical. Atrás de mim, Lauren berra: *Gitchy gitchy ya ya da da!* e faz uma coreografia que pelo menos serve para deixar o baixista sorrindo de felicidade.

— Como... como foi que você soube que eu estaria aqui, aliás? — pergunto, intrigada.

— Você me disse um milhão de vezes, nos seus e-mails, que a sua amiga Shari passaria o mês em um *château* na Dordonha chamado Mirac. Não foi difícil encontrar. Agora, diga que você vai voltar para casa comigo para podermos começar tudo de novo. Prometo que desta vez vai ser diferente. *Eu* vou ser diferente.

— Não vou voltar para a Inglaterra com você, Andy — explico com a maior gentileza possível. — Simplesmente não me sinto mais assim em relação a você. Foi mesmo muito legal conhecê-lo, mas, falando sério, realmente acho que precisamos nos despedir.

Andy está boquiaberto.

— Com licença — uma mulher diz. Eu me viro e vejo uma senhora de meia-idade com ar arrependido. — Sinto muito, realmente não queria interromper, mas ouvi dizer que você recuperou o vestido da noiva. E acredito que isso queira dizer que você pegou um vestido velho e consertou?

— Isso mesmo — respondo. O que está acontecendo aqui?

— Foi o que fiz.

— Bem... realmente, sinto muito por interromper... mas a minha filha gostaria de usar o vestido de noiva da minha avó no casamento dela, em junho do ano que vem, mas nós simplesmente não encontramos ninguém disposta a, bem... recuperá-lo. Todas as costureiras que consultamos dizem que o tecido é antigo e frágil demais, e não querem correr o risco de estragar.

— Essa é sempre uma preocupação quando se trata de tecidos antigos — explico. — Quer dizer, o material tem muito mais qualidade em relação ao que se usa para fazer vestidos de noiva hoje em dia. Mas descobri que, se usarmos produtos naturais para limpar... sem substâncias químicas... é possível obter resultados muito bons.

— Produtos naturais para limpar — a mulher repete. — Compreendo. Querida, você tem um cartão? Porque eu adoraria voltar a falar com você a respeito deste assunto — ela dá uma olhada no rosto de Andy —, mas estou vendo que está ocupada no momento.

— Bem... — Apalpo a mim mesma, mas me lembro que meu vestido mandarim não tem bolsos. E, mesmo que tivesse, não tenho nenhum cartão. — Não. Mas assim que terminar aqui, volto a falar com a senhora e lhe passo meus contatos. Tudo bem se for assim?

410

— Está ótimo — a mulher lança mais uma olhadela nervosa para Andy. — Então nós... voltamos a nos falar daqui a pouco.

Ela se afasta e Andy, como se não conseguisse mais se segurar, despeja:

— Lizzie, você não pode estar falando sério. Eu compreendo que talvez você ache que precisamos passar um tempo separados. Talvez, depois de um período, você se dê conta de que isso que existe entre nós, entre mim e você, é uma coisa especial de verdade. Vou mostrar para você. Vou tratá-la da maneira como deseja ser tratada. Vou recompensá-la, Lizzie, juro. Quando você voltar a Ann Arbor no início do semestre, vou ligar para você...

Uma sensação das mais estranhas toma conta de mim quando Andy diz isso. Não sei explicar exatamente, só que é como se, de repente, ele tivesse me dado um vislumbre do futuro...

Um futuro que agora consigo enxergar com muita clareza, como se estivesse em alta definição.

— Não vou voltar para Ann Arbor no início do semestre, Andy — respondo. — Bem, quer dizer, só vou lá para pegar as minhas coisas. Vou me mudar para Nova York.

Atrás de mim, Shari manda:

— Oba!

Mas, quando me viro para olhar para ela, está dura como um pau, olhando para Lauren, que implora aos convidados do casamento para *coucher avec* ela nesta noite.

— Nova York? — Andy parece confuso. — Você?

Estico o queixo.

— É, eu mesma — digo, em um tom de voz que nem parece ser meu. — Por quê? Você acha que eu não sou capaz?

Andy está sacudindo a cabeça.

— Lizzie, eu amo você. Acho que é capaz de fazer qualquer coisa. Qualquer coisa que decidir fazer. Acho que você é maravilhosa.

Mas ele fala daquele jeito todo enrolado dele.

Mas tudo bem. Porque exatamente naquele momento eu o perdôo. Eu o perdôo por tudo.

— Obrigada, Andy — digo a ele, com um enorme sorriso se abrindo em meu rosto. Talvez eu estivesse errada a respeito dele. Ah, não sobre a coisa de nós não sermos certos um para o outro. Mas, sabe como é. Talvez ele não seja assim tão mau, no final das contas. Talvez possamos ser amigos, apesar de não podermos ser namorados...

— Com licença — alguém diz.

Só que desta vez não é uma matrona da sociedade de Houston que se aproxima para perguntar como se tira manchas de alguma renda com cinqüenta anos de idade.

É Luke.

E ele não parece muito feliz.

— Luke — eu digo —, oi. Eu...

— É verdade? — Luke me pergunta. — Este aqui é ele?

Ele aponta um dedo em riste na direção de Andy.

Não posso imaginar o que deu nele... afinal, Luke sempre é tão educado com todo mundo...

412

Com todo mundo além de mim, quer dizer. Mas, bem, acho que eu mereço.

— Eh... — sinto-me, agitada, desconfortável. — É sim. Luke, este aqui é Andy Marshall. Andy, este aqui é...

Mas não tenho oportunidade de terminar minha frase. Porque, antes que possa fazê-lo, Luke toma impulso com o braço e atinge o rosto de Andy em cheio, com o punho fechado.

Anarquia! Este era o grito de guerra dos integrantes do movimento *punk* da década de 1980. Mas não havia nada de anárquico no estilo pós-apocalíptico deles. O *punk*, combinado à fase *fitness* que se iniciou neste período e que nunca perdeu o fôlego desde então, passou a influenciar tanto a moda refinada quanto o estilo de rua por muitos anos ainda, o que nos proporcionou peças básicas do guarda-roupa como botas de motoqueiro e calças de ioga.

História da Moda
MONOGRAFIA E ELIZABETH NICHOLS

O silêncio é a resposta mais intolerável de todas.

— *Mason Cooley (1927-2002), aforista norte-americano*

— **E**le tentou me matar — Andy não pára de repetir. Só que as palavras parecem um tanto indistintas ditas por trás do pano de prato cheio de gelo que Madame Laurent pressiona sobre os lábios dele.

— Ele não tentou matar você — Chaz afirma em tom cansado. — Pare de ser um bebezão da porra.

— Ei — Andy diz de cima da mesa de madeira rústica da cozinha. — Vá se foder! Gostaria de ver qual seria a sua reação se um imbecil lhe desse um soco na boca!

Só que, com o lábio inchado e o sotaque dele, as palavras saem todas enroladas.

— Chaz — pergunto preocupada, ignorando a discussão entre os dois. — Onde está Luke?

— Não sei — Chaz responde.

Foi ele quem se meteu no meio dos dois para separar a briga.

415

Bem, não que houvesse exatamente uma briga. Foi mais como uma tentativa unilateral de assassinato. Luke acertou o soco e então recuou, sacudindo a mão, aparentemente machucada pelos dentes de Andy.

Que, Andy agora reclama, parecem moles.

Chaz, que se aproximara para parabenizar Shari por conseguir se envergonhar de maneira tão completa em cima do palco, conseguiu segurar Andy, para que não retribuísse o soco de Luke, apenas colocando a mão no ombro dele. Acontece que Andy é muito melhor em amar do que em brigar.

Só que ele parece não saber disso.

— Foi um ataque totalmente sem provocação! — Andy insiste. — Eu não estava fazendo nada com Liz! Só estava falando com ela!

— Lizzie — Shari o corrige, em tom entediado, do lugar onde está apoiada na pia da cozinha, tentando não atrapalhar o pessoal do serviço de bufê, que entra e sai da cozinha sem parar, para servir o primeiro prato (salmão) e que fica olhando com raiva para nós enquanto o chef tenta se virar no fogão com o segundo prato (*foie gras*). — O nome dela é Lizzie. Não Liz.

— Tanto faz — Andy diz sob o pano de prato. — Quando eu encontrar aquele canalha, vou mostrar uma ou duas coisas para ele.

— Você não vai mostrar nada para ninguém — Chaz diz a Andy em tom firme. — Porque você vai embora. Tem um trem para Paris às 15h, e eu vou me assegurar de que você vai estar dentro dele. Você, meu amigo, já causou bastante confusão para um dia só.

416

— Eu não fiz nada! — Andy exclama. — Foi aquele idiota francês!

— Ele não é francês — Shari continua entediada e fica examinando as cutículas.

— Lizzie — Andy diz sob o pano de prato —, ouça. Sinto muito por tocar no assunto. E este pode não ser o melhor momento, mas eu queria saber sobre o dinheiro.

Fico olhando para ele sem entender nada.

— Dinheiro?

— Isso mesmo. O dinheiro que você disse que me emprestaria para pagar a minha matrícula. Porque eu realmente preciso dele, Liz.

— Ah, não! — Shari explode. — Ah, não. Não acredito que ele acabou de...

— Shari — digo a ela, ríspida —, deixe que eu cuido disto. Porque sou capaz.

E, tudo bem, até mesmo cheguei a pensar que ele se dera ao trabalho de vir até aqui para acertar as coisas comigo porque me amava.

Mas sinceramente nunca me ocorreu que ele tinha feito isto por causa do dinheiro.

— Andy, você veio até aqui para perguntar se eu posso emprestar quinhentos dólares para você?

— Na verdade — Andy ressalta, com as palavras abafadas pelo pano de prato —, você disse que me daria. Mas um empréstimo está bom. Eu me sinto péssimo por pedir, mas, de certo modo, você me deve o dinheiro. Quer dizer, eu abri a minha casa para você, e teve o dinheiro da gasolina, sabe como é, que o meu pai gastou para pegar você no aeroporto, e...

— Posso bater nele agora? — Chaz quer saber. — Por favor, Lizzie?

— Não, não pode — digo a Chaz.

Mas deve parecer óbvio, pela minha expressão estupefata, que não estou disposta a entregar o dinheiro, já que a expressão de coitadinho de Andy desapareceu completamente. Aliás, os olhos dele se fecharam bem apertados por cima do pano de prato.

Shari engole em seco.

— Ai, meu Deus — ela diz. — Andy, você está chorando?

Quando ele fala, fica claro que está, sim.

— Você está me dizendo — ele choraminga — que eu me dei ao trabalho de pegar carona até aqui e você não vai me dar o dinheiro no final das contas?

Fico chocada. Chorando? Ele está chorando?

Luke deve ter batido nele com mais força do que todos nós pensamos.

— Você disse no telefone que não podia falar sobre o assunto! — Andy soluça. — Só isso! Nunca disse...

— Andy — balanço a cabeça. Será que isto está mesmo acontecendo? — Quer dizer, Andy, nós terminamos. O que você achou que iria acontecer?

— Você não entende! — Andy exclama. — Se eu não pagar àqueles caras o que eu devo, eles vão... eles vão quebrar as minhas pernas.

Troco olhares confusos com Shari e Chaz.

— A tesouraria vai quebrar as suas pernas se você não pagar a sua taxa de matrícula?

— Não — Andy respira sob o pano de prato e se treme todo. — Eu... eu não fui muito sincero em relação a esta parte. Na verdade, devo dinheiro para os caras que organizam os jogos de pôquer. Eles... bem, eles falam sério quando dizem que querem receber. Não posso pedir à minha mãe e ao meu pai... eles vão me expulsar de casa. E todos os meus amigos também estão duros. Fala sério, Lizzie... você era a minha última esperança.

Fico olhando para ele enquanto absorvo aquelas palavras. Então dou uma olhada para Chaz e Shari, e vejo que os dois estão olhando para mim: Chaz estampa um sorrisinho no rosto e Shari exibe um ar que diz, claramente "*Não se deixe dobrar. Não faça isso, Nichols. Não desta vez*".

Viro-me de novo para Andy:

— Ah, Andy. Sinto tanto! — Estico o braço e dou um tapinha solidário no ombro dele. Não dá para acreditar que eu já amei aquele ombro.

E não dá para acreditar que ele me considera tão trouxa a ponto de realmente dar um único centavo a ele. Quem ele acha que eu sou, aliás? Algum tipo de pau mandado?

— Pelo menos coma um pouco de bolo de casamento antes de ir embora — digo. — Tchau.

Então, saio pela porta dos fundos, onde Patapouf e Minouche esperam, ansiosos pelos restos jogados pelo pessoal do serviço de bufê. Atrás de mim, ouço Chaz dizer com voz animada:

— Andy, meu rapaz. Sou um homem de mente aberta, cara. E, por acaso, sou cheio da grana. Então, vamos falar de negócios. O que você tem para dar como garantia? Essa jaqueta que você carrega aí vale alguma coisa, por acaso?

Agnès está do lado de fora, apoiada no Mercedes amarelo-manteiga. Ela apruma o corpo ao me ver, ansiosa por mais fofocas. Percebo que a briga de Luke com Andy é a coisa mais emocionante que aconteceu em Mirac em muito tempo. Ela vai ter muito assunto para conversar com as amigas quando o ano letivo começar.

— O inglês precisa ir para hospital? — ela me pergunta, cheia de animação. — Porque posso ligar para o meu pai, e ele pode vir para pegar seu amigo e levar para hospital.

— Ele não é meu amigo — digo. — E não precisa ir para hospital. Quer dizer, para o hospital. Vão levá-lo à estação de trem, e nós nunca mais vamos vê-lo.

Agnès parece decepcionada.

— Ah, achei que ia ter mais briga.

— Acho que já houve briga suficiente para um dia. Falando nisso, você viu para onde Luke foi depois da briga?

Agnès se alegra mais uma vez.

— Vi sim! Ele foi para o vinhedo. Acho que está na sala de armazenamento dos tonéis.

— Obrigada, Agnès. — Saio pela lateral da casa, em direção ao gramado.

A festa do casamento está a toda. Vai muito bem, agora que a Satan's Shadow pegou o jeito de tocar *covers*. Uma das amigas de Vicky, da irmandade da faculdade, está no palco berrando versos de "You Oughta Know", de Alanis Morissette. Não é exatamente o que se toca em casamentos, mas todo mundo parece embriagado demais para perceber. A maior parte das pessoas, graças aos drinques, já estava bêbada a ponto de nem notar que tinha havido uma briga. Só algumas, que por acaso estavam por perto, notaram, e a intervenção rápida de Chaz abafou qualquer possibilidade de que aquela cena dramática prosseguisse, de modo que todo mundo voltou a prestar atenção ao que estava acontecendo no palco.

Ainda assim, apesar de ninguém estar ciente da briga, parece que todo mundo sabe quem eu sou. Bem, acho que é o que acontece quando você paga um verdadeiro King-Kong em cima de um palco, na frente de duas centenas de completos desconhecidos. Todo mundo fica achando que é seu melhor amigo.

Ou talvez seja por causa da notícia a respeito de minha habilidade com o cremor de tártaro ter se espalhado. Porque parece que todas as mulheres presentes têm alguma pergunta relativa a um vestido de noiva antigo: como podem tirar uma mancha ou inserir um reforço; como atualizá-lo sem estragar o material delicado; até como fazem para encontrar um vestido de noiva vintage para si mesmas.

Eu me livro delas da melhor maneira possível e finalmente consigo atravessar o gramado e chegar até a sala onde estão os tonéis (uma estrutura cavernosa, de paredes grossas, com tantos séculos de existência quanto a casa em si) e abro a porta pesada de carvalho e ferro.

Lá dentro, está tudo calmo como um mausoléu: mas, ao contrário de um mausoléu, uma luz dourada penetra pelas janelas de formato arredondado na parte de cima que se estendem bem no alto das paredes. Não dá para escutar o som da banda lá fora (que provavelmente pode ser escutado em todo o vale) nem a conversa dos convidados do casamento. Na frente das paredes enfileiram-se tonéis de carvalho de vinho que batem na cintura; dois dias antes, durante meu passeio pelo vinhedo, o pai de Luke me fizera experimentar o conteúdo de boa parte deles. As taças que nós usamos (e que depois todos os convidados do casamento que Monsieur De Villiers levou até lá para passeios subseqüentes usaram) estão empilhadas em uma pia de pedra na outra ponta do salão.

É esta pia de pedra que Luke está usando para deixar que a água escorra por suas mãos.

Ele não escuta quando eu entro. Ou, pelo menos, se escuta, não reage. Está parado de costas para mim, com os cabelos escuros caindo sobre o rosto, deixando a água escorrer por cima da mão. Percebo que ele deve ter machucado de verdade a mão contra os dentes de Andy.

E é neste momento que eu esqueço que o meu coração está na garganta perante a perspectiva de falar com ele depois das coisas horríveis de que o acusei na noite anterior, e me apresso até ele.

— Deixe-me ver — digo quando chego a seu lado.

Ele se sobressalta.

— Caramba — ele olha para mim, surpreso. — Você me deu o maior susto, viu?

Tiro a mão dele da água que escorre da torneira antiquada. Vejo que os nós dos dedos estão vermelhos e inchados. Mas a pele não se abriu.

— Você teve sorte — olho para a mão dele. — Ele disse que ficou com os dentes moles. Você poderia ter se cortado.

— Eu sei — Luke estende a mão esquerda para fechar a torneira. — Eu devia ter pensado melhor para não mirar na boca. Devia ter acertado o nariz dele.

— Você não devia ter "acertado" nada — largo a mão dele. — Eu estava totalmente no controle da situação, sabe?

Luke nem tenta argumentar. Seca a mão em um pano de prato próximo.

— Eu sei — ele responde, acanhado. — Não sei o que deu em mim. Simplesmente não consegui acreditar que ele teve coragem de aparecer aqui. A menos que...

Fico olhando fixamente para ele. Não consigo deixar de notar como o cabelo dele parece cheio e escuro com os raios de sol que entram pelas janelas tão próximas do teto.

— A menos que o quê?

— A menos que você tenha *dito* para ele vir aqui — Luke diz, sem me olhar nos olhos.

— *O quê?* — tive que começar a rir depois dessa. — Está falando sério? Você acha mesmo que...

423

— Bom.   Luke larga o pano de prato na pia. — Eu não sabia.

— Achei que eu tinha sido bem clara em relação a este assunto no trem. Andy e eu terminamos. Ele só veio atrás de mim porque achou que eu poderia salvá-lo de um problema financeiro em que ele se meteu.

— E... você o salvou? — o olhar escuro dele está fixo no meu rosto.

— Não — respondo. — Mas parece que Chaz está cuidando do assunto.

— É típico de Chaz mesmo — Luke sorri.

Preciso desviar o olhar, desconcertada por causa da maneira como ele fica lindo com aquele sorriso. Então me lembro de que há uma coisa que preciso dizer a ele. De modo que, cheia de vergonha, digo bem rápido. Para o meu esmalte à francesinha.

— Luke, sinto muito pelo que eu disse ontem à noite. Eu devia saber que você não tinha dito a ela. A Shari, quer dizer. A respeito da minha monografia. Não sei onde eu estava com a cabeça.

Luke não diz nada. Ergo os olhos, só uma vez, para ver se ele me escutou.

Ele está olhando para mim com a expressão mais inescrutável que já vi: em um ponto intermediário entre um sorriso e uma careta. Será que ele me odeia? Ou será que existe alguma possibilidade de ele gostar de mim, apesar da minha boca grande e idiota?

Com o coração batendo tão forte que tenho certeza de que ele o enxerga sob a seda do meu vestido, volto os olhos para baixo mais uma vez e digo, agora olhando para os pés dele em vez dos meus (algo de que eu logo me arrependo ao ver os sapatos tipo Oxford de novo... OXFORD! Muito sexy!):

— E pelo lance de ter falado a sua mãe sobre você ter entrado na NYU. E sobre os planos de Dominique para o *château*. Quer dizer, eu realmente só estava tentando sugerir alternativas para que este lugar não fosse transformado em um spa. Como, por exemplo, alugá-lo a famílias ricas que querem passar seu mês de férias em um *château* legal, ou quem sabe para reencontros de escola ou qualquer coisa do tipo. Sinceramente, eu só estava tentando ajudar...

— Bem, na verdade, tenho conseguido me virar bem sem a sua ajuda nos últimos vinte e cinco anos — Luke diz.

Ai! Essa doeu.

Magoada, não posso fazer nada além de erguer os olhos e dizer:

— E é por isso que você está tão feliz com a sua carreira, a sua vida e a sua namorada? E porque Vicky ficou tão bonita e parece que os seus pais vão reatar e que todo mundo lá fora está se divertindo tanto...

Minha voz vai definhando quando percebo que ele está sorrindo para mim.

— É brincadeira — ele diz. — Foi uma piada. Eu já disse a você que não sou bom nisso.

É então que ele estica o braço, puxa meu corpo para perto do dele e começa a me beijar.

Estou absoluta e completamente chocada. Não entendo o que está acontecendo. Quer dizer, entendo *sim*... mas não faz o menor sentido. Luke De Villiers está me beijando. Os braços de Luke De Villiers me apertam com tanta força que consigo sentir o coração dele batendo tão forte contra suas costelas quanto o meu bate contra as minhas. Os lábios de Luke De Villiers dão mil beijinhos de leve nos meus.

E agora os meus lábios estão se abrindo, rendendo-se aos apelos dos dele. E ele me beija com força, demoradamente e com muita doçura, e estou agarrada nele porque meus joelhos estão totalmente moles e os braços dele são as únicas coisas que me mantêm em pé. E a língua dele está dentro da minha boca, como se Luke quisesse sentir mais o meu gosto, e sinto algo duro que faz pressão contra o meu corpo através do tecido da calça dele. E a mão dele, a mão que acertou Andy, segura meu seio sob meu vestido mandarim, e quero que ele pegue em mais partes do meu corpo, e solto um gemido...

— Caramba, Lizzie — ele diz com uma voz que não parece nada com a voz normal dele.

E, antes de que eu me dê conta, ele já está me erguendo e me coloca em cima do tonel de vinho mais próximo, e de algum modo minhas pernas se abriram e ele está no meios delas. A parte da frente do meu vestido também está aberta. Nem sei como ele fez isso, porque os fechos supostamente ficam escondidos. E sinto os dedos dele (e o sol forte que entra pelas janelas altas) no meu peito nu.

E não consigo parar de beijá-lo, nem de passar meus dedos pelo cabelo cheio dele, quando sua boca começa a descer pelo meu pescoço, então desce mais e afaga a pele dos meus seios. Sua boca toca todos os lugares que o sol banha.

Até que, de repente, ele balbucia:

— Caramba, Lizzie, você não está usando calcinha.

E eu respondo:

— Eu sei, não queria que o vestido ficasse marcado.

E ele coloca os lábios dele lá também.

E, ali em cima do tonel, me sinto como se o sol transpassasse todo o meu corpo (mas de um jeito gostoso) e olho para baixo, para os olhos semicerrados dele, e penso em como é estranho a cabeça morena de Luke De Villiers estar entre as minhas pernas (mas estranho de um jeito muito gostoso) e então eu não penso em mais nada por um tempo a não ser no sol, que parece ter se transformado em uma supernova, bem ali na sala dos tonéis de Monsieur De Villiers.

E então Luke ergue o corpo e me abraça pela cintura e me puxa mais para perto dele, minhas pernas se prendem a ele e sinto o peito nu de Luke embaixo dos meus dedos e fico imaginando como isso aconteceu. E então ele entra em mim, grosso e duro, e é ainda melhor do que quando a sua boca estava lá, e nós nos movemos juntos, exatamente no ritmo certo, e ele entra cada vez mais fundo em mim, e eu também tento ficar cada vez mais perto dele, e ele beija meu pescoço e meus ombros, bem onde o sol bate na minha pele, e, de repente, o sol cobre todo o meu

427

corpo, como se eu estivesse sendo banhada por gotas douradas de sol, e grito de tão bom que aquilo é, e Luke faz a mesma coisa.

E então ele fica lá parado, me abraçando toda suada contra ele, ofegando no meu cabelo, e percebo que acabamos de transar em cima de um tonel de vinho.

E que foi fantástico. Eu nem precisei me preocupar em me assegurar de que eu me divertiria! Luke totalmente deu conta disso. Duas vezes, para falar a verdade.

— Eu já comentei que acho que estou apaixonado por você? — Luke pergunta quando consegue retomar o fôlego.

Dou risada. Não consigo segurar.

— Por acaso eu comentei que o sentimento é mútuo? — eu digo.

— Bem, isso é um alívio.

Ele não se mexe, nem eu. Realmente é bom ficar daquele jeito. No meu caso, ficar sentada.

— Acho que eu provavelmente também preciso lhe dizer — Luke diz — que resolvi fazer aquele curso na NYU.

Fico imaginando se ele consegue ver meu coração saltitando dentro do peito. Mas tento soar casual.

— É mesmo? Que engraçado. Eu também vou me mudar para Nova York.

— Nossa. — Luke inclina a testa para perto da minha e sorrindo. — Mas que coincidência.

— E não é? — retribuo o sorriso.

Um pouco depois, saímos de mãos dadas da sala de armazenamento, bem a tempo de ver a noiva e o noivo cortando o bolo de muitas camadas. Agnès, a primeira a nos ver, vem correndo na nossa direção com uma bandeja cheia de taças de champanhe e cada um de nós pega uma. Ficamos lá, lado a lado, enquanto Vicky e Craig saboreiam juntos a primeira fatia.

— Espero que não fiquem com a boca suja — digo. — Detesto quando isto acontece.

— Além do mais — Luke completa —, depois você vai ter manchas de chocolate para limpar.

— Nem diga uma coisa dessas. — Sinto um arrepio e agarro o braço dele.

— Ah, olá. — Shari aparece com Chaz a reboque, um minuto depois. — Onde vocês dois se meteram?

— Em nenhum lugar — respondo rapidinho, ficando vermelha até o couro cabeludo.

— Ah, sei. — Shari abre um sorriso de quem já entendeu tudo. — Já passei por isso.

— Do que você está falando? — Chaz, desavisado, quer saber. — Você ficou aqui o tempo todo. Fui eu quem teve de levar aquele louco para a estação de trem. Resolvi que, a partir de agora, vou ter que aprovar todos os seus namorados, Lizzie. Não se pode confiar em você para escolher sozinha.

— É mesmo? — troco um olhar divertido com Luke, que me abraça.

— Eu posso ajudar, Chaz — Luke oferece. — Acho que Lizzie é mais do que você pode agüentar sozinho.

Chaz, ao ver o braço de Luke ao redor dos meus ombros, aperta os olhos para nós.

— Ei, o que está rolando?

— Algum dia eu explico, amor — Shari dá tapinhas carinhosos no braço dele.

— Ninguém nunca me conta nada — Chaz faz bico.

— Isso porque você precisa ir direto à fonte — Shari responde.

— E qual é a fonte?

— O SLC. O que mais poderia ser? — Shari move a cabeça na minha direção.

E é bem aí que Ginny Thibodaux, já bem chumbada, me avista e corre para tascar um beijo na minha bochecha.

— Lizzie! — ela exclama. — Estive procurando você por tudo quanto é canto. Queria agradecê-la pelo que fez por minha Vicky. Aquele vestido... é lindo! Você sabe que salvou a pátria, não sabe? Nunca vi nada parecido. Ah, você precisa abrir uma loja sua!

— Quem sabe eu abra — respondo, com um sorriso.

Para concluir, vimos o importante papel que a moda desempenhou no desenvolvimento da cultura e da história mundial. Desde as tiras de pele usadas para aquecer e proteger os homens das cavernas reunidos ao redor de uma fogueira até os sapatos Prada — usados em festas graças a sua beleza e prestígio por mulheres modernas que trabalham —, a moda, ao longo dos séculos, passou a ser uma das conquistas mais interessantes do homem — e da mulher.

Esta autora em especial está ansiosa para ver que surpresas e inovações a esperam no mundo da moda — e além dele — nos próximos anos.

História da Moda
MONOGRAFIA DE ELIZABETH NICHOLS

Este livro foi composto na tipologia Lapidary, em corpo 13/18, e impresso em papel off-set 56g/m^2 no Sistema Cameron da Divisão Gráfica da Distribuidora Record.